Thomas More

L'Utopie

Traduction du latin par Jean Le Blond (1550),
revue par Barthélemy Aneau (1559),
révisée et modernisée par Guillaume Navaud

Édition de Guillaume Navaud
Professeur au lycée Janson-de-Sailly (Paris)

Gallimard

PRÉFACE

Platon au Nouveau Monde

En 1492, Christophe Colomb découvre à l'ouest de l'Europe une terre encore inconnue. La portée de l'événement est telle qu'on place à cette date la fin du Moyen Âge et l'entrée dans la modernité. Même s'il est entendu que toute périodisation se fonde sur des événements symboliques dont le choix implique une part d'arbitraire, force est en l'occurrence de constater que cette découverte va induire en Occident une rupture épistémologique capitale, rupture qui sera véritablement consommée au moment où l'on reconnaîtra en cette terre neuve non pas, comme le croyait Colomb, l'extrémité orientale de l'Asie, mais bien un nouveau continent : un Nouveau Monde. Plus encore que la découverte géographique, c'est la prise de conscience de l'existence d'un autre monde qui allait bouleverser l'image que les Européens se faisaient d'eux-mêmes. Le Nouveau Monde rend soudain le nôtre — qui était jusque-là, croyait-on, le seul — bien vieux et bien relatif. Quelques décennies avant que Copernic n'amorce la révolution astronomique qui substituera au modèle géocentrique un modèle héliocentrique, le

Vieux Continent découvre qu'il n'est plus le *monde,
mais un* monde : *il prend conscience de son ethnocentrisme latent, au moment précis où la validité de
ce modèle «autocentré» vole en éclats.*

  *Toute l'Europe de l'époque se précipite avec avi-
dité sur les premiers comptes rendus des explorateurs, en particulier sur ceux d'un Florentin, Amerigo
Vespucci, dont le principal mérite est justement
d'avoir reconnu qu'il s'agissait bien d'un Nouveau
Monde, et non d'une extrémité de l'Ancien. On
s'arrache son* Nouveau Monde *(Mundus Novus,
1503), dont le titre résonne comme un coup de ton-
nerre, et qui devient l'un des premiers* best-sellers
de l'histoire du livre imprimé[1]. *Un an plus tard,
Vespucci rédige un récit plus détaillé de son voyage ;
celui-ci passera à la postérité dans une traduction
latine, intitulée* Quatre Navigations, *qui se voit
incluse dans une* Introduction à la Cosmographie
*(Cosmographiae Introductio) publiée en 1507 à
Saint-Dié-des-Vosges. Cet ouvrage comprend aussi
un splendide planisphère où les terres neuves occidentales sont pour la première fois représentées
comme un continent autonome ; en hommage à*

---

  1. *Le Nouveau Monde*, rédigé en italien sous la forme d'une
lettre datée de 1503, connut le succès à partir de 1504 dans
une traduction latine, qui sera elle-même traduite entre 1505
et 1515 dans de nombreuses langues européennes (allemand,
tchèque, hollandais, italien et français). Voir, pour une traduction de l'original italien, *Le Nouveau Monde. Les voyages
d'Amerigo Vespucci (1497-1504)*, trad. J.-P. Duviols, Paris,
Chandeigne, 2005 ; et, pour une traduction de la version latine
que connaissait More, *Le Nouveau Monde. Récits de Amerigo
Vespucci, Christophe Colomb, Pierre Martyr d'Anghierra*, trad.
J.-Y. Boriaud, Paris, Belles Lettres, 1992.

*celui qui en a popularisé la description, l'auteur du planisphère, Martin Waldseemüller, lui donne le nom d'*America[1]. *Ces récits de découverte ne font pas qu'éclairer le contexte intellectuel dans lequel Thomas More invente et décrit son propre nouveau monde, l'Utopie : les* Quatre Navigations *en constituent aussi ce qu'on appellerait aujourd'hui l'hypotexte, c'est-à-dire le texte sur lequel l'ouvrage de More va se greffer pour en proposer une sorte de complément. Rappelons brièvement la situation.*

Le premier livre de L'Utopie *s'ouvre sur un récit d'apparence autobiographique : en 1515, Thomas More n'est pas encore chancelier d'Angleterre, mais un homme de loi aux qualités déjà reconnues ; il commence à mener des missions diplomatiques pour le compte d'Henri VIII, et se voit envoyé en Flandres ; à l'occasion d'une suspension des négociations, il rejoint à Anvers un ami, l'humaniste Pierre Gilles ; ce dernier lui présente un navigateur portugais, Raphaël Hythlodée, qui fut, nous dit-on, l'un des compagnons de voyage de Vespucci. Or, à la dernière page des* Quatre Navigations, *Vespucci raconte avoir laissé en 1504, au terme de son quatrième et dernier voyage, vingt-quatre de ses hommes dans un fortin construit sur la côte d'Amérique du Sud ; Vespucci rentra ensuite à Lisbonne, et personne ne sait ce qu'il advint de ces hommes[2]. C'est cette inconnue que vient combler le récit d'Hythlodée, qui faisait partie des vingt-quatre : il prend ainsi le relais de Vespucci en poursuivant l'explora-*

1. Voir en Annexes, p. 283.
2. Voir p. 50, note 4.

tion du Nouveau Monde. Plusieurs années plus tard, après bien des tribulations, Hythlodée acheva son périple et finit par revenir en Europe via l'Asie, accomplissant ainsi le premier tour du monde de l'histoire, une décennie avant l'expédition de Magellan. Fasciné par les aventures de ce personnage extraordinaire, More entreprend de recueillir auprès d'Hythlodée le récit de ses pérégrinations ; s'ouvre alors entre les deux hommes un dialogue sur la valeur politique de l'expertise acquise par le voyageur. Au cours de ce dialogue sont mentionnés plusieurs peuples jusqu'alors inconnus, et dont les noms ne sont pas moins exotiques que les mœurs : les Polylérites, les Achoriens et les Macariens. Mais c'est chez les Utopiens qu'Hythlodée a trouvé les institutions et les mœurs les plus parfaites, et qu'il a séjourné le plus longtemps : c'est donc sur la description de cette île et de ses habitants qu'il va se concentrer, en un long soliloque qui occupe presque l'ensemble du second livre de L'Utopie.

Au tout début de l'année 1517, lorsque les premiers lecteurs découvrent la transcription par More de sa rencontre avec Hythlodée, certains, emportés par l'effervescence des grandes découvertes, s'émerveillent naïvement devant ce nouveau récit, qui apparaît comme une sorte de suite aux Quatre Navigations *de Vespucci*[1]*. Une seule information manque : les coordonnées géographiques exactes de l'île. Mais More et Pierre Gilles, dans leurs épîtres*

1. Voir par exemple la réaction d'un Bâlois décrite dans une lettre de Beatus Rhénanus (citée à propos de la lettre-préface de More, voir p. 230, n. 2).

liminaires, expliquent avec force détails pourquoi ils ne sont pas en mesure de les fournir — ce qui n'empêche d'ailleurs pas, au dire de More, un ecclésiastique bien intentionné de briguer dès à présent la charge d'évêque d'Utopie, et le soin d'évangéliser ces nouvelles ouailles[1]*. Le lecteur moderne a sans doute plus de mal à partager cette crédulité : il a lu le* Supplément au Voyage de Bougainville, *et sait que les Tahitiens de Diderot sont le produit d'une méditation philosophique plus que d'une enquête ethnographique. Les lecteurs avertis de la Renaissance disposaient eux aussi d'éléments susceptibles de leur dévoiler la supercherie.*

Le titre de l'ouvrage annonce en effet une œuvre hybride, où le récit de voyage se double d'un traité sur la meilleure forme de constitution politique : Sur la meilleure forme de République, et sur la nouvelle île d'Utopie, un petit livre véritablement excellent, non moins salutaire que divertissant. *Ce titre bicéphale invite à au moins deux types de lecture. La première, c'est la lecture littéraire et « divertissante » d'un récit de voyage à la manière de Vespucci, où le narrateur n'hésite pas à mettre en scène son personnage et à embellir la réalité (qu'il est de toute façon l'un des seuls à avoir vue) pour mieux piquer la curiosité du lecteur*[2]*. La seconde, c'est la lecture philosophique et « salutaire » d'une*

1. Voir en Annexes, p. 234.
2. Sur la dimension littéraire des *Voyages* de Vespucci, et en particulier sur la manière dont la description de l'altérité révèle les structures profondes de l'imaginaire du voyageur, voir Tzvetan Todorov, « Fictions et vérités », dans *L'Homme*, n° 111-112 (vol. 34, 3-4), 1989, p. 7-33, en part. p. 16-31.

*description de ce que serait la cité idéale, dans le
sillage d'illustres précédents antiques — en premier
lieu, de* La République *de Platon.*

*À quoi pourra bien ressembler une telle chimère ?
Comment faire pour embarquer Platon sur les
caravelles qui partent à la découverte du Nouveau
Monde ? L'hypothèse, aussi saugrenue qu'elle puisse
paraître, est également formulée par Montaigne, qui
regrette que l'Amérique ait été découverte si tard par
l'Europe :*

> *Il me prend quelquefois déplaisir, de quoi la
> connaissance n'en soit venue plus tôt, du temps qu'il
> y avait des hommes qui en eussent su mieux juger
> que nous. Il me déplaît que Licurgus et Platon ne
> l'aient eue : car il me semble que ce que nous voyons
> par expérience en ces nations-là, surpasse non seule-
> ment toutes les peintures de quoi la poésie a embelli
> l'âge doré, et toutes ses inventions à feindre une heu-
> reuse condition d'hommes : mais encore la concep-
> tion et le désir même de la philosophie. [...] Combien
> [Platon] trouverait-il la république qu'il a imaginée
> éloignée de cette perfection[1] !*

*Cette hypothèse d'école, c'est précisément celle à
laquelle More a donné corps à travers son personnage de navigateur : « il est bien vrai que celui-ci a
été sur la mer non comme Palinure, mais comme*

---

1. Montaigne, *Essais*, I, 31 « Des Cannibales », « Folio classique », p. 398. Voir aussi *Essais*, III, 9 « De la vanité », « Folio
classique », p. 251 : « Et certes toutes ces descriptions de police,
feintes par art, se trouvent ridicules, et ineptes à mettre en
pratique. [...] Telle peinture de police serait de mise en un
nouveau monde. »

Ulysse ou plutôt comme Platon. Il se nomme Raphaël, et le surnom de sa race est Hythlodée[1]*» (p. 49-50). Le narrateur-explorateur se voit ainsi présenté comme un avatar moderne de Platon, mais aussi du héros de l'*Odyssée*: l'objectivité historique revendiquée (Vespucci) se mâtine de fiction fabuleuse (Homère) afin de mieux délivrer un message dont la portée est en vérité philosophique (Platon).*

Non-lieu, *atopie*, Utopie

Platonicienne, L'Utopie *l'est à plusieurs titres. D'abord par le projet dont elle est l'aboutissement: le grand ami de More, Érasme, nous apprend que dès sa jeunesse, par goût pour le paradoxe, More avait eu l'intention d'écrire une défense du communisme platonicien, y compris celui des femmes*[2]*. Ce projet est évidemment la première incarnation de ce qui deviendra* L'Utopie*; comme le préconisait Platon, les Utopiens vivent en effet dans un territoire où ont été abolis l'usage de l'argent et la propriété privée. Ils s'éloignent cependant de Platon précisément sur le point mis en exergue par Érasme: la communauté des femmes et des enfants. Pour le dire en deux mots,*

---

1. Voir aussi la lettre de Pierre Gilles à Jérôme Busleyden (Annexes, p. 238): «Autant que je m'y connais, cet homme-là [Hythlodée] a une vaste connaissance — et connaissance expérimentale, qui plus est — des pays, des hommes et des choses; le fameux Ulysse n'en approchait point. Je ne crois pas que, depuis huit cents ans, la nature ait formé un tel homme. Vespucius était un aveugle en comparaison d'Hythlodée.»

2. Voir en Annexes, p. 301-302.

l'Utopie hérite de Platon le communisme écono-
mique, mais s'en distingue par son organisation
sociale, fondée sur un modèle familial patriarcal[1].

Le pays d'Utopie est ensuite platonicien par son
nom même. Comme la plupart des noms propres du
livre, il est forgé à partir de racines grecques : Ou-
topos, c'est-à-dire le Non-lieu, ou Nulle-part. Or,
c'est précisément dans ce non-lieu que les interlo-
cuteurs de La République *de Platon situent leur cité*
idéale : « la cité dont nous avons exposé la fonda-
tion », dit Glaucon, c'est « celle qui est située dans
nos discours, car je crois qu'elle n'existe nulle part
[oudamou] sur la terre[2] *». Une citadelle de mots*
sans correspondant réel sur la surface de la terre :
voilà l'antécédent direct de l'Utopie, que More appelle
aussi, dans certaines de ses lettres à Érasme, la
Nusquama — en latin, le pays de Nulle-part[3].

1. On ne résumera pas ici en détail le contenu politique et social de l'Utopie, en particulier ce qui la rapproche ou la distingue de la République platonicienne ou de la description par Vespucci des mœurs des sauvages d'Amérique. Les similitudes et les différences les plus marquantes sont signalées en notes au fil du texte.

2. Platon, *La République*, IX, 592a-b. Le lien direct entre ce passage de *La République* et les utopies renaissantes est souligné par les commentateurs du xviie siècle ; voir par exemple François La Mothe Le Vayer, « De la politique », dans *Dialogues à l'imitation des Anciens* (1633), Paris, Fayard, 1988, p. 390 : « au livre dixième [en fait, à la fin du livre IX de *La République*], il [Platon] avoue que cette République ne se trouve nulle part en terre, et que le modèle n'en peut être vu qu'au ciel. [...] L'Utopie de Thomas Morus, la cité du Soleil de Campanella, et l'île de Bensalem du Chancelier Bacon, n'ont été chimérisées en nos jours que par un semblable caprice. »

3. Voir la Notice, p. 326.

Mais cette idéalité radicale de la cité platoni-cienne allait susciter de nombreuses critiques : s'il est vrai que la politique est une science appliquée, à quoi peut bien servir un État parfait dont jamais il n'a existé ni n'existera aucun exemple sur la terre ? À quoi bon dessiner un modèle de constitution impossible à transposer dans le monde réel ? Cette indifférence envers l'enjeu que représente la viabi-lité pratique du modèle politique est l'objet prin-cipal des critiques qu'Aristote adresse, dans La Politique, *à* La République *de Platon ; et Aristote de dresser la liste des dispositions que Platon juge nécessaires, mais qu'il estime pour sa part «absurdes» : en premier lieu, justement, l'abolition de l'argent et le communisme économique et fami-lial[1]. «Absurde», c'est-à-dire en grec* a-topos, *«qui n'est pas en son lieu et place» : le non-lieu n'est plus ici géographique, mais logique ; l'idéal est nul et non avenu parce que irréaliste et irréalisable. Autrement dit, pour Aristote, la République de Platon est une* atopie.

C'est à ce type de critiques que Platon tente d'ap-porter une réponse en écrivant le Timée *et le* Critias. *Le dialogue du* Timée *est censé se tenir au lende-main de celui de* La République ; *après avoir résumé l'essentiel des conclusions de* La République, *Socrate cède la parole à Critias, qui se propose non pas de produire un discours théorique, mais de rapporter une histoire transmise dans sa famille de généra-tion en génération à partir de son aïeul Solon. Les premiers mots du récit de Critias sont révélateurs :*

1. Voir Aristote, *La Politique*, II, 1-5.

«*Écoute donc, Socrate, une histoire certes très absurde [atopos], mais néanmoins parfaitement vraie[1]*». *L'histoire en question, c'est le mythe de l'Atlantide, d'abord annoncé au début du* Timée, *puis développé dans le* Critias; *ce mythe est censé prouver que la cité idéale décrite dans* La République *a jadis eu une existence historique, dans une Athènes archaïque dont les Grecs eux-mêmes ont oublié l'existence, mais dont des prêtres égyptiens ont conservé le souvenir, qu'ils ont transmis à Solon. Cette Athènes archaïque et gouvernée par des lois parfaites est, disent-ils, la seule cité qui fut capable de repousser l'invasion d'un peuple puissant surgi d'une île située dans l'océan Atlantique; mais un déluge emporta ensuite aussi bien l'Atlantide qu'Athènes: seuls les Égyptiens, miraculeusement protégés par le Nil, gardèrent souvenir de ces événements. Le but du mythe atlante est donc de prouver que la cité idéale n'est pas un rêve chimérique, pour la simple raison qu'elle a bel et bien déjà existé, à Athènes même, mais dans un passé si lointain qu'elle a été presque totalement oubliée.*

Aux critiques reprochant à La République *son absurdité (*atopie*), Platon répond donc en mettant*

1. Platon, *Timée*, 20d. Compte tenu de la chronologie respective des œuvres de Platon et Aristote, il est impossible de faire de cette phrase de Platon une réponse directe aux critiques formulées par Aristote au début du livre II de *La Politique*; mais à défaut de constituer une réplique à la lettre du texte de *La Politique*, elle constitue assurément une réponse aux arguments énoncés par Aristote, que ce dernier avait fort bien pu exposer oralement à Platon (qui fut son maître) avant de les consigner par écrit.

en scène une histoire prétendument vraie qu'on pourrait qualifier d'uchronie — non pas au sens où elle serait anhistorique, mais au sens où elle se situe dans un éloignement temporel maximal. More reprend le même procédé en l'adaptant au contexte des grandes découvertes : l'éloignement temporel est transposé en éloignement spatial, la distance historique devient distance géographique, l'uchronie du mythe atlante se métamorphose en utopie[1]. Du dispositif atlante mis en place par Platon, More transpose aussi le système d'enchâssement narratif, puisque la description de la cité idéale par Hythlodée (au second livre) est encadrée par un dialogue entre Hythlodée et More (ou plutôt, comme on va le voir, un personnage nommé Morus), dialogue qui est lui-même introduit et conclu par un récit de Morus (au début et à la fin du premier livre, et à la toute fin du second livre). Si l'effet d'enchâssement est similaire, le procédé qui l'introduit est cependant nouveau, puisqu'à la longue chaîne de la tradition orale convoquée par Critias succède désormais le récit d'un témoin oculaire : l'explorateur Hythlodée. Bref, si les contre-utopies du XXᵉ *siècle, telles* Le Meilleur des mondes *d'Huxley*

1. Le rapprochement entre le Nouveau Monde et le mythe de l'Atlantide était naturel dans la mesure où beaucoup se demandaient si ce Nouveau Monde n'était pas, d'une manière ou d'une autre, l'héritier de l'Atlantide de Platon. Voir Montaigne, *Essais*, I, 31, « Folio classique », p. 393-394 ; Giuliano Gliozzi, *Adam et le Nouveau Monde*, Lecques, Thééthète, 2000, p. 155-209 ; et Pierre Vidal-Naquet, *L'Atlantide. Petite histoire d'un mythe platonicien*, Paris, Belles Lettres, 2005, p. 65-82 (rééd. « Points Seuil », 2007).

ou 1984 *d'Orwell, se projettent dans le futur de la
science-fiction, les utopies de Platon et de More
s'ancrent quant à elles dans ce qu'on pourrait
appeler une archéologie-fiction ou une géographie-
fiction, qui sont supposées donner une existence
concrète à la spéculation théorique. La fiction historique, en donnant vie à l'abstraction politique
comme on animerait une statue ou un automate,
est censée garantir sa viabilité pratique : cette cité
idéale peut paraître absurde, mais elle ne l'est pas
puisqu'il est censément prouvé qu'elle a existé ou
qu'elle existe, très loin de nous dans le temps ou
dans l'espace.*

Il y a cependant une différence essentielle entre la
manière dont Platon présente le mythe atlante et
celle dont More encadre son Utopie. Là où aucun
des interlocuteurs du dialogue de Platon ne remet-
tait en cause le consensus accordant le statut d'idéal
politique à la constitution proposée par la République *et actualisée par l'Athènes archaïque, il n'en
va pas de même chez More. Certes, Hythlodée tend
manifestement à considérer le modèle utopien comme
la meilleure forme possible de communauté politique, et en fait l'apologie sans réserve*[1] *; en revanche,
son interlocuteur Morus se permet de formuler à
son encontre un certain nombre de critiques. À la
fin du second livre de* L'Utopie, *Morus exprime
ainsi à propos des institutions utopiennes un juge-*

---

1. C'est à peine si Hythlodée s'autorise un certain étonne-
ment face à l'hédonisme proclamé des Utopiens ; voir p. 143 :
« ils semblent *un peu trop* enclins à suivre les sectateurs de la
volupté ».

ment qui ne peut manquer de rappeler celui d'Aristote à propos de La République de Platon : «Après que Raphaël eut récité ces matières, maintes choses me revinrent à l'esprit qui, dans les mœurs et lois de ce peuple utopique, me semblaient être bien absurdement établies : [...] tout spécialement en ceci (qui est le plus principal fondement de toute leur institution) qu'ils vivent en commun, sans aucun commerce et trafic d'argent[1]» (p. 217). Le cadre narratif permet ainsi d'introduire, à la lisière de la description utopique, sa critique : si Hythlodée se réclame à plusieurs reprises de l'idéalisme intransigeant de Platon, Morus représente quant à lui une philosophie politique plus pragmatique, plus aristotélicienne.

Il ne faudrait pourtant pas confondre le personnage de Morus avec More lui-même. Si certaines coutumes utopiennes peuvent nous paraître absurdes, ce n'est guère que par rapport à des préjugés enracinés dans nos mentalités occidentales, préjugés dont Hythlodée a fait justice dès le dialogue initial :

> Si je proposais ce que feint [fingit] Platon en sa République, ou ce que font [faciunt] les Utopiens en la leur, quoique ces choses-là fussent meilleures (comme il est certain qu'elles sont), toutefois elles pourraient sembler bien étranges [...]. Et véritablement s'il faut taire et omettre, comme si ce fût chose insolite et absurde, toutes les choses que les perverses

---

1. Les mots traduits par «absurde» et ses dérivés correspondent dans le texte latin à *absurdus* et ses dérivés. Dans la traduction de la *Politique* d'Aristote rédigée vers 1436 par Leonardo Bruni, *atopos* était traduit par *absurdus*.

> *mœurs des hommes ont fait sembler étranges, par*
> *semblable raison il faut que nous dissimulions entre*
> *les chrétiens presque toutes les choses que notre*
> *Seigneur Jésus Christ a enseignées [...]; desquelles*
> *choses la plus grande partie est bien plus étrange aux*
> *mœurs de ce temps présent, que ne sont les paroles*
> *que j'ai dites (p. 93-94).*

Dans ce passage capital sont résumés les enjeux de l'héritage platonicien sur lequel se construit l'Utopie : le passage de la fiction spéculative (« ce que feint Platon ») à l'actualisation historique (« ce que font les Utopiens »), mais aussi la résolution de l'absurdité logique en étrangeté circonstancielle — l'Utopie n'est pas absurde logiquement, mais elle est étrangère à nos habitudes d'agir et de penser, et en cela ni plus ni moins révolutionnaire que l'enseignement de Jésus.

La superposition du modèle chrétien au modèle platonicien n'est cependant pas aussi simple que pourrait le laisser croire l'analogie tracée par Hythlodée. De prime abord, la référence au Christ semble certes venir renforcer la validité du modèle platonicien : comme le remarquent Érasme et Guillaume Budé, le communisme de Platon ou des Utopiens converge en effet avec celui pratiqué par les premiers apôtres[1]. Mais d'un autre côté, cette référence au Christ appelle sans doute à dépasser non seulement Platon, mais aussi l'Utopie elle-même — ou du moins à dépasser une réception trop univoque de L'Utopie. *En effet, les Utopiens mènent*

---

1. Voir en Annexes, p. 258-259 et notes.

une vie aussi parfaite et rationnelle que possible
pour un peuple qui n'a pas encore reçu la Révélation, *ou qui ne vient que d'en recevoir les rudiments
transmis par Hythlodée et ses compagnons*[1]. *L'Utopie
forme ainsi une communauté qui est peut-être parfaite du point de vue politique et humain, mais qui
reste à parfaire du point de vue théologique et divin :
pour imaginer une utopie achevée dans ces deux
dimensions, il faut, comme le fera Bacon dans* La
Nouvelle Atlantide, *recourir au subterfuge d'une
évangélisation miraculeuse*[2]. *Les Utopiens eux-
mêmes se déclarent tout prêts à se convertir, le cas
échéant, à une religion plus véritable que la leur*[3] :
*c'est la contrepartie de leur vœu que le monde
sache adopter leurs sages principes politiques,
mais aussi le corollaire de leur fondamentale tolérance religieuse.*

*Or cette tolérance, ce relativisme et ce pragma-
tisme caractéristiques des Utopiens ne semblent pas
être les principales qualités de certains de leurs apo-
logistes, à commencer par Hythlodée lui-même. Tout
comme le néophyte utopien qui se voit puni par ses
concitoyens pour avoir prêché avec trop de zèle la
conversion de son pays au christianisme*[4], *Hythlodée représente une tournure d'esprit doctrinaire
dont l'intégrisme est susceptible d'altérer le message*

1. Voir le dernier chapitre du livre second, « Des religions
des Utopiens ».
2. Voir F. Bacon, *La Nouvelle Atlantide* (rédigé vers 1623 ;
publié de manière posthume en 1627), Paris, GF, 2000, p. 93-96.
3. Voir p. 210 le *credo* utopien qui conclut l'exposé systéma-
tique d'Hythlodée sur les institutions utopiennes.
4. Voir p. 194.

qu'il défend : l'intransigeant Hythlodée, incapable de supporter la contradiction, risque de sombrer dans un fanatisme pro-utopien dont les conséquences seraient tout aussi dommageables que la fermeture d'esprit de ses bêtes noires, ces victimes consentantes des préjugés qui refusent par principe toute confrontation à l'altérité. Si le fanatisme chrétien est logiquement puni en Utopie, il est symétriquement raisonnable de condamner dans la chrétienté les excès de ce que serait un fanatisme pro-utopien. La figure de Morus ne s'oppose donc pas seulement à celle d'Hythlodée comme le pragmatisme aristotélicien s'oppose à l'idéalisme platonicien, ou comme la doxa s'oppose à la raison positive : elle incarne aussi, face à l'intégrisme révolutionnaire d'Hythlodée, une réception prudente de l'utopie, certes encore marquée par certains préjugés de notre monde, mais ouverte à un réformisme modéré qui est finalement ce qui se rapproche le plus de la pratique des Utopiens eux-mêmes.

Cette réception prudente et pragmatique de l'altérité utopique, c'est précisément celle qu'illustre la figure du cardinal Morton au premier livre de L'Utopie. Hythlodée y raconte un dîner auquel il participa jadis en Angleterre, à la table de celui qui était alors le chancelier du roi Henri VII. Au cours de ce dîner, la conversation vint à porter sur le problème posé par la punition des voleurs : dans l'Angleterre de l'époque, ils étaient condamnés à mort, et cependant ce fléau ne tarissait pas. Serait-il alors possible d'améliorer la législation pour réprimer ce crime de façon plus efficace ? Hythlodée estime que *oui, en citant en exemple la législation instituée par les Polylérites ; bien que très différente des usages européens, elle a prouvé que l'aggravation de la peine n'était pas le remède le plus efficace contre le crime. Quelles sont les réactions provoquées par cette micro-utopie, qui constitue une sorte de miniature apéritive du vaste tableau qui sera dressé dans le second livre ? D'abord, le dédain des assistants face à l'étrange, l'inconnu, le paradoxal. Mais le cardinal Morton se montre plus ouvert et plus pragmatique : il définit les conditions auxquelles le traitement des voleurs en usage chez les Polylérites pourrait être importé en Angleterre à titre expérimental[1]. On ne peut s'empêcher de lire cette réaction comme un modèle possible de réception de* L'Utopie *dans son ensemble : le cardinal Morton ne pourrait-il pas servir de modèle au cardinal Wolsey, alors chancelier d'Henri VIII, en l'encourageant à retenir, parmi les institutions utopiennes, celles qui pourraient être transposées sans risque ? En demandant à Érasme que les épîtres de recommandation accompagnant* L'Utopie *émanent non seulement d'hommes de lettres comme Guillaume Budé, mais aussi d'hommes d'État comme Jérôme Busleyden, More entend ainsi adresser son ouvrage aux conseillers et aux ministres de la nouvelle génération de princes humanistes qui émerge en Europe avec les avènements successifs d'Henri VIII (1509), de François Ier (1515) et du nouveau roi d'Espagne, Charles Ier (1516), qui deviendra bientôt empereur sous le nom de Charles Quint (1519).*

---

1. Voir p. 76-77.

Le miel et l'absinthe

Pourtant, l'expérience désastreuse de Platon à la cour du tyran Denys de Syracuse montre qu'il est souvent difficile — voire dangereux — pour le philosophe de prétendre orienter la politique du prince. Face à cette difficulté, le couple formé par Morus et Hythlodée suggère à nouveau une réponse ambivalente[1]. Le platonicien Hythlodée repousse tout de go l'éventualité d'entrer au conseil du prince : de toute façon, la voix de la raison et de la philosophie ne saurait jamais s'y faire entendre. Morus, pour sa

---

1. Voir p. 81-82 et p. 91-95. L'hypothèse de lecture exposée ici, qui tend à faire du dialogue entre Hythlodée et Morus au premier livre une sorte de commentaire préparatoire — presque une introduction méthodologique — au second livre, me semble plus satisfaisante (même si elle ne l'exclut pas) que l'interprétation de type biographique, qui y voit l'écho d'une éventuelle invitation à rejoindre le conseil royal qui aurait été faite à More par Wolsey dès l'automne 1515, et une sorte de dialogue interne à More entre deux dimensions de sa personnalité : l'humaniste chrétien qui se retire volontairement du tumulte des affaires mondaines (Hythlodée), face à l'avocat et ambassadeur, futur conseiller du prince (Morus). Cette lecture biographique est exposée notamment par J.H. Hexter (voir *The Yale Edition of the Complete Works of Saint Thomas More*, vol. IV : *Utopia*, New Haven, Yale U. P., 1965, p. XXXIII-XXXVIII), par Stephen Greenblatt (voir *Renaissance Self-Fashioning*, Chicago, Chicago U. P., 1980, p. 36 [rééd. 2005]), et par George Logan (voir Thomas More, *Utopia*, Cambridge, Cambridge U. P., 1995, p. XXIII-XXV). Pour la lecture «méthodologique», voir Miguel Abensour, «Thomas More ou la voie oblique», dans *L'Utopie de Thomas More à Walter Benjamin*, Paris, Sens & Tonka, 2000, p. 29-105.

part, distingue deux types de philosophie. Il y a celle qu'il appelle la philosophie «scolastique», c'est-à-dire la philosophie théorique et spéculative qui ne s'intéresse qu'aux principes universels, aussi «insolites et inaccoutumés» soient-ils aux oreilles des hommes — autrement dit, la philosophie idéaliste de la République —; *cette philosophie-là, c'est certain, est «intempestive» au conseil des princes. Mais il existe une autre philosophie, qui se distingue de la première par la forme plus que par le fond; celle-ci s'adapte à son auditoire, et procède par une «menée oblique», c'est-à-dire par une voie détournée ou une stratégie indirecte: en d'autres termes, il s'agit d'envelopper la philosophie politique la plus aride sous un dehors plaisant, ou de donner, comme l'indique le titre de* L'Utopie, *à des propos «salutaires» une forme «divertissante».*

Très ironiquement, c'est à Hythlodée — le tenant le plus rigide de la probité philosophique, l'ennemi intransigeant du mensonge — que revient le soin d'être le témoin, le narrateur et le garant de la fiction utopique, c'est-à-dire le plus fidèle instrument de la «menée oblique» prônée par Morus, consistant en l'occurrence à déguiser la philosophie sous les habits de la littérature, et à maquiller la description de la cité idéale en récit de voyage. Car en cette aube du XVIe *siècle, qu'y a-t-il de plus divertissant pour un prince que de lire les aventures des premiers explorateurs du Nouveau Monde?*

De ce point de vue, More pouvait à nouveau prendre modèle sur les Quatre Navigations *de Vespucci, rédigées sous forme de lettres adressées à des hommes de pouvoir*[1]. *Au début de sa lettre, Vespucci s'excuse de déranger un lecteur si accaparé par les «innombrables soucis de l'État»; il proteste en outre de son inexpérience en matière littéraire: le style de sa relation de voyage est «non point délectable mais bien barbare», tout comme More ouvre sa lettre-préface à Pierre Gilles en affirmant qu'il n'a fait que retranscrire la «simplicité négligée» de la langue orale d'Hythlodée, sans y ajouter aucun des «ornements du langage» ni aucune des «fleurs de l'Éloquence». Malgré cela, Vespucci espère pouvoir retenir l'attention de son lecteur grâce à la curiosité naturelle que suscite le Nouveau Monde, et au caractère intrinsèquement divertissant de sa description: le succès de son petit livre prouvera qu'il n'avait pas tort.*

More a donc choisi d'exploiter le succès de librairie de Vespucci en offrant aux Quatre Navigations *une suite appelée à prendre place dans les rayons de ces cabinets de curiosités et d'objets exotiques dont étaient si friands les hommes de la Renaissance (y compris More lui-même[2]). Il l'admet d'ailleurs dans sa seconde lettre à Pierre Gilles, même s'il le fait à*

1. La version originale italienne des *Quatre Navigations* est adressée à Pier Soderini, l'homme fort de la Florence de l'époque; la version latine incluse dans l'*Introduction à la Cosmographie* est quant à elle adressée au duc René II de Lorraine. Voir *Les Quatre Voyages d'Amerigo Vespucci*, dans *Le Nouveau Monde*, trad. J.-Y. Boriaud, *op. cit.*, p. 85.

2. Voir la lettre d'Érasme citée en Annexes, p. 295: «Il suffit qu'un objet attire ses regards par son allure exotique ou par quelque autre étrangeté pour qu'il s'empresse d'en faire l'achat: il en a toute une collection aux quatre coins de sa maison, si bien qu'on ne peut y entrer sans avoir les yeux

demi-mot, sous la forme d'un de ces raisonnements hypothétiques qu'il affectionne tant[1]. À un critique anonyme (et peut-être fictif) qui suspecte L'Utopie de n'être qu'une fiction, More répond : « *si j'avais pris la décision d'écrire sur la République, et qu'une telle fable me fût venue à l'esprit, je n'aurais peut-être pas répugné à cette fiction qui, en enveloppant le vrai comme du miel, lui permet de s'insinuer un peu plus suavement dans les esprits* » (p. 268). L'emploi de l'irréel du passé ne saurait masquer le fait que More, comme le titre de l'ouvrage le révèle d'emblée, a bel et bien entrepris d'écrire un traité sur la meilleure forme de constitution politique, et par conséquent qu'il a aussi voulu adoucir l'aridité du traité philosophique en lui donnant la forme d'un récit de voyage — tout comme, avant lui, Platon avait réexposé l'essentiel des conclusions de La République à travers le mythe de l'Atlantide, ou comme Lucrèce avait choisi d'édulcorer « l'absinthe » salutaire, mais « amère », de la doctrine d'Épicure en la « parant du doux miel de la poésie[2] ».

---

captivés ; et la surprise amusée de ses visiteurs lui fait éprouver une joie toujours nouvelle. »

1. Sur les raisonnements hypothétiques chez More, voir Stephen Greenblatt, *Renaissance Self-Fashioning*, *op. cit.*, p. 32-33 ; et Carlo Ginzburg, *Nulle île n'est une île*, Lagrasse, Verdier, 2005, p. 27-28.

2. Lucrèce, *De la Nature*, I, v. 936-947 (cité en Annexes, p. 268, note 1).

De l'*estrangement* satirique
à la « solution fictive des contradictions »

Si la fiction du récit de voyage a pour premiers objectifs à la fois de conférer à la cité idéale le statut d'une réalité factuelle et de rendre sa description plus divertissante à lire, elle permet aussi de mettre en scène un décalage entre deux pôles — l'Europe et le Nouveau Monde — dont la mise en tension jette sur notre société une lumière violemment critique. L'Europe apparaît en effet dans le premier livre de L'Utopie *comme un lieu voué à la guerre perpétuelle entre les princes, et où les peuples semblent condamnés, par la faute de quelques-uns, à l'indigence et à l'injustice. À ce tableau très noir de la réalité occidentale, et notamment anglaise, dressé par Hythlodée au premier livre, il est d'usage de donner le nom de « dystopie » — étymologiquement, le lieu du malheur — par opposition à Utopie qui, comme l'indique dans les paratextes le sizain attribué à Anémolius[1], pourrait aussi s'appeler « Eutopie » — le lieu du bonheur.*

Même si ce diagnostic extrêmement sévère est, dans la chronologie fictive de l'œuvre, formulé par Hythlodée avant son tour du monde, lors du dîner chez le cardinal Morton, il n'a pu qu'être confirmé par son séjour de cinq ans en Utopie : la vie à l'étranger n'a pu qu'aiguiser son regard, l'invitant à mettre encore davantage à distance les pratiques occidentales. Si le second livre de L'Utopie *se pré-*

---

1. Voir en Annexes, p. 242.

sente de prime abord comme une description de
l'Autre formulée en Europe, par un Européen et
pour des Européens, il nous invite aussi à regarder
l'Ancien Monde d'un œil neuf depuis l'Utopie. Ce
n'est pas encore le point de vue de Sirius qu'ex-
ploitera Voltaire dans **Micromegas**, mais l'effet
recherché est le même : il s'agit de désaccoutumer le
lecteur de ses habitudes de pensée, de provoquer ce
que Carlo Ginzburg nomme un effet d'estrangement, terme qu'il emploie comme une variante
expressive de l'effet de distanciation[1].

   Cet estrangement découle en fait d'une inversion
du sens du regard. A priori, c'est le voyageur occi-
dental qui observe et décrit l'étranger en ethno-
graphe. Mais depuis Hérodote jusqu'à Montaigne,
chez tous les relativistes, c'est en fait l'autre — le
Scythe Anacharsis, le cannibale de Rouen[2] — qui
nous regarde, nous questionne, juge fort étranges
nos coutumes les plus banales, et nous invite à
remettre en cause nos présupposés. Le procédé possède une telle puissance de dénonciation qu'il ne
pouvait manquer d'être imité par la fiction satirique : Anacharsis devient le héros d'un dialogue de

   1. Voir C. Ginzburg, *À distance. Neuf essais sur le point de
vue en histoire*, Paris, Gallimard, 2001, p. 15-36. La notion
d'*estrangement* était déjà convoquée, à propos de More et de
L'Utopie, par Stephen Greenblatt, *Renaissance Self-Fashioning*, *op. cit.*, par exemple p. 21 ; voir aussi Carlo Ginzburg,
Nulle île n'est une île, *op. cit.*, p. 47 : « Des hypothèses extrava-
gantes purement imaginaires le poussèrent à regarder la
réalité d'un point de vue insolite, à poser à la réalité des questions obliques. »
   2. Voir Hérodote, *Histoire*, IV, 76-77 ; et Montaigne, *Essais*,
I, 31, « Folio classique », p. 409-410.

Lucien de Samosate, et le voyageur persan le révéla-
teur de la société d'Ancien Régime chez Montes-
quieu. Dans L'Utopie, *ce procédé n'apparaît nulle*
part avec plus d'évidence que dans le passage
consacré à l'usage que les Utopiens font (ou plutôt
ne font pas) de l'or et de l'argent : à l'intérieur de
l'île, les objets d'or ou d'argent, ainsi que les pierres
que nous considérons comme précieuses, sont réser-
vés aux prisonniers de droit commun, aux enfants
en bas âge ou aux usages les plus vils, comme par
exemple la fabrication des pots de chambre. Cette
pratique apparaît choquante pour des Européens de
la Renaissance qui avaient par-dessus tout le goût
du faste, mais les usages des autres peuples appa-
raissent symétriquement absurdes aux Utopiens :
quand ces derniers reçoivent une ambassade des
Anémoliens, un peuple imaginaire dont le goût du
luxe est en tout point comparable à celui des Euro-
péens, ils les prennent pour des fous[1].

Ce passage sur l'argent montre de manière exem-
plaire comment le regard de l'autre — qu'il s'agisse
de celui des Utopiens ou de celui des sauvages
d'Amérique, qui ignorent également l'usage de
l'argent — invite à relativiser nos préjugés : c'est en
fait tout le second livre de L'Utopie *qui constitue*
une satire en creux de l'Europe de l'époque, par la
position symétrique qu'il occupe par rapport au

1. Voir p. 139. Voir aussi p. 166 à propos de l'inspection
pré-nuptiale pratiquée par les Utopiens : « Or comme nous
n'approuvions pas cette coutume, nous en moquant comme
d'une chose indécente et déshonnête, les Utopiens firent
réponse qu'au contraire, ils s'émerveillaient de la grande folie
des hommes de toutes les autres nations. »

réquisitoire contre une Angleterre dystopique dressé par Hythlodée au premier livre. Cette fonction critique de la description de l'Autre apparaît de façon particulièrement nette dans la péroraison d'Hythlodée[1], qui prend la forme d'une juxtaposition impitoyable de l'Utopie et de la Dystopie. Le contraste produit par cette juxtaposition n'est plus tant géographique ou historique que proprement moral : il oppose le bonheur et les vertus des Utopiens au malheur et aux vices des Occidentaux. En cela, les Utopiens ne sont pas de simples avatars des sauvages : si l'altérité utopienne, tout comme celle des sauvages d'Amérique, permet de révéler par comparaison les corruptions qui minent l'Occident, les Utopiens se distinguent cependant des sauvages dans la mesure où ils ne se contentent pas de suivre les lois de la nature, mais y ajoutent aussi les lois de la raison. À la différence des sauvages d'Amérique décrits par Vespucci, les Utopiens ne vivent en effet pas dans un état de nature évoquant l'Âge d'Or ou le monde d'avant la Chute : ils ne jouissent pas d'une nature surabondante, mais doivent cultiver la terre ; ils ne sont pas purement hédonistes et « épicuriens », mais savent concilier le goût du plaisir avec la recherche de l'honnêteté et de la vertu ; ils ne vivent pas sans lois et dans l'anarchie, mais ont établi le corpus législatif minimal nécessaire et suffisant à l'établissement et au maintien d'une société juste ; ils n'ignorent pas la religion, et s'ils ont certes tendance à diviniser les astres et les héros à la manière des païens, ils tendent cependant tous,

---

1. Voir p. 211-217.

*malgré les différences de culte qui subsistent entre
les différentes sectes, vers une religion naturelle et
rationnelle unique.*

*Bref, les Européens possèdent la raison et la civi-
lisation, mais ont oublié les lois de la nature : leur
civilisation s'enfonce par conséquent dans l'artifice, et leur usage de la raison se voit perverti faute
de continuer à respecter la nature, ce qui les rend
malheureux. Les sauvages, à l'inverse, sont heureux,
mais jouissent d'un bonheur pré-moral : ils ne suivent
que la nature et ignorent toute civilisation, tout
droit, toute justice, toute politique, et même toute
religion. Ils sont heureux, mais comme des animaux : ils sont amoraux, tandis que les Européens
sont immoraux. Seuls les Utopiens réussissent à
concilier les lois de la nature avec celles de la
raison, ce qui leur permet d'atteindre le bonheur
non pas dans l'ignorance, mais dans la sagesse et
la vertu.*

*L'Utopie apparaît ainsi comme le lieu imaginaire
d'une réconciliation des contraires, d'une synthèse
de l'opposition dialectique entre la nature privée de
raison et la raison ignorant la nature, la sauvagerie
et l'artifice : seuls les Utopiens savent suivre à la
fois la nature et la raison, et proposer ainsi, dans un
non-lieu annulant* in fine *la symétrie entre «par-
delà» et «par-deçà», un modèle de bonheur et de
sagesse dont pourraient s'inspirer à la fois les sauvages et les Européens*[1]. *C'est sans doute cette syn-*

---

1. Peu de temps après sa parution, *L'Utopie* produira d'ailleurs un «choc en retour» sur le Nouveau Monde par l'entremise d'un contemporain de More, l'espagnol Vasco de Quiroga

thèse qui constitue, comme l'écrit Louis Marin, la définition structurelle la plus exacte de l'utopie :

> *Le discours utopique occupe la place — histori-quement vide — de la résolution historique d'une contradiction : il est le «degré zéro» de la synthèse dialectique des contraires. Il s'institue dans l'écart entre les contraires et, en ce sens, il est l'expression discursive du* neutre *(défini comme «ni l'un, ni l'autre» des contraires). Un exemple :* L'Utopie *de More n'est ni l'Angleterre ni l'Amérique, ni l'Ancien ni le Nouveau Monde, mais l'entre-deux de la contra-diction historique au début du XVIᵉ siècle de l'Ancien et du Nouveau Monde. [...] le discours utopique [...] est un discours qui met en scène ou donne à voir une solution imaginaire, ou plutôt fictive, des contradic-tions : il est le simulacre de la synthèse*[1].

La carte et la vanité

*S'il est vrai que c'est dans l'*Introduction à la Cosmographie *que More a lu le texte des* Quatre Navigations *de Vespucci, son attention a sans doute été retenue par le magnifique planisphère de Martin Waldseemüller. Dans la marge supérieure du pla-*

(*circa* 1470/1478-1565), évêque et juge de Michoacán (Mexique), qui écrivit en 1535 un rapport proposant à Charles Quint un plan d'organisation politique pour les Indiens inspiré par *L'Utopie*, et le mit en pratique dans les colonies d'indigènes dont il avait la charge. Voir Tzvetan Todorov, *La Conquête de l'Amérique. La question de l'autre*, Paris, Seuil, 1982, p. 243-246 (rééd. «Points Seuil», 1991).

1. L. Marin, *Utopiques. Jeux d'espace*, Paris, Minuit, 1973, p. 9.

nisphère, en vis-à-vis d'un portrait de Ptolémée placé à côté d'une vue en réduction de l'Ancien Monde, Waldseemüller avait représenté un portrait de Vespucci à côté d'une vue en réduction du Nouveau Monde[1]. C'est probablement ce type de carte illustrant le texte de Vespucci qui a conduit à inclure, parmi les paratextes de L'Utopie, une carte de l'île reprenant certains traits de la description qu'en donne Hythlodée. Une première version de la carte, dont l'auteur reste incertain, apparaît dans la première édition de Louvain ; elle est remplacée dans les éditions de Bâle par une seconde version, établie à partir de la première, mais beaucoup plus travaillée ; cette seconde version est généralement attribuée à Ambroise Holbein, le frère aîné de Hans Holbein le Jeune[2].

Si cette seconde version est moins fidèle que la première à la topographie décrite par Hythlodée (on y constate par exemple la disparition du golfe formant le port naturel d'Utopie), elle matérialise en revanche la perspective narrative offerte par le récit-cadre en ajoutant un premier plan : à gauche, Hythlodée (identifié par un cartouche qui lui sert de piédestal) désigne l'île de l'index à un interlocuteur (sans doute Morus), tandis qu'à droite, un gentilhomme anonyme observe leur conversation à une certaine distance — peut-être une représentation du lecteur ? Apparaissent ensuite trois navires parmi lesquels, sans doute, celui de l'explorateur, puis l'île d'Utopie ; enfin, en arrière-plan, des terres semblant

1. Voir en Annexes, p. 283.
2. Voir en Annexes, p. 245-246.

*appartenir à un continent — probablement les terri-
toires voisins d'Utopie mentionnés par Hythlodée.
Dans la première version, les légendes identifiant
certains lieux précis (la source et l'embouchure du
fleuve Anydre, la capitale Amaurot) sont calligra-
phiées directement dans les blancs de la carte ; dans
la seconde, en revanche, elles apparaissent dans des
cartouches suspendus à une guirlande richement
ornementée, qui semble elle-même attachée au
rebord supérieur de la gravure. Holbein accentue
ainsi l'effet de perspective, en faisant du cadre de la
gravure une sorte de fenêtre à travers laquelle est
vu l'ensemble de la scène. Seuls la guirlande et le
contenu textuel inséré dans les cartouches (y compris
celui situé aux pieds d'Hythlodée) apparaissent
sur le même plan que la « fenêtre » délimitée sur la
page : de la sorte, les noms propres tirés du texte de
More sont manifestement mis en scène à la surface
de la page — peut-être pour souligner le fait que le
reste, c'est-à-dire l'image proprement dite, avec ses
avant- et arrière-plans, est une construction fictive,
qui superpose d'ailleurs sans souci de réalisme l'espace du récit-cadre et l'espace de la description
enchâssée. Serait ainsi discrètement dénoncé le fait
que seul un trompe-l'œil peut nous faire croire que
nous voyons littéralement représentés le fleuve
Sans-Eau (Anydre) ou la ville Mirage (Amaurot).*
    *Une telle carte imaginaire peut être considérée
comme une métaphore iconique de la fiction philosophique en général, et du genre utopique en particulier*[1]*. C'est bien en effet dans le blanc de la* terra

---

1. Comme le remarque Terence Cave, «la "fiction philoso-

incognita *apparaissant sur des planisphères comme*
celui de Waldseemüller que s'inscrit la carte de
l'Utopie; plus largement, c'est l'existence de cet
espace vierge — ou de cette page blanche — qui
constitue le lieu où peut se déployer l'invention de
More. La carte d'Utopie est pourtant plus qu'une
simple variation fictive à partir des planisphères du
début de la Renaissance. Malcolm Bishop a en effet
récemment montré, d'une manière qui semble tout
à fait convaincante, qu'on pouvait aussi la lire
comme l'anamorphose d'un crâne humain — la
carène du vaisseau principal dessinant des dents,
tandis que la forme circulaire de l'île délimite les
contours d'un crâne[1]. *La carte d'Utopie dissimule*
une vanité au sens pictural et philosophique du
terme: un memento mori[2]. *Le spectateur est ainsi*

---

phique" est un hybride [...]. Son emblème pourrait peut-être
être quelque chose comme [...] les cosmographies qui com-
plètent leur image du "monde réel" avec des îles qui ne sont
que possibles», et Kristin Gjerpe a raison d'ajouter que «dans
le cas de *L'Utopie*, ceci ressemble plus à une description du
projet en tant que tel». Voir Terence Cave, «Épilogue», dans
Neil Kenny (dir.), *Philosophical Fictions and the French Renaissance*, Londres, Warburg Institute, 1991, p. 127; cité et commenté par Kristin Gjerpe, «The Italian *Utopia* of Lando, Doni
and Sansovino: Paradox and Politics», dans Terence Cave
(dir.), *Thomas More's* Utopia *in Early Modern Europe: Paratexts and Contexts*, Manchester, Manchester U. P., 2008, p. 64.

1. Voir Malcolm Bishop, «Ambrosius Holbein's *memento
mori* map for Sir Thomas More's *Utopia*. The meanings of a
masterpiece of early sixteenth-century graphic art», *British
Dental Journal*, 199, 2005, p. 107-112.

2. *Memento mori* signifie «souviens-toi de la mort», mais
memento Mori signifierait «souviens-toi de More»: la présence
du crâne pourrait donc dissimuler un jeu de mots sur le patro-

*invité à une double lecture : selon une perspective
explicite et objective, il est face à une carte géographique, aussi stylisée soit-elle ; tandis que selon une
perspective implicite et subjective, il est confronté à
une vanité dont la portée est philosophique et morale.
La carte redouble ainsi sous une forme visuelle ce
que L'Utopie construisait sous une forme littéraire,
à savoir l'ambivalence entre la description factuelle
et le message philosophique.*

*Mais ce n'est pas tout : dans la version de Holbein,
on constate que les clochers surmontant les principaux bâtiments de l'île — en particulier ceux des
deux grands bâtiments situés exactement au centre
de la carte, sur l'axe vertical amorcé au bas de
la gravure par le mât de misaine du vaisseau
amiral — sont désormais surmontés de croix. Cet
ajout peut surprendre, car les Utopiens viennent à
peine de recevoir la Bonne Nouvelle de la Révélation qui leur a été apportée par Hythlodée et ses
compagnons. Mais il semble une fois encore que la
seconde version, si elle est moins fidèle que la première à la lettre de la description d'Hythlodée, rende
compte plus exactement du dispositif de l'œuvre
et de son sens profond : les croix surmontant les
clochers d'Utopie inviteraient à dépasser le second
niveau de lecture (philosophique et moral) pour
atteindre une lecture mystique de l'Utopie. En effet,
bien que les Utopiens soient encore païens au
moment où Hythlodée aborde dans leur île, le credo*

---

nyme de More, à l'image du titre latin de l'*Éloge de la Folie*
d'Érasme, *Encomium Moriae* (publié en 1511), qui fait allusion
au dédicataire de l'ouvrage, qui n'est autre que More.

*des Utopiens sur lequel Hythlodée conclut sa des-
cription contient un appel à la conversion réciproque des Utopiens et des autres peuples à la
meilleure religion et à la meilleure forme de gouvernement, ce qui ouvre la voie à une lecture de*
L'Utopie *comme préfiguration de la cité céleste :
cette lecture anagogique de* L'Utopie, *c'est précisément celle à laquelle encourage Guillaume Budé
quand, dans sa lettre à Pierre Gilles, il confère à la
communauté utopienne le nom d'Hagnopolis, « la
cité sainte[1] ».*

*De la sorte, la carte d'Utopie emblématise toute la
complexité de l'ouvrage de More et de ses différents
niveaux de lecture : le sens littéral ou historique (la
description factuelle) s'y métamorphose en sens
moral ou allégorique (le traité philosophico-poli-
tique), avant d'ouvrir vers un sens anagogique ou
prophétique qui confère* in fine *à* L'Utopie *une
dimension chrétienne[2]. Cette lecture allégorique de*

1. Voir en Annexes, p. 263.
2. Sur ces trois niveaux de lecture, voir Jean-Claude Moisan,
« La lecture critique chez Aneau : théorie et pratique », introduction à Barthélemy Aneau et Clément Marot, *Les Trois Premiers Livres de la* Métamorphose *d'Ovide*, Paris, Champion,
1997, en particulier p. XI-XLVII. On retrouve ces trois niveaux
de lecture dans le célèbre tableau de Hans Holbein, *Les Ambassadeurs* (1533), dont Stephen Greenblatt a relevé en détail les
points de contact avec *L'Utopie* de More (voir *Renaissance Self-
Fashioning*, *op. cit.*, p. 17-26). À un premier niveau (sens littéral ou historique), il s'agit d'un double portrait, ordonné de
part et d'autre d'un meuble où reposent des symboles des arts
et des savoirs humains — en particulier, au centre du tableau,
posé sur la tablette inférieure du meuble où s'appuient les deux
personnages représentés, un globe terrestre auquel répond,
sur la tablette supérieure, un globe céleste. Mais la présence au

L'Utopie *comme* memento mori *et, au-delà, l'inter-prétation anagogique faisant de l'État utopien le précurseur de la Cité de Dieu, ne sont pas indûment plaquées sur l'œuvre par ses lecteurs, ni même seulement révélées par la carte d'Utopie, mais bien présentes, bien que discrètement, au début du premier livre. Au moment où s'opère la bifurcation à partir des* Quatre Navigations *de Vespucci, Pierre Gilles explique à Morus les raisons qui ont poussé Hythlodée à poursuivre son périple : il voulait « satisfaire à sa fantaisie, qui le rendait plus soucieux de sa pérégrination que du lieu où il pourrait être enseveli ; il avait continuellement en la bouche ce mot : "Celui qui n'a point de tombeau pour couvrir ses os, il a le ciel pour couverture." Il disait aussi : "Le chemin jusqu'au Paradis n'est point plus long depuis le fond de la mer que depuis le sommet de la terre ou un autre lieu"» (p. 50). Les deux devises (empruntées respectivement à Lucain et à Cicéron[1]) que Pierre Gilles attribue à Hythlodée définissent avec exactitude les termes du voyage entrepris par l'explorateur : comme pour toute existence, le terme du voyage terrestre sera la mort ; mais le voyage*

---

premier plan d'un crâne représenté en anamorphose invite à une seconde lecture, morale et allégorique, transformant le tableau en un *memento mori* ou en une vanité. Enfin, on décèle à l'extrême gauche, à demi caché par la tenture verte qui sert de toile de fond au double portrait, un crucifix, qui invite à une troisième lecture mystique ou anagogique de la toile. La valeur des savoirs humains se voit ainsi relativisée par un message moral cryptique (le crâne symbolisant la mort), lui-même tempéré par un dernier message de type religieux : l'appel de la résurrection.

1. Voir les notes 5 et 6, p. 50.

*possède aussi une valeur initiatique susceptible de
conduire jusqu'au ciel.*

   *La carte d'Utopie, dont le tracé dissimule un
symbole de mort mais aussi un espoir de résurrection, apparaît donc comme l'instrument d'une
« méditation cosmographique[1] » : elle est l'emblème
d'un texte ésotérique, où le sens littéral et historique
livre les indices d'un « plus haut sens[2] », à la fois
philosophique et mystique. Dans la seconde lettre
à Pierre Gilles, More évoque d'ailleurs (même si
c'est sur un mode ironiquement hypothétique) ces
« indices » qu'il aurait « semés pour les plus lettrés »,
et « qu'il eût été aisé de suivre à la trace pour percer
[son] dessein[3] » ; il offre ensuite un premier exemple
de décryptage en dévoilant la clé de lecture apophatique des noms propres utopiens[4]. Cet ésotérisme
constitue la dernière dimension — mais pas la
moindre — de l'esthétique de la « menée oblique »
revendiquée par Morus et, on peut le dire avec certi-
tude, également par More : les noms apparemment*

---

   1. Voir Frank Lestringant (dir.), *Les Méditations cosmogra-
phiques à la Renaissance*, Cahiers V. L. Saulnier, n° 26, Paris,
PUPS, 2009.
   2. Rabelais, *Gargantua*, prologue.
   3. Voir en Annexes, p. 268.
   4. En théologie, le discours apophatique (ou « théologie
négative ») affirme qu'il est impossible de parler de Dieu de façon
positive, et qu'il faut se contenter de dire ce qu'il n'est pas. On
peut considérer que relèvent de ce type de discours un grand
nombre de noms propres utopiens dont l'étymologie grecque
révèle la signification négative : l'Utopie est le Non-Lieu, l'Anydre
le fleuve Sans-Eau, Adème le prince Sans-Peuple, etc. ; voir en
Annexes la seconde lettre de More à Pierre Gilles, p. 269 et
note 1, ainsi que l'« Avertissement déclaratif de l'œuvre » de
Barthélemy Aneau, p. 277 et note 1.

insignifiants recèlent un sens caché, le récit de voyage déguise un traité politique, la carte dissimule une vanité. Sans doute est-ce en bonne partie cette esthétique instable et protéiforme qui a permis à L'Utopie de traverser les siècles sans jamais s'épuiser, mais en poursuivant sans cesse ses métamorphoses.

GUILLAUME NAVAUD

L'UTOPIE

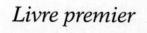

Livre premier

Comme naguère le très invincible roi d'Angleterre, Henri huitième de ce nom, autant décoré
et orné de tout ce qui appartient à un excellent
prince qu'il est possible, eut quelque différend
avec Charles, sérénissime prince de Castille[1],
pour une affaire qui n'était pas de petite importance[2], pour la traiter il m'envoya en ambassade
en Flandres[3] en la compagnie de Cuthbert Tunstall, homme incomparable, dont il avait fait peu
auparavant son premier secrétaire[4], à la grande
réjouissance de chacun. Je ne ferai pas son éloge,
non pas que j'aie crainte que l'amitié dont je l'ai-
mais ne puisse lui rendre un témoignage fidèle et
entier, mais parce que sa vertu et sa science sont
plus grandes que n'est mon pouvoir de les savoir
bien célébrer et divulguer ; en outre, elles sont si
connues et claires partout qu'il ne m'est pas besoin
de les éclaircir davantage si je veux éviter de
sembler montrer (comme on dit communément)
le soleil avec une torche[5]. Ceux à qui ledit prince
de Castille avait donné la charge de mener ladite
négociation étaient tous gens d'excellence ; ils

vinrent au-devant de nous à Bruges (car il en avait été convenu ainsi), et entre autres s'y trouvèrent le gouverneur de Bruges, homme magnifique qui était le chef du parti du prince de Castille, et Georges de Themsecke, prévôt de Cassel, comme le cœur et la bouche qui devait faire la réponse — personnage très éloquent non seulement par art, mais aussi par nature, et en outre grand légiste, et pour manier les affaires excellent ouvrier, tant par son bel esprit que par son expérience.

Or, après que nous nous fûmes deux fois trouvés ensemble, et que nous ne pûmes nous accorder sur quelques affaires, ils prirent congé de nous pour quelques jours, et s'en allèrent à Bruxelles pour savoir la réponse de leur prince. Pendant ce temps je me transportai à Anvers (comme l'opportunité s'en offrait), et comme j'étais en ce lieu, Pierre Gilles[1], natif de ladite ville, jeune personnage de crédit, honnêtement établi (bien qu'il eût encore mieux mérité), souvent entre autres me vint voir, et je ne vis homme dont je fusse plus récréé. Car certes je ne sais si ce jeune homme est plus remarquable par sa science ou par son caractère. Mais je réponds qu'il est très bon et très savant, courtois envers tous, et singulièrement envers ses amis d'un cœur si ouvert, d'un amour, d'une fidélité et d'une affection si purs, qu'à grand-peine trouverait-on dans le monde entier un ou deux personnages comparables à lui en toutes sortes d'amitié. On trouve en lui une humble modestie ; il n'est point dissimulé, mais simple et prudent ; d'un parler bref et rond, et d'un entretien si facétieux, sans nuire à personne, qu'il me diminua pour la plus grande part, grâce à son aimable fréquentation et doux entretien, le désir que j'avais de revoir mon pays, ma maison, ma femme et mes enfants, dont je me languissais fort, car il y avait plus de quatre mois que j'étais absent.

Or, comme quelque jour j'étais en l'église de Notre-Dame (qui est un fort beau temple, bien honoré et fréquenté du peuple) pour y entendre la messe, une fois celle-ci accomplie, préparant mon retour à mon hôtellerie, j'avisai par hasard ledit Pierre Gilles qui devisait avec quelque ami étranger qui était déjà âgé, ayant le visage hâlé, longue barbe, et son manteau pendant de dessus ses épaules assez nonchalamment, et qui à son habit et visage me sembla être un marinier. Or quand Pierre Gilles eut jeté l'œil sur moi, il me vint saluer, et alors que je me disposais à lui répondre, il m'interrompit en disant: «Ami, vois-tu ce personnage-là (me montrant celui avec lequel je l'avais vu parler)? Je le voulais mener à ton logis.

— Pour l'amour de toi, dis-je, il eût été le très bienvenu.

— Et si tu le connaissais, dit-il, pour l'amour de lui tu lui eusses fait bon accueil. Certes entre les vivants il n'y a homme mortel qui aujourd'hui te sût narrer autant d'histoires d'hommes et terres inconnus comme il le fera, choses que je te sais être fort désireux d'entendre.

— Alors, lui dis-je, je n'avais donc point mal deviné, car dès que je le vis, je le jugeai être quelque pilote de navire.

— Tu étais bien loin du compte, dit-il: il est bien vrai que celui-ci a été sur la mer non comme

Palinure[1], mais comme Ulysse ou plutôt comme
Platon. Il se nomme Raphaël, et le surnom de sa
race est Hythlodée[2]; il n'est pas ignare en langue
latine, mais en grec très savant — il l'a plus étudié
que le latin, parce qu'il s'était totalement adonné
à la philosophie : car on ne trouve, parmi les écrits
latins touchant à la philosophie, rien d'efficace,
excepté certaines choses qu'ont faites Sénèque et
Cicéron. Donc ce Portugais laissa à ses frères tout
ce qui pouvait lui appartenir de son patrimoine[3],
et pour la bonne envie qu'il avait de voir le monde,
se fit compagnon d'Americ Vespuce, et a été toujours son compagnon aux trois dernières de ces
quatre navigations qu'on lit maintenant un peu
partout, sinon qu'à la dernière il ne revint point
avec ledit Americ. Il le pria et importuna tant qu'il
fut du nombre des vingt-quatre compagnons qui
furent laissés dans un castel neuf, construit aux
confins des terres neuves[4]. Ainsi il demeura avec
lesdits compagnons, afin de satisfaire à sa fantaisie, qui le rendait plus soucieux de sa pérégrination que du lieu où il pourrait être enseveli; il
avait continuellement en la bouche ce mot : "Celui
qui n'a point de tombeau pour couvrir ses os, il a
le ciel pour couverture[5]." Il disait aussi : "Le chemin
jusqu'au Paradis n'est point plus long depuis le
fond de la mer que depuis le sommet de la terre ou
un autre lieu[6]." Certes si Dieu ne l'avait bien aidé,
sa fantaisie lui eût coûté bien cher. Après donc
qu'il se fut départi d'avec Vespuce, avec cinq des
gens du castel qu'il prit comme compagnons, il
passa par tout plein de régions et finalement,
par une merveilleuse fortune, fut porté en l'île de

Taprobane[1], puis parvint à Calicut[2], où il trouva à
point nommé quelques navires de Portugais, qui
outre son espérance le reportèrent en son pays de
Portugal ».

Après que ledit Pierre m'eut dit ces choses, je le
remerciai de m'avoir fait ce bien d'avoir eu l'égard
que j'eusse le plaisir d'entendre les propos de cet
homme, qu'il espérait m'être agréables. Ces choses
faites, je me tourne vers Raphaël, puis après que
nous nous fûmes salués l'un l'autre, et eûmes tenu
les propos qu'on a l'habitude de tenir à l'arrivée
quand on fait la révérence à quelque ami, nous
nous transportâmes à mon logis, et de là nous
allâmes nous asseoir au jardin sur un siège qui
était fait d'herbe, et nous commençâmes à deviser[3].
Entre autres choses, ledit Raphaël nous conta
qu'après que Vespuce fut parti, lui et ses compagnons dont j'ai parlé auparavant, qui étaient
demeurés au castel, parvinrent en tout plein de
pays étranges, et comment, petit à petit, en parlant
doucement avec les gens desdits pays, ils se don-
nèrent à connaître, de sorte que maintenant sans
danger ils conversent familièrement avec ledit
peuple. Il nous dit aussi comment ils entrèrent en
la grâce de quelque prince, dont j'ai oublié le pays
et le nom, par la libéralité duquel leur furent pro-
curés des vivres et toutes les autres choses requises
pour assurer son voyage et celui de ses cinq compagnons. Quand ils allaient sur terre, il leur fournissait un chariot pour les porter, puis quand il
était besoin d'aller sur l'eau, ils usaient de navires.
En outre, ledit prince ne manquait pas de leur

fournir un guide fidèle qui les conduisait aux
autres princes et les recommandait.

Or après avoir cheminé plusieurs jours, il dit
qu'ils trouvèrent quelques villes et cités fort peu-
plées et assez bien régies et réglées. Bien sûr, sous
la ligne de l'équinoxe[1] deçà et delà, des deux côtés,
autant que la voie du Soleil peut quasi comprendre
d'espace, ce ne sont que grands déserts brûlés de
chaleur continue, de tous côtés c'est une vision et
une apparence de choses tristes, horribles, sans
culture ni ordre, le tout habité de bêtes cruelles,
de serpents, ou d'hommes qui ne sont certes pas
moins cruels et dangereux que lesdites bêtes. Puis,
nous dit Raphaël, quand furent passés ces déserts
et pays inhabités, ils trouvèrent un pays qui petit
à petit changeait et s'adoucissait: l'air en ce lieu
était moins âpre, la terre douce et joyeuse de ver-
deur, les animaux plus humains. Finalement on en
vient à trouver des peuples, des villes et des cités
où l'on marchande et commerce non seulement
entre les voisins, mais avec des nations fort éloignées et séparées, tant par mer que par terre. Par
quoi ils eurent liberté et puissance de visiter maintes
terres, tant en dedans qu'en dehors dudit pays, et
il n'y avait même nul navire, dressé et équipé pour
quelque navigation que ce fût, où lui et ses compagnons ne fussent reçus de bien bon cœur. Aux premières régions où ils entrèrent, les navires étaient
faits à fond de cuve[2] et avaient les voiles tressées
de joncs ou d'osier; en d'autres endroits, les voiles
étaient de cuir. Puis ils trouvèrent d'autres navires,
dont le fond était en pointe, et les voiles faites de
chanvre, toutes semblables à celles de notre pays.

Les pilotes se reconnaissaient très bien aux étoiles, et à la mer aussi. Mais il contait qu'ils lui savaient grand gré de leur avoir montré l'usage de la pierre magnétique[1], dont ils étaient ignorants auparavant. Ainsi, quand ils allaient en mer, c'était avec crainte, et ils n'osaient s'y exposer presque qu'au temps d'été. Mais maintenant, par la confiance qu'ils ont de cette pierre, ils ne craignent plus de naviguer, même en hiver, avec plus d'assurance que de sécurité : si bien qu'il y a danger que cette même chose, qui était estimée par eux leur être à l'avenir un grand bien, ne leur soit cause de grands maux par leur imprudence.

D'expliquer tout ce qu'il disait avoir vu en chaque lieu, la chose serait longue, et puis ce n'est pas ce que j'ai entrepris en cette œuvre : nous rapporterons peut-être cela à un autre endroit, et singulièrement ce qu'il sera utile de sauver de l'oubli, comme les choses que ledit Raphaël avait vues chez maints peuples vivant civilement, et qui étaient prudemment et droitement administrées et régies.

Nous nous enquérions avec curiosité de toutes ces affaires, et ledit Raphaël nous les contait joyeusement et volontairement. Point ne fut question de l'interroger sur les monstres qui pourraient être dans ces régions-là, car il n'est rien de moins nouveau, parce qu'on trouvera presque en tous lieux des Scylles, des Célènes rapaces, des Lestrygons mangeurs d'hommes, et de cruels monstres de cette sorte[2] ; mais des citoyens bien éduqués et sagement instruits, on n'en trouvera pas partout. Quant au reste, si en son récit il évoqua maintes choses mal menées en ces terres neuves, il rapporta aussi maintes manières de faire dont on pouvait tirer des exemples propres à corriger les abus des villes, nations, pays et royaumes de par-deçà : de quoi je parlerai, comme je l'ai dit, en un autre lieu. Maintenant mon intention est seulement de rapporter les choses qu'il racontait sur la manière de vivre, le bon régime et la belle police des Utopiens[1], non sans avoir auparavant inséré le petit préambule qui permit finalement de faire mention de leur République.

Après que Raphaël eut narré avec beaucoup de sagacité les abus qui se commettaient çà et là, en tous lieux et en grand nombre, et pareillement les choses dont nous disposons — et dont ils disposent aussi — avec sagesse et discernement, en l'entendant conter vous eussiez dit qu'il avait vécu toute sa vie dans tous les pays où il avait été, tant il connaissait bien les mœurs, les coutumes et les lois de chacun. Alors Pierre, s'émerveillant de cet homme, dit : « Certes, ami Raphaël, je m'ébahis que tu ne te mettes pas au service de quelque roi ou prince ; je n'en connais aucun de qui tu ne serais bien aimé, étant donné que tu pourrais non seulement, par ta science et connaissance de tant de pays et nations que tu as vus, leur donner passe-temps, mais aussi les instruire d'exemples et les aider de ton conseil. De cette manière, tu pourvoirais très bien à tes affaires, et rendrais tous tes parents riches.

— Pour ce qui est de mes parents, dit-il, je ne suis pas beaucoup ému, car j'ai fait mon devoir envers eux assez suffisamment, et alors que j'étais encore jeune, en pleine santé et dispos, j'ai réparti mon bien entre mes parents et amis, ce que ne font pas communément les autres personnages, sinon quand ils sont vieux ou malades, eux qui ne délaissent leurs biens que quand ils ne les peuvent plus retenir. Ainsi mes parents et amis ont occasion de se contenter de cette mienne libéralité envers eux, et pour l'avenir, qu'ils ne pensent pas que je me mette en la servitude des princes et des rois pour leur amasser des biens.

— Voilà de beaux mots, dit Pierre. Certes mon propos n'est pas que tu t'asservisses à eux, mais que tu les serves.

— Cela ne fait qu'une ou deux syllabes de plus ou de moins, dit-il.

— Mais à mon avis, dit Pierre, de quelque manière que tu appelles la chose, voilà la voie par laquelle tu peux être utile à autrui non seulement en privé mais aussi dans les affaires publiques ; en outre, ton état et ta condition en seraient plus heureux.

— Ma condition n'en serait certes pas mieux fortunée, dit Raphaël, par cette voie, parce que mon cœur y répugne ; et puis, je vis en liberté et à mon plaisir, ce que de gros milords ne font guère. C'est assez aux princes et aux rois de se servir de ceux qui désirent par-dessus tout parvenir à une grande puissance et avoir leur amitié ; ne pense pas qu'ils estiment avoir grande perte quand ils seront privés d'un homme tel que moi ou de mes semblables. »

Alors je commençai à dire : « Il est bien manifeste, ami Raphaël, que tu ne convoites pas beaucoup les richesses et la grandeur. Certes je ne

prise et n'honore pas moins un homme de ta fantaisie que le plus gros seigneur d'entre eux. Quant
au reste, il me semble que tu ferais une chose
digne de toi et de ton cœur si noble et si véritablement philosophique, si tu te disposais à appliquer
ton génie et ton industrie à la République[1], bien
qu'en ta personne tu y endurasses et souffrisses
quelque incommodité et répugnance. Et tu ne
pourrais faire cela avec plus grand fruit qu'en
condescendant à être le conseiller de quelque grand
prince, ce que je sais que tu ferais bien, et en le
persuadant d'agir avec honnêteté et droiture. Véritablement la source de tous biens et maux coule
du prince au peuple, ainsi que d'une fontaine
continue et perdurable. En toi repose et gît une
science si parfaite et accomplie qu'elle suffirait à
pallier ton éventuelle inexpérience, et une telle
expérience des choses qu'elle suffirait à pallier ton
éventuel défaut de science, si bien que tu pourrais
remplir l'office d'un excellent conseiller royal.

— Tu te trompes deux fois, dit-il, ami Morus[2] :
premièrement sur moi, puis sur la chose même.
Car je n'ai pas la compétence que tu me prêtes ; et
si elle était en moi, j'apporterais ennui et fâcherie
à mon étude et à ma tranquillité de pensée, sans
pour autant faire en rien avancer le bien public.
Ne sais-tu pas que les princes s'occupent presque
tous plus volontiers aux exercices belliqueux (auxquels je n'entends rien, et dont je ne désire rien
savoir) qu'aux bons arts de la paix, et travaillent
beaucoup plus à conquérir, par voies licites et illicites, de nouveaux royaumes, qu'à bien régir ceux
qu'ils possèdent déjà ? En outre les conseillers qui

sont autour des princes sont si sages qu'ils n'ont
que faire de gens sages; ou bien, ils pensent tant
être sages qu'il leur déplaît d'approuver le conseil
d'autrui, hormis de ceux dont ils approuvent et
flattent les propos, aussi déraisonnables soient-ils,
parce qu'ils pensent que cette flatterie fera que
ceux-ci s'efforceront de les mettre en la grâce du
prince[1]. Et puis, chacun ou presque a ce vice de
nature qu'il aime et estime son invention. Le cor-
beau est si amoureux de ses petits qu'il pense
n'être au monde plus beaux oiseaux; le singe en
fait de même. Si quelqu'un, en la compagnie de
tels gens, ou de gens envieux et arrogants, allègue
quelque chose qu'il a lu avoir été fait en un autre
temps, ou qu'il a vu en d'autres régions et lieux,
ceux qui écoutent cela se comportent, ni plus ni
moins, comme si la réputation de leur sagesse
allait se perdre, et comme si on allait les estimer
fous s'ils sont incapables de trouver quelque chose
pour blâmer l'invention d'autrui. Si ces choses
leur font défaut, ils viennent à ce point et disent :
"Nos aïeux ont fait ainsi, et telles choses leur ont
été agréables; plût à Dieu que nous fussions aussi
sages qu'ils l'ont été!" Donc après avoir dit ce
propos, comme si ce fût une conclusion, ils se
taisent : voulant quasi dire que c'est grand danger
si quelqu'un est trouvé plus prudent que nos
anciens. Si ces derniers ont consulté d'une affaire
avec discernement et diligence, très volontiers nous
permettons que la chose se perde; au contraire,
s'il est une chose qu'on eût pu faire plus prudemment qu'eux, néanmoins nous refusons de passer
outre et nous y tenons mordicus, comme si c'était

mal faire que de faire mieux. Donc je me suis
trouvé souvent parmi des personnages qui avaient
ces folles opinions-là et ces jugements orgueilleux,
sans raison et fâcheux, et principalement une fois
en Angleterre.

— Je t'en supplie, dis-je, raconte-moi, as-tu été
autrefois en notre pays ?

— Oui, dit-il, j'y ai hanté quelque temps, peu
de temps après que les Anglais occidentaux, qui
avaient mû une guerre civile contre leur roi, furent
refrénés, à leur grande perte et en un pitoyable
massacre[1]. Pendant cette période Jean Morton,
archevêque de Cantorbéry, cardinal et chancelier
d'Angleterre, me reçut fort bien, ce dont je lui
suis encore grandement obligé. C'était un personnage (ami Pierre, je ne dirai rien que Morus ne
connaisse[2]) de grande autorité, prudent et vertueux. Il était de moyenne stature, et bien qu'il fût
déjà bien vieux, il se maintenait encore très bien.
Sa face inspirait le respect, et non la crainte ; il
n'était pas d'accès difficile, mais grave et constant.
Son plaisir était quelquefois de parler plus âpre-
ment que de coutume à ceux qui se présentaient
devant lui aux requêtes, ce qu'il ne faisait pas par
fierté ou méchanceté, mais pour expérimenter la
promptitude et l'alacrité de cœur et d'esprit que
chacun pouvait avoir, et dont il se récréait comme
d'une vertu qui lui était naturelle, voisine et proche,
pourvu que le suppliant ne fût pas impudent. Certes
il honorait et prisait cette perfection de promptitude comme une chose propre aux gouverneurs et
administrateurs de la République. Sa parole était
élégante et efficace, il était grand légiste, il avait

un esprit incomparable, la mémoire si excellente
que c'était un objet d'admiration. L'excellent naturel qui était en lui s'était encore développé par
l'exercice et l'apprentissage. Lorsque j'y étais, il
semblait que le roi, et même toute la République,
se confiaient à son conseil et s'appuyaient sur lui.
En sa grande jeunesse, il fut soudain jeté de
l'École[1] à la Cour, où il vaqua toute sa vie à de
grosses charges, et en ce lieu il put avoir certaine
expérience des variations de la fortune, dont les
orages le frappèrent assidûment, par quoi il apprit,
à l'occasion de plusieurs grands périls, une prudence mondaine qui, une fois apprise et reçue, ne
se perd pas facilement.

Comme d'aventure j'étais un jour à sa table, un
certain personnage laï[2] très savant en vos lois y
assistait ; je ne sais pas où il avait trouvé occasion
de parler, mais il commença à louer diligemment
l'âpre justice qu'on faisait là-bas des larrons, en
racontant qu'en quelques endroits on en avait
parfois pendu vingt à un gibet ; et ainsi il disait
qu'il s'étonnait d'autant plus qu'il y en eût tant
et partout, et se demandait d'où leur venait ce
malheur, vu que peu échappaient à ce supplice.
Alors je dis (certes je fus assez hardi de parler
franchement et librement à la table de ce cardinal) :
« Ne t'ébahis point, seigneur, car cette punition des
larrons n'est ni juste ni raisonnable, et ne profite
en rien à la République. Elle est trop cruelle pour
venger le larcin, et ne suffit pas à le refréner. Véritablement, un simple larcin n'est point un si grand
crime qu'on en doive perdre la vie, et la peine
n'est point si grave qu'elle puisse empêcher les

larrons de dérober, vu qu'ils n'ont point d'autre métier pour vivre. Pourtant en cette affaire non seulement vous, mais la plus grande part du monde, vous apparaissez suivre l'exemple des mauvais maîtres d'école, qui battent plus volontiers leurs disciples qu'ils ne les enseignent. On établit des punitions graves et terribles contre un larron, mais on devrait plutôt lui assurer une honnête manière de vivre, afin que les larrons n'eussent pas une si grande nécessité et occasion de dérober et d'être pendus.

— On y a, dit-il[1], assez pourvu : pourquoi sont faits les métiers et le labourage ? On peut gagner sa vie à cela et la sauvegarder, si on ne veut de son plein gré être méchant.

— Tu ne m'échapperas pas ainsi, dis-je. Premièrement, laissons ceux qui souvent, des guerres civiles ou d'un conflit étranger, reviennent en leur maison blessés et mutilés, comme il est advenu il y a peu au retour de la bataille de Cornouailles qui a été faite en votre pays, et pareillement de celle qui a été naguère menée contre les Français[2]. Ceux-ci ont exposé leur corps pour leur prince et la République, leur faiblesse leur interdit d'exercer les métiers auparavant allégués, et l'âge aussi ne permet pas qu'ils en apprennent de nouveaux. Mais délaissons ceux-là, dis-je, puisque les guerres se déclenchent et s'éteignent de façon ponctuelle. Contemplons les choses qui adviennent quotidiennement. Il est un très grand nombre de gentilshommes qui ne vivent pas tout seuls oisifs, mais entretiennent une grosse tourbe de valets oisifs, qui n'apprirent jamais aucun métier pour vivre.

Or lesdits gentilshommes sont semblables aux bourdons et grosses mouches qui viennent aux ruches des mouches à miel[1] et vivent du labeur d'autrui, et s'ils ont quelques fermiers, ils les mangent jusqu'aux nerfs, et haussent au-delà du raisonnable le prix du fermage de leurs terres pour augmenter leur revenu. Quant à ce point, ils sont assez épargnants et pragmatiques, mais en d'autres affaires ils sont si prodigues qu'ils tombent presque dans la mendicité. Donc, s'il advient que quelque gentilhomme meure, ou que les valets dudit gentilhomme soient malades, ils sont soudain poussés dehors, parce qu'ils nourrissent plus volontiers des oisifs que des malades ; en outre l'héritier du mourant n'a pas souvent de quoi entretenir le train que son père tenait. Pendant ce temps il faut que lesdits serviteurs meurent de faim s'ils ne veulent pas être larrons, car que pourraient-ils faire ? Certes après qu'ils ont été un peu vagabonds, et que leurs habillements et leur santé ont empiré et se sont usés, défigurés par la maladie, déguenillés et loqueteux, à cette heure-là ni les gentilshommes ne s'en voudraient servir, ni les laboureurs, parce qu'ils savent que ceux qui ont été nourris délicatement et dans l'oisiveté, et qui sont accoutumés à avoir l'épée au côté et le bouclier en la main, voudraient tenir tout le village en sujétion sous l'ombre d'une barbe, de quelque habit déchiqueté ou d'un chapeau emplumé, voire mépriseraient tout le monde, et qui plus est ne seraient pas propres à servir fidèlement quelque pauvre paysan, avec petites dépenses et petits gages; et puis, ils n'ont pas appris à manier la bêche et la houe.»

Ledit légiste répliqua en cette sorte: «Véritablement, il est nécessaire de nourrir cette sorte de gens, parce qu'en eux, s'il est question de guerroyer, réside la puissance et source d'une armée, car ils sont de cœur plus haut et noble que les artisans et les laboureurs.

— Vraiment, dis-je, pour la même besogne (c'est-à-dire pour le fait de la guerre) il est donc licite de nourrir des larrons! Vous n'en manquerez jamais, tant que vous aurez telle manière de les générer. Or donc, larrons font vaillants gens d'armes, et gens d'armes font vaillants larrons: voilà comment ces deux métiers-là sont confirmés! Ce vice est fréquent en votre pays d'Angleterre, mais il ne lui est pas propre, car en toutes les nations on s'en lamente. Un autre mal encore pire gâte et infecte les Gaules. Tout le pays, même en temps de paix (si on la doit appeler paix) est assiégé et rempli de gens d'armes soudoyés, introduits par la faute de cette même persuasion qui vous porte ici à nourrir et entretenir des serviteurs oisifs. C'est le jugement des fous qui pensent être sages[1] que de faire consister le salut et la protection de la République française dans le fait d'avoir toujours prêtes de bonnes garnisons, et singulièrement de vétérans. Les Français n'ont point grande confiance envers les gens non expérimentés aux armes: aussi leur faut-il rechercher la guerre afin qu'ils n'aient des soudards ignorants, et pareillement égorger et occire gratuitement, de peur (comme dit Salluste ironiquement) que leur main et courage ne s'engourdisse par oisiveté[1]. Mais combien il est dommageable et pernicieux de nourrir de telles bêtes, la France l'a bien appris à ses dépens. Les exemples des Romains, Carthaginois, Syriens, et de plusieurs autres nations déclarent assez comment une telle troupe parfois s'est amassée, et a détruit non seulement leur empire, mais aussi leurs territoires et leurs villes[2]. Il ne me semble pas grandement nécessaire de soudoyer des gens d'armes aussi bien en temps de paix que de guerre, et de tels gens ne se révèlent pas toujours plus vaillants que les autres[3]. Qu'il en soit ainsi, on en fait clairement l'expérience : maintes fois on a dressé et amassé soudain, en temps de nécessité, des compagnies de paysans et d'artisans en votre pays d'Angleterre, pour soutenir le choc des gens d'armes français, qui sont dès leur tendre jeunesse très entraînés à la guerre, mais n'ont pas souvent eu matière de se glorifier d'avoir quitté le champ de bataille en maîtres. Je n'en parlerai pas davantage, de crainte de paraître flatter en votre présence. Certes les artisans de vos villes et vos rustiques laboureurs ne semblent pas craindre beaucoup les pages et valets oisifs des nobles, à moins qu'ils ne soient de pauvres impotents ou mendiants. Il n'y a pas grand danger non plus que ceux qui sont forts et puissants (car les gentilshommes ne se jugent dignes de corrompre que des compagnons d'élite), qui maintenant deviennent lâches par oisiveté ou se ramollissent par des exercices presque féminins, ne s'efféminent s'ils sont instruits en de bons métiers pour gagner leur vie et entraînés aux labeurs virils. Quoi qu'il en soit, il ne me semble pas être utile à la République de nourrir, dans l'éventualité d'une guerre que d'ailleurs vous n'avez jamais que quand vous la voulez, une infinie troupe de gens de rien qui troublent la paix, envers laquelle on doit avoir plus d'égard qu'envers la guerre. Ceci n'est pourtant pas la seule contrainte qui induit les gens à dérober : il y en a une autre, qui est spéciale à votre pays.

— Quelle est-elle ? dit le cardinal.

— Vos moutons, dis-je, qui avaient coutume d'être si doux et de se contenter de peu, maintenant (à ce qu'on dit) sont si gourmands et méchants qu'ils dévorent même les hommes et gâtent les champs, les maisons et les villes. Certes, dans chaque partie du royaume où la laine est plus fine et plus déliée, et pour cette cause plus précieuse, les gentilshommes et nobles de ce lieu, et aussi un certain nombre d'abbés qui s'estiment gens de bien, ne se contentent point du revenu et des fruits annuels que leurs terres avaient coutume de générer pour leurs aïeux ; aussi ne leur suffit-il pas de vivre grassement sans rien faire et de n'apporter au bien public aucune utilité : ils nuisent, car ils ne laissent aucune terre pour être labourée, ils enclosent tout en pâturages[1], démolissent les maisons, ruinent les villes et bourgades, ne laissant que les églises pour servir d'étables aux moutons ; et ces personnages-ci, qu'on estime gens de vertu, mettent en désert, garennes, parcs ou viviers toutes les habitations, et pareillement tous les champs labourés, presque comme s'ils semblaient ne gâter guère de pays chez vous. Par quoi il advient que certains laboureurs, circonvenus par des tromperies, ou opprimés par violence, ou lassés par des injures, sont dépouillés et dénués de leurs terres, ou sont contraints de les vendre, afin qu'un avaricieux qui n'a jamais suffisance, et qui est une peste en son pays, augmente son territoire et en un circuit enclose quelques milliers d'arpents de terre. Ainsi donc, d'une manière ou d'une autre, on chasse les pauvres misérables, hommes, femmes, gens mariés, veuves, orphelins, pères et mères avec leurs petits enfants et leur famille plus peuplée que riche (car en une maison de laboureur il est requis d'avoir grand nombre de valets et de chambrières). Il faut qu'ils vendent tous leurs ustensiles, qui ne sont pas de grand argent, et qu'ils les donnent pour beaucoup moins qu'ils ne valent (et encore, s'il se trouve quelqu'un qui les veuille acheter). Ainsi partent-ils de leurs maisons accoutumées et connues, et ils ne savent où ils se doivent héberger et retirer ; et quand ils ont vagabondé quelque temps et mangé leur argent, que leur reste-t-il d'autre à faire sinon devenir larrons et finalement être pendus à juste droite, comme vous dites, ou courir le pays et mendier ? Néanmoins, quand on les trouve ainsi vagabondant, on les emprisonne parce qu'ils sont oisifs ; pourtant ils travailleraient volontiers s'ils trouvaient à travailler, mais personne ne les appelle. Ils sont accoutumés à travailler aux champs, mais il n'est plus besoin d'y mettre les mains, parce que tout est mis en pâture. Il suffit d'un berger et d'un bouvier pour pâturer les bêtes en une terre dont la culture réclamait, rien que pour les semailles, les mains de plusieurs laboureurs. C'est pourquoi il advient qu'en plusieurs lieux il y a une plus grande cherté de vivres. Le prix aussi des laines a tant crû et augmenté que les petits compagnons, qui avaient coutume de faire des draps chez vous, n'en peuvent approcher ; pour cette cause, plusieurs sont contraints de laisser leur ouvrage, et d'être oisifs. Certes, après que les pâturages ont été ainsi dilatés et accrus, la clavelée[1] a fait mourir une infinité de moutons, comme si Dieu avait voulu punir la convoitise de ce type d'avaricieux susdits, en envoyant auxdites bêtes à laine une peste qui serait plus justement tombée sur les têtes desdits avaricieux. Mais quand bien même le nombre des moutons s'accroît, néanmoins leur prix ne diminue pas. Il est certes vrai qu'un homme seul ne vend pas lesdits moutons, et qu'on ne peut donc pas parler de monopole ; mais on peut parler d'oligopole, c'est-à-dire en grec qu'il y a peu de gens qui les vendent ; et ceux-ci sont riches, et n'ont pas la nécessité de vendre sinon quand il leur plaît, et il ne leur plaît pas de vendre leur marchandise avant que le prix soit tel qu'il leur plaît. Cette même raison est cause que les autres bêtes soient aussi chères, et encore plus, car après qu'on a ruiné tout plein de fermes, métairies et maisons aux champs, et qu'on a diminué les terres labourables, il n'y a plus personne qui élève et nourrisse de jeunes bêtes comme des agneaux, cochons, veaux, poulains, ânons et autres. Ces riches dont j'ai parlé ne nourrissent ainsi point d'agneaux ni d'autres jeunes bêtes, mais ils achètent des bêtes maigres ailleurs et très bon marché, puis après qu'ils les ont engraissées dans leurs pâturages, ils les revendent contre une grosse somme d'argent. Ce n'est pas encore tout : cela n'est pas encore tout le dommage que le pays peut en retirer. Car dans le lieu où ils les revendent, ils en renchérissent le prix. Quant au reste, dans les pays où on élève de jeunes bestiaux, et quand peu après qu'ils sont nés on les transporte en d'autres endroits, finalement l'abondance en ce lieu diminue petit à petit : par conséquent, il est nécessaire qu'en ce territoire aussi survienne une disette et une pénurie desdites bêtes. Ainsi l'insatiable convoitise de peu de personnages avaricieux rend votre île souffreteuse de la chose dont elle paraissait être fertile et abondante. Certes cette cherté-là est la cause que chacun renvoie autant qu'il peut de sa maisonnée, et envoie valets et chambrières mendier, ou bien dérober — ce que feront plus facilement les gens de cœur, car ils ont honte de demander l'aumône.

Que dire de plus ? C'est qu'à cette pauvreté et disette on ajoute encore un autre mal, qui est un goût déraisonnable pour le luxe. Les serviteurs des gentilshommes, les artisans, et les paysans presque autant, bref toutes les classes de la société aiment le superflu en habits, en boire et en manger. En outre on tolère les bordels, les tavernes où l'on vend vin et cervoise, puis tant de jeux nuisibles, comme les jeux de hasard, les cartes, les dés, les dames, la paume, la bille et autres semblables. Ces choses-là, quand l'argent fait défaut, n'envoient-elles pas leurs adeptes droit comme un cierge en quelque lieu pour dérober et brigander ? Rejetez

ces dommageables pestes hors de votre royaume!
Ordonnez que ceux qui ont démoli les villages et
bourgades les réédifient, ou qu'ils cèdent les lieux
à ceux qui les voudront réparer, et qui y voudront
édifier! Refrénez les achats groupés des riches, et
ôtez-leur la licence d'exercer ce quasi-monopole!
Faites que peu vivent oisifs! Que le labourage
soit restauré, la draperie restituée, que chacun
s'occupe à honnêtement travailler, afin que tant
de gens oisifs s'exercent à l'utilité de tous, et principalement ceux que la pauvreté a fait larrons,
et aussi ceux qui sont maintenant vagabonds et
oisifs, et qui deviendront larrons si on n'y remédie
pas. Si vous ne mettez bon ordre à ces maux, c'est
du temps perdu que de vous vanter qu'on a fait
bonne justice des larcins: c'est une punition plus
belle que juste et utile. Quand vous tolérez et per-
mettez que règnent les vices, que les mœurs soient
petit à petit corrompues dès la plus tendre jeunesse, et puis quand vous attendez pour les punir
que des hommes, qui en leur premier âge laissaient
déjà prévoir leur évolution, commettent à l'âge
adulte quelque crime répréhensible et infâme, que
faites-vous d'autre que fabriquer des larrons pour
les punir ensuite?»

Tandis que je proposais ces choses, mon légiste
se préparait à me faire réponse, et avait délibéré
d'user de la manière accoutumée à certains dispu-
teurs, qui mettent plus de diligence à répéter les
paroles des premiers intervenants qu'à y répondre,
tant ils sont d'avis que tout l'honneur consiste en
la mémoire du répétant.

«Certes tu as très bien parlé, dit-il, vu que tu es

étranger, et que tu as pu entendre parler de ces choses-là plutôt que les connaître de façon exacte : ce que je donnerai à entendre clairement en peu de paroles. Et premièrement je réciterai par ordre ce que tu as dit ; puis je montrerai en quoi l'ignorance des choses de notre pays t'a trompé. Finalement je réfuterai tous tes arguments. Donc je commencerai au premier point que j'ai promis. Il me semble que tu as abordé quatre choses…

— Tais-toi, dit le cardinal. Vu que tu commences ainsi, je suis d'opinion que ta réponse serait bien longue. Aussi nous te délivrerons présentement du souci et de l'ennui que tu aurais à répondre, et réserverons cela au plus tôt que vous vous retrouverez, ce qui se fera demain, si vous n'êtes pas empêchés, toi ou Raphaël. Et cependant, ami Raphaël, j'entendrais volontiers pourquoi tu penses qu'on ne doit pas punir de mort un larcin, et quel autre supplice tu ordonnerais, qui fût utile au bien public. Es-tu d'opinion qu'on doive tolérer ce vice ? Non, je pense. Or aujourd'hui on fait mourir les larrons, et malgré cela on ne laisse pas de dérober : *a fortiori*, si on les assure de la vie, quelle crainte pour l'avenir pourra épouvanter les malfaiteurs, qui par l'adoucissement de la peine interpréteront qu'ils sont invités à mal faire, presque comme si on voulait les en récompenser ?

— Il me semble, dis-je, très révérend père, qu'il est totalement injuste d'ôter la vie à un homme pour avoir ôté un bien temporel. En effet je ne pense pas qu'il y ait bien mondain sur la terre qui doive être comparé à la vie humaine. Et si on dit pour couverture que ce n'est pas pour l'argent

qu'on fait mourir un homme, mais pour avoir
blessé la justice et violé les lois, pourquoi à bon
droit ne pourra-t-on dire que souverain droit est
souveraine injure[1] ? Car les commandements des
lois ne sont pas à louer, s'ils sont si sévères et
rigoureux[2] que dès qu'en choses légères quelqu'un
se montre désobéissant, incontinent on dégaine le
glaive pour le punir de mort. Et les décrets ne
doivent pas être si stoïques qu'on estime tous les
péchés égaux[3], au point de juger qu'il n'y a aucune
différence entre tuer un homme et lui dérober son
bien. Entre ces deux choses (si justice il y a), on
trouvera qu'il n'y a rien de semblable ni proche.
Notre Seigneur Dieu nous a défendu de faire
mourir quiconque, et nous, nous tuons si facilement pour avoir dérobé un peu d'argent ! Et si
quelqu'un interprète que par ce commandement
divin, la puissance de tuer est interdite sauf dans
les cas où la loi humaine déclare qu'il faut occire,
quel empêchement y aura-t-il que les hommes, de
la même manière, ne décident entre eux des cas
où il faut admettre une défloration, un adultère
et un parjure ? Assurément, alors que notre Seigneur Dieu a ôté le droit de tuer non seulement
autrui, mais aussi soi-même, si le consentement
des hommes s'accordant entre eux, par certaines
ordonnances, à se tuer l'un l'autre, doit être de si
grande valeur qu'il exempte de l'obligation de ce
commandement leurs bourreaux, qui sans aucun
exemple de Dieu tueront ceux que l'humaine loi
aura commandé d'occire, n'est-il pas vrai qu'alors
le commandement de Dieu n'aura pas plus de
valeur que celle que les lois humaines lui accorde-

ront ? Par cela se fera que de la même manière, les hommes statueront en toutes choses pour déterminer les cas où il conviendra de garder les commandements de Dieu. Finalement, bien que la loi de Moïse fût rigoureuse et âpre, étant faite pour des esclaves et des obstinés, ce nonobstant elle ne punissait pas de mort les criminels convaincus de larcin, mais bien de peine pécuniaire. Ne pensons pas que Dieu, en la nouvelle loi de clémence par laquelle le Père a commandé à ses fils[1], nous ait permis plus grande licence d'exercer notre cruauté les uns envers les autres qu'en l'Ancien Testament. Voilà pourquoi je suis d'avis qu'il n'est pas licite de faire mourir un larron. Nul n'ignore qu'il est déraisonnable et pernicieux pour la République de punir de façon égale un larron et un meurtrier. Certes quand un larron considère qu'il n'y a pas moins de péril à être convaincu de larcin qu'à être convaincu d'homicide, cela l'incite à tuer celui qu'il prétendait seulement voler et dérober, vu que cela ne présente pas plus de danger pour lui que s'il s'était trouvé pris sur le fait à voler. Il y a même plus de sûreté à faire un meurtre qu'un larcin, et plus grande espérance de le celer, moyennant qu'il n'y ait aucun témoin. Donc en nous efforçant d'inspirer une trop grande terreur aux larrons, nous les incitons en fait à perdre et gâter les gens de bien.

Or si on me demande quelle punition serait plus commode, elle n'est pas difficile à trouver. Car pourquoi douterons-nous de l'utilité, en vue du châtiment des crimes, de cette méthode dont nous savons qu'elle a jadis été si longtemps approuvée

des Romains, eux qui étaient si experts dans l'administration de la République? Ceux qui étaient
convaincus d'énormes crimes, ils les condamnaient
à être perpétuellement détenus et contraints, dans
des carrières, à tirer la pierre, et à creuser la terre
pour trouver des mines de métaux. Cependant,
touchant cette affaire, je ne trouve coutume ni
manière de faire d'aucune nation que j'approuve
plus que celle que je vis pendant que je faisais mon
voyage de Perse, en ce même pays chez un peuple
nommé Polylérites[1]. C'est une nation qui n'est ni
petite, ni mal régie; elle vit en liberté et sous ses
propres lois, si ce n'est qu'elle verse un tribut tous
les ans au roi des Persans. Quant au reste, parce
qu'ils sont loin de la mer, et environnés de montagnes, se contentent des fruits de leur terre, qui
est bonne et fertile, ils ne hantent pas souvent les
autres peuples, ni n'en sont fréquentés non plus.
D'ailleurs, conformément à leur ancienne coutume, ils ne se soucient pas d'élargir les frontières
de leur territoire: ce qu'ils ont, ils le gardent soigneusement de l'injure d'autrui, et ils défendent
leurs montagnes si bien qu'on ne peut entrer chez
eux. Grâce au tribut et pension qu'ils versent au
susdit roi de Perse, ils sont exempts de soudoyer
des gens d'armes à la guerre, et eux-mêmes aussi
d'y aller. Ainsi vivent-ils heureux, quoique très
peu renommés, car leur nom n'est qu'à peine
connu, excepté de leurs voisins. Dans ce pays,
ceux qui sont condamnés pour larcin rendent ce
qu'ils ont dérobé à son propriétaire, et non au
prince comme on fait en maints lieux (ce qui n'est
guère honnête), car ils estiment que le prince n'a

pas plus de droit sur la chose dérobée que le larron. Si le bien est perdu, on vend les biens du larron, et ceux qui sont lésés sont payés sur le produit de la vente ; le reliquat est laissé entièrement pour nourrir la femme et les enfants dudit larron, et lui est condamné à œuvrer et travailler où on le veut mettre. Si le larcin n'est pas excessif, ils ne sont pas détenus prisonniers en cellule, et ne sont pas non plus enferrés ou enchaînés, mais sont en liberté à s'occuper des travaux publics. Ceux qui refusent le travail et œuvrent lâchement, ils les enchaînent et fouettent pour les faire travailler. Ceux qui travaillent bien, on ne leur fait point de tort : au soir on fait la revue, ils sont appelés par leur nom et surnom, et seulement mis et enclos pour la nuit dans des chambres. On ne leur fait point d'autre ennui, sauf qu'ils travaillent toujours. Ceux qui travaillent pour la République sont nourris des deniers publics et bien entretenus, de différentes manières selon les lieux. En quelques endroits on cherche l'aumône pour eux, et de cela ils sont sustentés ; et bien que cette voie et manière de faire ne soit certaine et assurée de trouver toujours du bien pour eux, toutefois ce peuple-là est si miséricordieux qu'on trouve du revenu en abondance, et plus facilement de cette manière que d'une autre. En d'autres régions, on ponctionne le revenu public pour alimenter lesdits criminels. En d'autres contrées, chaque homme est taxé et cotise pour cette affaire. Aussi en certains lieux ils ne font pas d'ouvrages publics, mais selon que chacun a besoin d'ouvriers pour des travaux privés, le jour qu'il en a besoin il s'en va

au marché et les loue, et ne les paye pas aussi cher
qu'un serf qui ne serait pas criminel ; au demeurant un homme ne sera pas blâmé de les fouetter,
s'ils sont paresseux à leur besogne. Ainsi ils ne
sont jamais oisifs et sans travail, et outre qu'ils
gagnent leurs dépenses quotidiennes, ils rapportent
aussi quelque chose aux deniers publics. Ils sont
tous accoutrés d'une livrée, et il n'y a qu'eux qui
portent la couleur du drap qui leur est baillé. Ils
n'ont pas les cheveux tondus, mais coupés un peu
au-dessus des oreilles, dont l'une est un peu coupée
et échantillonnée[1]. Il est permis à leurs amis de
leur donner à boire et à manger, et même un habit
de la couleur qu'ils doivent porter. Mais il est
défendu, sur la vie du donateur comme du bénéfi-
ciaire, de leur donner de l'argent, et il n'est pas
moins dangereux pour un homme libre, de quelque
manière que ce soit, de recevoir de l'argent d'un
criminel. Pareillement il est prohibé sous peine de
mort à tous les criminels de porter des bâtons ou
des armes. Chaque région marque et signe ses prisonniers, et ils encourent la mort s'ils ôtent leur
marque, et la même peine s'ils se transportent en
une autre contrée et passent les limites de leur
région, et aussi s'ils parlent avec un prisonnier
d'un autre pays. Qui plus est, penser seulement à
s'enfuir n'est pas moins périlleux que la fuite. Si
un criminel est convaincu d'avoir donné conseil à
un autre de s'enfuir, on le fait mourir, et si un
homme libre tombe dans ce cas, il est mis en servitude. Il existe un certain salaire pour ceux qui
découvrent de telles entreprises. Si c'est un homme
de franche condition, on lui donne un prix en

argent ; si c'est un serf, on le met en liberté ; à l'un et à l'autre on fait grâce de toute accusation de complicité ; de la sorte, il n'y a pas plus de sécurité à poursuivre le mauvais conseil qu'à s'en repentir.

Voilà les ordonnances et la police[1] dont on use dans ces pays, qui nous donnent à connaître clairement combien elles sont pleines d'humanité et quel profit elles apportent à la République, vu qu'en faisant justice on abolit et perd les vices tout en gardant les hommes, et en les traitant de telle sorte qu'il est nécessaire qu'ils soient bons. D'ailleurs, le dommage qu'ils ont fait, pour le restant de leur vie ils le compensent. On n'a point de défiance et crainte qu'ils retombent en leurs premières mœurs et on est en sécurité avec eux, à tel point que les pèlerins[2], s'ils ont quelque voyage à faire quelque part, ne voudraient pas d'autres guides pour les conduire que cette sorte de serfs et condamnés, qui sont prêtés pour diriger les passants en toutes régions. Pour commettre un larcin ils n'ont pas ce qu'il faudrait : premièrement il leur est défendu de porter jamais bâton ; puis ce qu'ils auraient dérobé les accuserait et dénoncerait leur délit ; en outre la peine est toute prête pour qui serait pris en plein méfait ; puis ils n'ont nul endroit au monde où espérer fuir. Comment pourrait se cacher celui dont l'accoutrement diffère totalement de celui des autres, s'il ne voulait s'enfuir tout nu ? En outre, l'oreille qu'il a entaillée le dénoncerait. Il ne faut point craindre non plus qu'ils puissent conspirer contre la République. Premièrement, si les serfs d'un endroit avaient quelque espoir de faire mal à la région limitrophe, ils en seraient incapables sans solliciter et sonder auparavant les serfs et criminels de plusieurs régions, qui sont privés de la faculté de conspirer car il ne leur est pas seulement permis de se réunir, hanter, fréquenter, parler et saluer l'un l'autre. Même s'ils avaient ce projet, ils n'oseraient pas le découvrir à leurs amis, vu que ceux qui le tairaient seraient en danger de mort, et que ceux qui le dénonceraient seraient bien récompensés. D'ailleurs, chacun d'eux a l'espérance qu'en obéissant, en supportant la peine patiemment et en donnant bon espoir de son amendement de vie pour l'avenir, il pourra de cette manière recouvrer un jour sa liberté, étant donné qu'on en a vu qui ont été rétablis et réhabilités pour leur conduite patiente et tolérante. »

Après que j'eus rapporté ces choses, et ajouté qu'il me semblait qu'il n'y avait rien qui empêchât que cela ne pût se faire en Angleterre avec plus de fruit que la justice que ce légiste avait tant louée, ce dernier répliqua conséquemment :

« Jamais cela ne pourrait être établi en Angleterre sans tourner au grand détriment de la République. » Et en disant ces choses il hocha la tête, se tordit les lèvres, et se tut. À ce moment, tous les assistants furent de son opinion. Alors le cardinal dit :

« Il n'est pas facile de deviner si la chose va tourner bien ou mal quand on n'en a point encore fait l'expérience. Mais si, après que la sentence de mort est prononcée, le prince commandait que l'exécution fût différée, et qu'on expérimentât la manière de faire qui vient d'être décrite, tout en abolissant les privilèges de franchise dont jouissent

les églises[1], et si on s'en trouvait bien, on devrait
ordonner de continuer ainsi ; dans le cas contraire,
alors il serait licite de faire mourir ceux qui auparavant auraient été condamnés. Procéder ainsi ne
serait ni plus pernicieux pour le bien public ni
plus injuste que si on exécutait la même sentence
dès maintenant, et l'expérience ne comporterait
aucun danger. D'ailleurs il me semble qu'on ferait
bien de traiter de cette manière un tas de vagabonds qui vont mendiant parmi le pays et sont
toujours oisifs, et contre lesquels on a tant fait de
décrets sans qu'il en vienne aucun profit. »

Après que le cardinal eut dit ces choses, tous
ceux qui avaient méprisé mes propos les prisèrent
peu après, et singulièrement ce qui avait été dit
touchant lesdits vagabonds, parce que ledit cardinal l'avait ajouté de lui-même[2].

Je ne sais si je dois taire ce qui s'ensuit. Il est
vrai que ce ne sont que des choses joyeuses et pour
rire ; mais parce qu'il n'y avait en elles rien de
mal, et qu'elles étaient conformes à notre propos,
je les conterai. D'aventure en ce lieu se trouvait un
flatteur[3], qui contrefaisait le fou mais, pour dire le
vrai, il ne feignait pas, car il aurait très bien pu
l'être. De fait, quand il avait dit quelque parole,
même si en elle il n'y avait que peu de fruit ou de
plaisir, il riait de lui-même, de sorte que la compagnie se prenait elle aussi à rire, mais plutôt de lui
que des mots qu'il disait. Malgré cela, cet homme
touchait parfois des points qui n'étaient pas
absurdes : il parlait si souvent que parfois certains
de ses dits n'étaient pas dénués de grâce, car
comme dit le proverbe, « En jetant souvent le dé,

quelquefois on ramène chance[1]». Or comme un
de ceux qui étaient à table disait que j'avais bien
parlé touchant les larrons, et aussi le cardinal
touchant les vagabonds, et qu'il restait à mettre
ordre aux pauvres que la maladie et la vieillesse
avaient contraints de mendier, eux qui ne pouvaient faire aucune besogne pour gagner leur vie,
ce fou intervint :

«Alors, dit-il, laisse-moi faire, à cela je pour-
voirai bien. Certes je désirerais grandement que
cette sorte-là de gens fussent éloignés de mes yeux,
et qu'on les mît en quelque lieu où je ne les visse
jamais, parce qu'ils m'ont souvent importuné de
leurs cris et de leurs plaintes en me demandant de
l'argent ; toutefois ils ne surent jamais si bien
chanter qu'ils en arrachassent un seul denier. Il
advenait toujours soit que je n'avais pas envie de
leur donner, soit que j'en étais empêché parce que
je n'avais rien sur moi : maintenant ils sont sages,
car de peur qu'ils ne perdent leur peine, quand ils
me voient passer par-devant eux, ils ne font semblant de rien et se taisent, et n'espèrent pas plus
de moi que si j'étais un prêtre. Mais j'ordonne et
commande, par sentence définitive, que tous ces
pauvres-là soient distribués et répartis dans les
monastères de saint Benoît pour être là-bas frères
lais[2], et les femmes, qu'on les mette aux quartiers
des dames et qu'on les fasse moniales.»

Le cardinal alors commença à rire : il approuve
l'opinion de ce fou par manière de jeu, les autres
en la prenant au sérieux. Il y avait à la table dudit
cardinal un frère théologien[3] ; quand il eut entendu
parler des prêtres et des moines rentiers, il se

réjouit fort et commença à plaisanter, bien qu'il fût un homme d'ordinaire chagrin et mélancolique.

« Mais tu n'échapperas pas aux mendiants, dit-il, si tu ne t'occupes aussi de nous autres frères.

— On y a déjà pourvu, dit alors cet adulateur : le révérendissime a très bien ordonné de vous, quand il a émis l'opinion que l'on devait enfermer les vagabonds et les faire travailler ; et certes vous êtes vous-mêmes de grands vagabonds ! »

Quand les assistants jetèrent les yeux sur ledit cardinal, et virent qu'il n'avait pas fait signe à ce fou de se taire, ils prirent bien cela, excepté ledit frère qui, étant ainsi touché par ce brocard, fut si indigné et courroucé qu'il ne put s'abstenir d'injurier cet homme, et je ne m'en étonne guère. Il l'appela menteur, détracteur, médisant, mauvaise langue et enfant de perdition, alléguant sur ces entrefaites tout plein de menaces terribles de la Sainte Écriture. Alors ce plaisantin commença à plaisanter pour de bon, car il se retrouvait sur son terrain. « Frère, dit-il, ne te courrouce point. N'est-il pas écrit : "Par votre patience, vous posséderez vos âmes[1]" ? » Alors le frère dit (je rapporterai ses paroles) : « Je ne me courrouce point, vilain, ou à tout le moins je n'offense pas Dieu, car le Psalmiste dit : "Courroucez-vous et ne péchez point[2]." » Voyant cela, le cardinal admonesta ce frère doucement de restreindre ses passions[3].

[« Monsieur, repartit-il, je suis mû d'un bon zèle, et ne dis que ce que je dois. Les saints hommes ont eu un bon zèle, duquel il est dit "le zèle de ta maison m'a rongé[4]", et duquel on chante, dans les églises, que "ceux qui se moquaient d'Élisée, lorsqu'il

montait à la maison de Dieu, éprouvèrent le zèle
du chauve[1] : c'est celui que sentira peut-être ce
moqueur, ce bouffon, ce ribaud !

— Je veux croire, dit le cardinal, que vous avez
un bon zèle ; mais vous feriez, ce me semble, sinon
plus saintement, du moins plus sagement, de ne
pas vous amuser à contester avec un homme qui
n'est pas sage. La fin de votre dispute ne peut être
que ridicule, puisque vous avez un adversaire qui
ne demande qu'à bouffonner et à faire rire la
compagnie.

— Je ne sais, Monsieur, continua le théologien,
si je ferais plus sagement ; puisque Salomon, le
plus sage de son temps, dit qu'il faut répondre
au fou suivant sa folie[2] : et c'est ce que je viens de
pratiquer, montrant à celui-ci la fosse dans laquelle
il va choir infailliblement s'il n'y prend garde ; car
si les moqueurs d'Élisée ont éprouvé le zèle d'une
seule tête chauve, que ne doit attendre un misérable bouffon, qui ose attaquer plusieurs bons
frères, parmi lesquels il y en a quantité qui ont la
tête pelée[3] ? Mais quand bien même nous n'aurions pas cet exemple, il devrait craindre la bulle
du Pape, qui excommunie tous ceux qui se moquent
de notre confrérie. »

Le cardinal, voyant que ce discours ne prenait
point de fin,] fit signe audit plaisantin de se retirer
et changea de sujet de conversation pour en choisir
un plus commode. Bientôt après cela, il se leva de
table, et vaqua à entendre quelques différends et
litiges de certains clercs ; puis il nous laissa.

Voilà comment je t'ai ennuyé et chargé de mes
longs contes, ami Morus ; j'eusse eu honte de m'y

attarder si longuement, si tu ne m'eusses prié
affectueusement de faire ainsi, et aussi parce que
tu te montrais un auditeur si attentif que tu ne
voulais pas que je laissasse un grain de ce propos.
J'eusse pu le faire plus bref, mais il me fallait
narrer tout du long et nettement, pour y comprendre l'opinion de ceux qui auparavant avaient
blâmé ce que j'avais dit, et bientôt après l'approu-
vèrent parce que le cardinal ne le désapprouva
pas. Et ils se montrèrent si grands flatteurs que
même ils se montraient contents des inventions
de ce plaisantin susdit, et les recevaient presque
comme des choses sérieuses, alors que le maître
les prenait comme un jeu. Par cela, tu peux estimer
le prix que les courtisans accorderaient à moi et à
mon conseil.

— Certes, ami Raphaël, dis-je, tu as parlé si prudemment et élégamment que tu m'as fort récréé.
D'ailleurs en t'entendant si bien conter il me semblait que je fusse revenu non seulement en mon
pays, mais en ma jeunesse, grâce à la joyeuse évocation de ce cardinal, en la cour duquel j'ai été
nourri étant jeune enfant ; et parce que tu t'inté-
resses à sa mémoire, bien que tu fusses déjà bien
mon ami, pourtant je t'en aime encore plus. Quant
au reste, je ne puis encore aucunement changer
mon opinion, et m'empêcher de penser que, si tu
voulais induire ta fantaisie à t'accommoder à la
cour des princes, tu pourrais faire grand bien à la
République par ton conseil, ce qui siérait fort bien
à ton office, c'est-à-dire à l'office d'un homme de
bien, vu que ton Platon dit que les Républiques
deviendront heureuses si les amateurs de sagesse

y règnent, ou si les rois étudient la sagesse[1]. Oh!
que la félicité sera loin desdites Républiques, si
les philosophes dédaignent de communiquer leur
conseil aux rois et aux princes!

— Ils ne sont pas, dit-il, si ingrats qu'ils ne le
fissent bien volontiers — et qui plus est, beaucoup
l'ont déjà fait en plusieurs livres publiés — si du
moins les princes et les rois étaient prêts à obéir à
leurs bonnes opinions. Mais véritablement Platon
prévoyait bien que si les rois ne s'appliquaient pas
eux-mêmes à la sagesse, et s'ils entretenaient les
mauvaises opinions dont ils sont abreuvés et imprégnés en leurs jeunes années, il était impossible
pour l'avenir qu'ils tiennent en estime les conseils
des philosophes: ledit Platon en fit lui-même l'expérience avec Denys[2]. Si j'étais à la cour de quelque
roi, que je lui misse devant les yeux quelques
bonnes décisions, et que je m'efforçasse de lui ôter
une pernicieuse semence de mal, ne penses-tu pas
que soudain on me pousserait dehors, ou qu'on se
moquerait de moi? Prends le cas que je sois avec
le roi de France, et que je sois de ses conseillers, et
que le roi préside en son conseil étroit en la compagnie de tout plein de personnages prudents; là
se fait consultation par quels artifices et stratagèmes on pourra garder Milan, comment on pourra
retenir Naples qui le fuit, détruire les Vénitiens,
conquérir toute l'Italie, soumettre à son obéissance
les Flandres, le Brabant et toute la Bourgogne, et
pareillement plusieurs autres contrées qu'on a eu
la volonté d'assaillir[3]. L'un conseillera de conclure
avec les Vénitiens une alliance, qui ne durera que
tant qu'elle sera commode; de leur communiquer

les intentions de la France; et de leur laisser quelques terres de conquête, qu'on pourra rede- mander, quand les choses en seront venues à la fin désirée. L'autre conseillera qu'il faut soudoyer les Allemands; l'autre qu'il faut attirer les Suisses par l'argent; l'autre sera d'opinion qu'on apaise et rende propice la sacrée majesté de l'Empereur[1] par une offrande de grand nombre d'or; l'autre de composer avec le roi d'Aragon[2], et de se retirer du royaume de Navarre en gage de paix; l'autre sera d'avis qu'il est commode de retenir le prince de Castille[3] par quelque espérance d'alliance et de mariage, et d'allécher en leur versant une pension un certain nombre de gentilshommes de sa cour pour être de la ligue des Français. Puis quand le plus gros nœud et la plus grande difficulté d'entre toutes ces choses vient sur le tapis, à savoir ce qu'il faut ordonner au sujet de l'Angleterre, alors on dira qu'il est nécessaire de discuter de paix avec les Anglais, d'astreindre et retenir étroitement des alliés inconstants qui facilement se révoltent: qu'ils soient appelés amis, et soupçonnés comme ennemis. Il faut dresser les Écossais, et qu'ils se tiennent prêts à toute heure, si d'aventure les Anglais vou- laient se mettre en mouvement. Outre cela il est pertinent d'entretenir quelque noble personnage exilé — tout secrètement, car l'accord qui sera fait prohibe que la chose ne se fasse ouvertement —, lequel personnage aura différend avec le roi d'An- gleterre en disant que le royaume lui appartient, afin que par ce moyen on puisse contenir un prince qui apparaît suspect[4].

Or suppose qu'en cette affaire si difficile, où il y

aura tant d'excellents personnages qui seront tous d'avis qu'on doit faire la guerre, moi qui suis homme de petite étoffe je me lève, et conseille qu'on doit faire le contraire, qu'il faut délaisser l'Italie et demeurer en son pays, et que le royaume de France est quasi trop grand pour pouvoir être commodément administré par un seul prince, et que le roi ne doit pas penser à adjoindre d'autres royaumes au sien. Suppose que je leur propose les statuts du peuple des Achoriens[1], à l'opposite de l'île des Utopiens entre Orient et Midi, du côté du vent que les mariniers appellent l'Euronotus[2]. Ces Achoriens firent autrefois la guerre, afin qu'ils obtinssent et conquissent à leur roi un autre royaume que le leur, royaume qui, prétendait-il, lui revenait par hérédité, à cause d'une ancienne parenté par alliance[3]. Ils y parvinrent, mais après qu'ils l'eurent conquis, ils virent qu'ils n'avaient pas moins d'ennui et d'angoisse à le garder qu'ils n'avaient souffert à l'acquérir, et que continuellement surgissaient des rébellions en cedit royaume, ou des incursions d'étrangers à l'encontre des rendus : ainsi fallait-il toujours guerroyer ou pour eux, ou contre eux, et il ne leur était pas loisible de licencier leur armée. Pendant ce temps eux-mêmes étaient pillés, leur argent se portait en pays étranger, leur sang était exposé pour l'appétit et l'honneur d'autrui, la paix n'était guère plus assurée qu'avant, au pays les mœurs se corrompaient et se dépravaient sous l'effet de la guerre, l'appétit de dérober s'accoutumait, l'audace se fortifiait dans les meurtres, et on méprisait les lois parce que leur prince, ayant l'esprit distrait par le gouvernement et le souci de deux royaumes, ne pouvait se consacrer à l'un et à l'autre. Or quand ils virent que c'était la seule manière de mettre fin à tant de maux, ils s'assemblèrent et tinrent conseil, en donnant très courtoisement le choix à leur roi de conserver celui qu'il voudrait des deux royaumes, et en disant qu'il n'eût su régir l'un et l'autre, et qu'ils étaient si nombreux que leur administration pouvait bien contenter deux rois, et qu'ils avaient le droit d'en avoir un à eux tout seuls, vu qu'il n'est personne de si petite condition ou état qui, si elle avait un muletier, accepterait de le partager avec quelqu'un d'autre. Ainsi ce bon prince fut contraint de laisser ce nouveau royaume à un de ses amis (qui en fut sous peu chassé) et de se contenter du sien. Suppose enfin que je remontre que toutes les entreprises des guerres, pour lesquelles tant de nations étaient en différend à cause de ce roi, tant de trésors évacués, et son pauvre peuple détruit, n'auront jamais à la fin, bien que parfois par quelque fortune ceux à qui on fait la guerre cèdent, aucun résultat ; et que par conséquent un roi doit se tenir et habiter en son royaume sans viser au-delà, l'orner autant qu'il peut, et le faire très florissant, aimer ses sujets, être aimés d'eux, vivre ensemble avec eux et leur commander doucement, et laisser là les autres royaumes en leur entier, puisque celui qui lui est échu est assez ample et plus riche qu'il ne lui faut : écoutera-t-on volontiers ce mien propos, à ton avis, ami Morus ?

— Guère de gens ne prêteront l'oreille à ta harangue, dis-je.

— Or passons outre, dit-il. Supposons que les

L'Utopie

conseillers de quelque roi confèrent ensemble et réduisent en mémoire, en la présence de ce prince, par quels moyens ils lui pourront amasser de l'argent. L'un dira qu'il faut jouer sur le cours des monnaies : lorsqu'il faut que ledit prince baille et paye à quelques-uns grosse somme d'or, il sera bon de hausser l'or, puis de le dévaluer et abaisser de prix quand il sera question d'en demander à son peuple, et après l'avoir reçu le remettre en son premier état. Ainsi avec peu payera-t-il beaucoup, et pour peu recevra-t-il beaucoup. L'autre conseillera qu'il feigne avoir la guerre contre quelque nation, et sous cette couleur il tirera force argent de ses sujets. Puis quand il aura amassé cette pécune, quand il lui semblera bon, qu'il célèbre la paix avec ses ennemis, afin que le peuple, ainsi aveuglé et trompé, dise : "Notre prince est pitoyable, il a compassion de répandre le sang humain." L'autre lui mettra en la fantaisie que tous ses sujets ont transgressé certaines vieilles ordonnances mangées des vers, toutes moisies et devenues obsolètes suite à une longue désaccoutumance, dont nul n'avait la mémoire qu'elles fussent faites, et qu'il en doit demander les amendes, disant qu'il ne saurait lui échoir plus grand revenu que de cela, ni plus honorable, dans la mesure où il se pare du masque de la justice. Un autre lui recommande d'interdire beaucoup de choses sous grosses peines, et spécialement des choses telles qu'il sera utile au peuple qu'elles ne se fassent point ; puis de venir à composer avec ceux de ses sujets pour qui l'interdiction est incommode et de les dispenser à prix d'argent. Ainsi aura-t-il la grâce de

son peuple, et il lui en reviendra un double profit :
il lui reviendra gros deniers, d'une part, s'il a
quelques sujets que l'avarice et l'appétit du gain
auront attrapés à ses rets, quand ils seront confis-
qués ; et d'autre part, quand il vendra les privilèges, à un prix d'autant plus grand qu'il veut être
vu meilleur prince, donnant à grande difficulté la
licence à quelqu'un en particulier de jouir d'une
chose qui est au préjudice d'un peuple, et pour
cette raison ne les vendant point sans en recevoir
gros deniers. L'autre le persuadera de s'attacher
quelques juges qui en toutes choses défendront le
droit du roi, puis de les faire venir au palais en
son parlement, les invitant à discuter de ses matières
devant soi : ainsi il n'aura matière si manifestement injuste qu'aucun desdits juges ne trouve
quelque ouverture par laquelle ne se puisse
entendre tromperie, soit par esprit de contradiction, soit par honte de ne savoir que dire, soit afin
qu'ils acquièrent la faveur dudit prince. Ainsi quand
les juges seront d'opinions contraires l'un à l'autre
en une chose de soi très claire et qui n'aurait pas
lieu d'être disputée, et que la vérité de la cause à
cette heure-là vient en doute, sur ce point le prince
a occasion d'interpréter le droit à son profit, vu
que les uns ont honte, et que les autres craignent :
ainsi la sentence se prononce sans hésitation
conformément à son intention. Certes celui qui
rend un arrêt en faveur du prince n'est jamais
dépourvu de couverture : il dira qu'il lui suffit que
le droit est de son côté, ou il tournera les paroles
et le sens de la loi, l'interprétant à son plaisir, ou
il alléguera l'indiscutable prérogative du prince

qui, chez ces juges scrupuleux, prime sur toutes les lois. Et tous s'accordent à confirmer le dit de Crassus, qui disait que le prince qui avait charge d'entretenir une armée, ne pouvait avoir assez d'or et d'argent[1]. Outre cela, ledit juge alléguera qu'un roi ne peut rien faire injustement, quand bien même son plaisir serait tel, parce que tout le bien des sujets est à lui, et même leurs corps, et que le peuple n'a rien en propre que ce que la bénignité et courtoisie du roi lui permet de posséder, et ce qu'elle ne lui aura pas ôté ; et moins il en pourra avoir, plus ce sera à la grande utilité du prince, car la sûreté du prince repose sur le fait d'éviter que ledit peuple par richesses et liberté ne s'efférmine et enhardisse, et qu'il ne veuille plus endurer aussi patiemment l'injuste et dur commandement de son seigneur, alors qu'au contraire la pauvreté et la nécessité rompent, brisent et abaissent les cœurs et les rendent patients, et ôtent aux oppressés le noble esprit de la rébellion.

Or suppose qu'en ce conclave je me lève derechef pour dire mon opinion, et débatte contre les susdits avocats que tous leurs conseils sont malhonnêtes et, qui plus est, pernicieux pour le roi, dont non seulement l'honneur, mais aussi la sûreté reposent plus sur les richesses de son peuple que sur les siennes ; et que ledit peuple le choisit pour son intérêt, et non pour l'intérêt dudit prince, afin qu'il vive commodément sous la protection du labeur et de la sollicitude d'un bon prince, qui le défende du tort et injure qu'on lui pourrait faire ; et que pour cela un bon prince doit être plus soucieux que ses sujets se portent bien que lui-même,

de même que c'est l'office d'un pasteur d'être plus
soucieux de nourrir ses ouailles que soi-même, en
tant qu'il est berger. Et quant à ce qu'ils sont d'opinion que la pauvreté du peuple est une garantie de
paix, l'expérience nous enseigne assez qu'ils se
trompent grandement, car où trouvera-t-on plus
de noises qu'entre des mendiants ? Qui est-ce qui
désire le plus le changement et mutation d'un
règne, que celui à qui déplaît l'état et la manière
de vivre de son temps ? Qui prend plus grande
hardiesse de faire un trouble en toutes choses,
pour quelque espoir de gain, que celui qui n'a rien
à perdre ? Et si un roi est tellement méprisé et haï
de ses sujets qu'il ne les peut autrement retenir en
son obéissance, sinon par malédictions, injures,
pillages et grandes persécutions, et qu'il doit les
réduire à la mendicité, il vaudrait beaucoup mieux
qu'il quittât et délaissât son royaume, que de les
gouverner par de tels artifices, par lesquels — bien
qu'il retienne le nom et titre de roi — il en perd
toutefois la majesté. Car cela est bien mal séant à
si excellente dignité royale que de dominer sur des
mendiants, mais il convient bien mieux d'avoir la
domination et gouvernement d'un peuple opulent
et heureux : ce que savait bien Fabricius, homme
vertueux et magnanime, quand il répondit qu'il
aimait mieux dominer sur les riches que d'être
riche[1]. Certes, quand il advient qu'un prince vit
seul en plaisirs et délices, et que tous ses sujets
gémissent de toutes parts et se lamentent, cela n'est
pas l'office d'un roi, mais d'un geôlier. Finalement, de même qu'on ne tient pas pour savant un
médecin qui ne saurait guérir une maladie sans en

ajouter une, de même un prince qui ne sait par
autre voie corriger la vie de son peuple, sinon en
lui ôtant l'usage et commodité de la vie, confesse
hardiment qu'il n'entend rien à gouverner des
gens libres et francs[1] ; donc qu'il change sa lâcheté
ou son orgueil, car par de tels vices souvent il
advient que le peuple le méprise, ou le hait ; qu'il
vive de son revenu sans nuire à personne ; que
sa dépense soit mesurée à ses possessions ; qu'il
réprime les méfaits, et les prévienne en instruisant
bien ses sujets, plutôt que de laisser croître les
délits pour les punir par la suite ; les lois abolies
par coutume, qu'il ne les réinstaure pas sans discernement, spécialement celles qui ont été longtemps délaissées et n'ont jamais été regrettées ;
qu'il ne prenne argent à cause d'un délit ou offense,
ce qu'un juge ne tolérerait pour aucune personne
privée, comme étant une chose injuste et falla-
cieuse. Suppose que je leur propose la loi des
Macariens[2], qui ne sont guère loin de l'île d'Utopie,
et qui, le premier jour qu'ils ont fait un roi, avec
grandes cérémonies l'astreignent à jurer solennel-
lement qu'il n'aura jamais en son trésor plus de
mille livres d'or, ou autant d'argent à la valeur
dudit or (ils disent que cette loi fut instituée par
quelque bon prince, qui avait plus à cœur l'utilité
du pays que ses propres richesses, pour faire obstacle à ce qu'on amassât tant de pécune que le
peuple en fût pauvre. Certes, ce roi considérait que
ce trésor-là était assez suffisant pour contrer les
rébellions de ses sujets ou les incursions des ennemis : il est vrai qu'il n'était pas assez grand pour
envahir les autres royaumes, ce qui fut la cause

principale pour instituer cette ordonnance ; l'autre cause qui l'induisit, c'est que par cela il pensait avoir si bien pourvu, qu'il n'y aurait défaut de pécune, quand il serait question que les citoyens veuillent faire quelque commerce entre eux. Et considère aussi que le roi était obligé de bailler tout ce qui était de surplus de son trésor à ses sujets : par cela, il n'avait pas l'occasion de chercher les moyens de les piller et de leur faire du tort. Un roi qui ferait le semblable serait craint des mauvais, et aimé des bons) ; bref, si je m'allais mêler de proposer ces choses, ou d'autres semblables, devant des personnages qui seraient totalement enclins à faire le contraire, n'irais-je pas réciter un conte à des sourds ?

— Certes, dis-je, non à des sourds, mais à des très sourds ! Et je ne m'en ébahis pas, et ne suis point d'avis (afin que je dise la vérité) que tu te doives mêler de tenir telles paroles, et donner tel conseil, si tu es certain qu'on ne le veuille recevoir. De quel profit pourrait être un propos si inaccoutumé, et comment pourrait-il entrer au cœur de ceux qui par avance ont été convaincus du contraire ? Cette philosophie scolastique[1] est plaisante entre amis, en leurs familières conversations, mais il est intempestif d'alléguer ces choses au conseil des princes, où les grandes affaires se traitent avec grande autorité.

— C'est bien, dit-il, ce que je mettais en avant, que la philosophie n'a pas de place auprès des princes.

— Si, elle en a bien une, dis-je, mais non pas cette philosophie scolastique qui pense que tout soit convenant en tout et partout ; mais il y a une autre philosophie plus civile, qui connaît la scène où elle se produit et, en s'accommodant à la pièce qu'on joue, garde son rôle et le joue avec grâce et bienséance : c'est de celle-là qu'il te faut user. Prenons le cas qu'on joue quelque comédie de Plaute, où certains serviteurs usent de bourdes et mensonges entre eux, et que tu te présentes sur l'échafaud en habit de philosophe, et récites ce passage de la tragédie d'*Octavia* où Sénèque dispute avec Néron[1] : n'aurait-il pas mieux valu que tu eusses joué un rôle muet plutôt que, en récitant un morceau étranger, d'avoir mêlé ta tragédie avec leur comédie ? Tu corromps et pervertis la pièce qu'on joue, car tu mêles choses contraires, bien que ce que tu dises soit meilleur. Quelle que soit la pièce qu'on joue, joue-la du mieux que tu pourras, et ne va pas perturber toute la pièce, sous prétexte qu'il te vient à l'esprit une autre pièce qui soit plus belle et plus élégante[2]. Ainsi en va-t-il en la République ; ainsi en advient-il au conseil des princes. Si les mauvaises opinions ne peuvent être totalement éradiquées, et si on ne peut comme on le désire remédier aux vices reçus par usage, il n'en faut pas pour autant délaisser la République, pas plus qu'on n'abandonne un navire en temps de tourmente, sous prétexte que les vents ne peuvent être réprimés[3]. Certes il ne faut point emplir les oreilles des princes d'un propos insolite et inaccoutumé, dont tu sais qu'il n'aura point de poids auprès desdits princes, qui ont été persuadés du contraire ; mais il faut t'efforcer, par une menée oblique, de traiter de tout ton pouvoir toutes choses commodément, et ce que tu ne peux tourner en bien, fais à tout le moins que ce ne soit pas si grand mal : car il ne se peut faire que tout aille bien, si tous ne sont bons — ce que je n'espère qu'il se puisse faire encore de longtemps.

— En procédant de la sorte, dit-il, rien d'autre ne se ferait, sinon que, quand je penserais donner remède à la folie des autres, moi-même avec eux je deviendrais fou ! Car si je veux dire le vrai, il sera nécessaire que je dise les choses comme je l'ai fait jusqu'ici ; je ne sais si les philosophes ont accoutumé de mentir, mais quant à moi ce n'est point mon naturel ni mon métier. Et bien que mes paroles par aventure ne soient agréables aux susdits, et leur semblent fâcheuses, elles ne sont pourtant point étranges au point de sembler impertinentes ou sottes. Si je proposais ce que feint Platon en sa République, ou ce que font les Utopiens en la leur, quoique ces choses-là fussent meilleures (comme il est certain qu'elles sont), toutefois elles pourraient sembler bien étranges, parce qu'en ce pays-ci tous les biens sont privés, tandis qu'en Utopie toutes choses sont communes. Certes mes propos, montrant le péril, et retirant de celui-ci, ne sauraient être plaisants ni agréables à ceux qui auraient en eux délibéré de se ruer de plein gré la tête la première dans le danger remontré. Mais pour le reste, qu'y a-t-il, en ce que j'ai allégué, qu'il ne soit convenable ou nécessaire d'être dit en tout lieu ? Et véritablement s'il faut taire et omettre, comme si ce fût chose insolite et absurde, toutes les choses que les perverses mœurs

des hommes ont fait sembler étranges, par semblable raison il faut que nous dissimulions entre
les chrétiens presque toutes les choses que notre
Seigneur Jésus Christ a enseignées, et qu'il a tant
défendu de dissimuler que même ce qu'il a dit
en secret à ses disciples, il a commandé qu'on le
prêche publiquement[1] ; desquelles choses la plus
grande partie est bien plus étrange aux mœurs de
ce temps présent, que ne sont les paroles que j'ai
dites. Je crois que certains prêcheurs, personnages subtils, ont suivi ton conseil : voyant que les
hommes souffraient à grand-peine que leurs mœurs
soient conformées à la règle de Jésus Christ, ils
firent, comme une flexible règle de plomb, cadrer
et convenir Sa doctrine à leurs mœurs et manières
de vivre, afin qu'en cette sorte au moins les commandements de Jésus Christ et leurs vies mauvaises fussent conciliés ; en quoi je ne vois point
qu'ils aient rien profité[2], sinon qu'il leur est permis
d'être mauvais avec plus d'assurance. Si j'étais au
conseil des princes, je n'y profiterai pas davantage : soit je serais d'opinion contraire aux autres,
ce qui vaudrait autant que de n'avoir aucune opinion ; soit je serais conforme à leur dire, et alors
le coadjuteur de leur folie, comme dit Micion en
Térence[3]. Je n'entends point bien ce que tu dis
quand tu affirmes qu'il faut procéder par une voie
détournée ou une menée oblique quand on est au
conseil des princes, par laquelle on doit s'efforcer
(comme tu es d'opinion), si toutes choses ne peuvent être rendues bonnes, qu'elles soient au moins
traitées commodément et soient faites les moins
mauvaises qu'on pourra. Certes je ne puis conce-

voir ton dire, vu que ce n'est pas là le lieu pour dissimuler, et qu'il n'y est pas permis de fermer les
yeux sur les opinions mauvaises : il les faut approuver ouvertement, et souscrire aux décisions les
plus pernicieuses. Celui qui louera froidement
une mauvaise opinion sera tenu pour un espion,
ou quasi comme un traître dissimulé. Je ne trouve
point qu'entre de tels conseillers, un homme de
vertu puisse profiter, parce qu'ils gâteront plus
facilement le meilleur des hommes qu'ils ne seront
corrigés par lui. Soit il sera dépravé par leur mauvaise fréquentation, soit, en restant lui-même innocent et intègre, il servira de couverture à la malice
et folie d'autrui.

Voilà pourquoi je pense que par cette menée
oblique que tu dis, rien ne se peut convertir en
mieux. Ainsi le philosophe Platon donne-t-il à
connaître par une très belle comparaison pourquoi à juste titre les sages s'abstiennent de vouloir
prendre part au régime de la République. Quand,
dit-il, les sages voient le peuple, répandu parmi les
carrefours et places publiques, qui se laisse mouiller
par une grosse pluie qui tombe incessamment
d'en haut, et ne lui peuvent mettre en tête qu'il se
mette hors de la pluie et qu'il cherche un abri,
comme ils savent bien qu'ils ne gagneront rien à
sortir dehors, sinon qu'ils seront mouillés comme
les autres, ils restent à l'intérieur de leurs maisons,
et il leur suffit, puisqu'ils ne peuvent remédier à la
folie d'autrui, de se tenir en lieu sûr[1]. Certes, ami
Morus, afin que je dise à la vérité ce que j'ai en
l'esprit, il me semble que partout où les biens sont
privés et où on mesure toutes choses à la pécune,

en ces lieux-là à grand-peine peut-on jamais faire qu'une République soit réglée justement et heureusement, à moins que tu n'estimes qu'on se maintient justement quand tous les plus grands biens viennent aux mains des plus méchantes personnes, et que tu sois d'opinion que c'est félicité quand toutes choses sont réparties et divisées entre peu de personnages — et même ceux-ci ne s'estiment pas fournis de toute chose assez commodément ; quant aux autres, ils sont tout à fait pauvres et misérables.

C'est pourquoi quand, à part moi, je considère les très prudentes et très saintes institutions des Utopiens, chez qui le bien public est si bien régi avec un si petit nombre de lois et d'ordonnances qu'à la seule vertu est donné le prix, et que bien que tout soit égalé, chacun a cependant des biens à planter ; conséquemment quand je compare à leur manière de faire tant de nations, lesquelles font toujours quelques ordonnances, sans qu'il y en ait une qui soit bien ordonnée ; en lesquelles ce que chacun acquiert, il nomme ce bien-là son propre ; et bien que tous les jours il se fasse en ces contrées de nouvelles lois et statuts, toutefois ils ne semblent pas être de grande force, car les hommes entre eux ne peuvent jouir de leur bien particulier paisiblement, ni le garder, ni distinguer celui de l'un de celui de l'autre, ni pouvoir dire assurément : "cela est mien" — ce que nous démontrent facilement les procès infinis qui sourdent tous les jours, et qui ne prennent jamais fin —; quand, dis-je, je pense à toutes ces choses, je suis d'opinion conforme à celle de Platon, et ne m'émerveille point qu'il n'ait

jamais daigné donner des lois à ceux qui refu-
sèrent de vivre en commun[1] : car ce prudent personnage prévoyait que la seule voie du salut public
était que les hommes vivent en égalité de bien, ce
qui ne se peut jamais faire là où existe la propriété.
Quand chacun en attire à soi autant qu'il peut,
quelque grande que soit l'abondance des biens au
monde, peu de personnes se répartissent entre
eux tout l'avoir, et ne laissent aux autres que pauvreté et indigence ; et il advient presque toujours
que les pauvres auraient beaucoup mieux mérité
l'opulence que les riches, car les riches sont rapaces,
mauvais et inutiles : au contraire les pauvres sont
modestes, simples, et par leur industrie quotidienne
plus bénéfiques à la République qu'à eux-mêmes.

Ainsi je suis d'avis qu'un bien public ne peut être
justement et heureusement administré, si l'on n'ôte
cette propriété de biens : mais si elle demeure entre
les mortels, la meilleure et la plus grande partie
des hommes demeurera en indigence, calamité et
anxiété. Et bien qu'on pût quelque peu soulager
lesdites nations vivant en propriété, néanmoins on
ne saurait leur supprimer pleinement pauvreté et
misère. Il est vrai qu'en ordonnant qu'on ne pos-
sédât qu'une certaine quantité de terres, et pas
plus qu'il ne serait licite, et que le revenu de chacun
fût limité par la loi, la chose se pourrait adoucir.
Pareillement, si les lois empêchaient que le prince
ne fût trop riche, le peuple trop arrogant, qu'il n'y
eût de brigue des offices et dignités, et qu'elles ne
fussent données au plus offrant, et qu'on ne fît de
si gros frais pour les avoir (car par cela est donnée
l'occasion aux marchands d'en refaire ensuite

leur fortune par la fraude et la rapine : ainsi il est
de nécessité, puisqu'on y va par argent, de préférer les riches auxdits offices, où on ferait beaucoup mieux de mettre des gens sages, bien qu'ils
fussent pauvres), là où régneraient de telles règles,
les abus pourraient bien être adoucis et mitigés,
mais de les corriger et extirper totalement, tant
qu'existera la propriété privée, il n'en faut point
avoir d'espérance, non plus qu'on en a d'un corps
abandonné des médecins, que l'on peut faire vivre
plus longuement par quelques applications, appareils ou restaurants, mais quant à le rétablir en
son embonpoint[1], cela est impossible : quand on
s'efforcera de guérir un membre, on rendra les
autres plus malades ; ainsi de la médecine de l'un
naîtra la maladie de l'autre, puisqu'on ne peut
donner à l'un sans ôter à l'autre.

— Il m'est avis tout le contraire, dis-je, et je
suis d'opinion qu'on ne peut vivre commodément
là où toutes choses sont communes. Car comment
y aura-t-il abondance de biens là où chacun
s'exemptera du labeur ? Qu'aurai-je affaire de
tourmenter mon cœur et mon corps à besogner,
quand l'égard de mon gain et profit ne m'y contraint
point ? La confiance que j'aurai en l'industrie
d'autrui me rendra nonchalant et paresseux. Quand
bien même j'aurais beaucoup travaillé à amasser
du bien, toutefois il ne m'est permis par nulle loi
de le conserver et de m'en aider : par cela ne
vient-on pas à mille meurtres et à de perpétuelles
séditions ? Surtout quand disparaît l'autorité et
révérence des magistrats, dont je ne peux imaginer ni bien concevoir quelle pourrait être la

place, entre des gens où il n'y a ni différence ni distinction de personnes.

— Je ne m'ébahis point, dit-il, si tu as cette appréhension-là, car tu ne considères pas au vrai la chose comme elle est, ou si tu en as quelque considération, tu la digères[1] mal. Certes si tu avais été avec moi en l'île d'Utopie, et avais vu de tes yeux la manière de vivre et les statuts du pays comme je l'ai fait (moi qui y ai demeuré et vécu plus de cinq ans, et qui jamais n'en aurais voulu partir, si ce n'eût été pour faire connaître cette nouvelle terre), tu confesserais n'avoir vu en nul endroit du monde un peuple mieux éduqué et ordonné que celui-là.

— Véritablement, dit Pierre Gilles, à grand-peine me mettrais-tu en tête qu'il y eût en ce nouveau pays un peuple mieux établi qu'en celui-ci à nous connu, où il n'y a pas de moins bons esprits, où les Républiques sont, ce me semble, de plus grande ancienneté, et où le long usage a trouvé maintes choses commodes et convenables à la vie — sans même parler de ce qui a été inventé par hasard, et que nul esprit n'eût su imaginer.

— Quant à l'antiquité des Républiques, dit Hythlodée, tu parlerais autrement et plus véritablement si tu avais lu les histoires antiques de cette région, où (si nous voulons croire leurs chroniques) il y avait des villes avant qu'il n'y eût des hommes en la nôtre[2]. Et tout ce qui a été trouvé jusqu'ici par l'ingéniosité humaine ou par hasard a pu l'avoir été en l'un et l'autre lieu, c'est-à-dire en notre pays et au leur aussi[3]. Au demeurant, je pense bien que nous sommes gens de plus

grand esprit qu'eux ; mais quant à l'étude et l'industrie, assurément ils nous surpassent de beaucoup : en voici la preuve. À ce que disent leurs
chroniques, avant que nos navires abordassent en
leurs terres, ils ne connaissaient rien de nous,
qu'ils appellent Ultrequinoctiaux[1], ni de nos
affaires, et n'en avaient jamais ouï parler, sinon
que mille deux cents ans plus tôt, par hasard
quelque navire en leur île fit naufrage, après y
avoir été porté par une tempête, et quelques
Romains et Égyptiens qui étaient dedans parvinrent à bon port, et ne partirent jamais de là par
la suite[2]. Or entends comme cette seule occasion
leur apporta de commodité par leur singulière
industrie : car il n'y avait, à travers tout l'Empire
romain, rien dont ils pussent tirer quelque fruit,
qu'ils n'apprissent de leurs hôtes étrangers ou
qu'ils n'inventassent après avoir tant soit peu inter-
rogé des choses. Voilà le grand bien qui leur advint
de ce que certains de par-deçà furent une seule
fois transportés en leur contrée. Mais si quelque
semblable fortune a autrefois contraint l'un d'eux
à être rejeté en ce pays qui est le nôtre, il n'y en a
pas plus de souvenir qu'il n'y en aura peut-être,
dans quelque temps, que j'ai été au leur[3]. Et si, dès
qu'ils ont reçu une chose par nous inventée, et qui
leur est utile, ils se l'approprient, en revanche je
crois qu'il sera longtemps avant que nous n'adop-
tions quoi que ce soit de mieux établi chez eux
qu'en notre climat : ce qui est la seule cause que
leur République est plus prudemment adminis-
trée, et fleurit plus heureusement que la nôtre,

alors même que nous ne leur cédons ni en ingéniosité, ni en ressources.

— Donc, ami Raphaël, dis-je, je t'en prie, décris-
nous cette île, et ne sois pas bref, mais déclare-
nous par ordre les champs, les fleuves, les villes,
les hommes, les mœurs, les institutions, les lois, et
tout ce que tu penses que nous voudrons connaître :
et tu penseras bien que nous voulons connaître
tout ce dont nous n'avons pas encore la connaissance.

— Je ne fis jamais rien, dit-il, de meilleur cœur,
et suis tout prêt quand vous voudrez, mais la
besogne requiert d'avoir bien du loisir.

— Allons donc, dis-je, là-dedans dîner, et tôt
après nous prendrons l'opportunité.

— À votre guise », dit-il.

Ainsi, après que nous fûmes entrés en mon
hôtellerie, nous dînâmes, et après dîner nous
retournâmes en notre même lieu et nous assîmes
au même siège, en commandant à nos serviteurs
que nul ne nous interrompît et empêchât, puis
moi et Pierre Gilles admonestâmes Raphaël de
nous tenir ce qu'il avait promis. Et quand il vit que
nous étions attentifs et avides de l'entendre, il
demeura assis quelque temps en silence et pensif,
puis commença de cette manière à parler.

Livre second

L'île des Utopiens, par le milieu, où elle est la plus large, a deux cents milles d'étendue, et n'est guère plus étroite partout, sinon que vers les deux bouts, tant d'un côté que de l'autre, petit à petit elle s'étrécit. Entre ces deux bouts, qui délimitent les extrémités d'une sorte d'arc de cercle de cinq cents milles de circonférence, l'île tout entière apparaît sous la forme d'un croissant de lune[1]. La mer coule entre ses deux cornes, séparées par un détroit d'environ onze milles, et s'y répand par un grand golfe vide, défendu de tous vents et tourmentes, parce que tout à l'entour les terres sont hautes et élevées. L'eau y est dormante et calme, et semble être un grand lac, qui ne fait dommage à rien. Tout le milieu presque de ce territoire leur fait un beau port, qui laisse traverser les navires en toutes régions, au grand profit et utilité des humains. Les détroits de ce golfe sont dangereux et redoutables, à cause des rochers et bancs qui sont en ce lieu. Au milieu de la distance et intervalle entre les deux cornes de cette île, en la mer apparaît un rocher découvert, et pour cela moins

nuisible, sur lequel est assise une forteresse contre
leurs ennemis. Il y a ailleurs d'autres rochers cachés
qui sont dangereux. Le chenal de cette mer à eux
seuls est connu : c'est pourquoi, quand quelque
étranger veut entrer en ce port, il faut qu'il soit
guidé par un Utopien, et eux-mêmes n'y osent
entrer s'ils ne fichent quelques pieux qui leur
montrent du rivage le chemin sûr. Si ces pieux
étaient transplantés en divers autres lieux, ils pourraient facilement conduire à sa perte quelque
grande flotte de navires d'ennemis qui y aborde-
raient. De l'autre côté de cette île, il y a force
havres pour entrer en cette terre, mais la descente
de toutes parts est si munie et fortifiée, tant par la
nature du lieu que par art, qu'une grosse troupe
de gens de guerre peut être repoussée de là avec
un petit nombre de défenseurs. En outre ainsi
qu'on dit, et ainsi que l'assiette du lieu le montre,
cette terre au temps passé n'était pas ceinte de
mer, mais Utopus, dont l'île porte le nom en tant
qu'il en fut vainqueur (car auparavant elle était
appelée Abraxa[1]), et qui introduisit ce peuple rude
et agreste à un tel degré de culture et d'humanité
que maintenant il surpasse presque tous les vivants,
dès sa première arrivée conquit cette terre et
demeura vainqueur ; puis du côté où elle se joi-
gnait à la terre voisine qui n'était point île, il en
fit couper quinze milles, et fit passer la mer tout
autour[2]. Or à cette besogne il ne contraignit pas
seulement les gens du pays mais, afin qu'ils ne
considérassent pas ce labeur comme une injure, il
mêla aussi avec eux tous ses soldats, et quand cet
ouvrage fut livré et distribué à une si grande mul-

titude de gens, la chose fut achevée avec une merveilleuse et incroyable diligence. Les voisins, qui au commencement se moquaient de cette folle et vaine entreprise, s'émerveillèrent et étonnèrent d'en voir l'effet heureux.

Cette île contient cinquante-quatre villes[1], toutes grandes et bien bâties, d'une même langue, de semblables mœurs, statuts et ordonnances, toutes d'une même situation, et partout, autant que le lieu s'y prête, d'une même semblance. Celles qui sont les plus proches ne sont point distantes l'une de l'autre de plus de vingt-quatre milles. De plus il n'y en a point de si lointaine, qu'on ne puisse aller à pied en un jour de l'une à l'autre. De chaque ville on élit trois bons vieillards bourgeois, bien expérimentés, qui tous les ans se transportent à la ville d'Amaurot[2] pour traiter des communes affaires de l'île. Car cette ville est la capitale, parce que, étant assise au milieu de cette île, elle est plus opportune aux ambassades qui peuvent venir de tous côtés. Les champs sont si commodément assignés aux cités que nulle, de côté et d'autre, n'a moins de douze milles de terre : certaines en ont plus, selon qu'elles sont davantage séparées les unes des autres. Nulle ville n'a le désir d'augmenter et accroître ses limites, parce qu'ils s'estiment être les laboureurs plutôt que les maîtres de la campagne. Ils ont par tous les champs des logis commodément disposés et bien équipés de rustiques instruments. Les bourgeois chacun à leur tour y vont demeurer. En une famille rustique ils ne sont pas moins de quarante hommes et femmes, et deux serviteurs qui y sont ajoutés de surplus, et

sur tout cela il y a un père de famille et une maîtresse de maison graves et sages, qui ont la charge
de les diriger. À la tête de chaque trentaine de
famille est institué un chef, appelé phylarque[1]. De
chaque famille tous les ans il en retourne vingt à
la ville, qui sont ceux qui ont demeuré deux ans
aux champs, et en leur lieu on en renvoie de la
ville autant de nouveaux, afin qu'ils soient instruits par ceux qui ont été au village un an, parce
qu'ils ont occasion de savoir plus du labourage et
des affaires champêtres que ceux qui n'y ont point
encore vécu. Et ces nouveaux l'année suivante en
instruiront d'autres à leur tour. Car s'ils étaient
tous nouveaux et ignorants en l'art d'agriculture,
il en pourrait advenir quelque détriment pour la
récolte annuelle. Et bien que tous les ans ils aient
cette coutume de renouveler et rafraîchir leurs
laboureurs, et que nul ne soit contraint de continuer en cette âpre vie rustique plus longtemps
qu'il ne le veut, néanmoins il advient bien souvent
que ceux qui de leur naturel aiment la vie rustique
et se plaisent aux champs, demandent à y demeurer plus longtemps.

Les laboureurs cultivent la terre, nourrissent
des bêtes, font du bois et le portent à la ville par la
voie la plus commode, par terre ou par mer. Ils
nourrissent une infinité de poulets, par un merveilleux artifice. Les poules ne couvent point des
œufs, mais ils les réchauffent en grand nombre
sous une chaleur égale, et ainsi leur donnent vie ;
lorsqu'ils sont sortis de l'écaille, ils suivent les
hommes au lieu de leurs mères, et les reconnaissent.
Ils nourrissent peu de chevaux, et uniquement des

bêtes fougueuses, dont le seul usage est d'exercer les jeunes gens à bien chevaucher. Les bœufs ont toute la charge de labourer et traîner les faix, parce qu'ils ne sont pas si impétueux que les chevaux, et sont plus patients au travail, et ne sont pas si sujets aux maladies, ni de si grande dépense et coût; et puis, quand ils ne peuvent plus rien faire, on les engraisse et ils servent de viande. Avec les grains qui croissent en ce pays ils ne font que du pain[1]; ils boivent du vin, du cidre, du poiré, et quelque-fois de l'eau toute pure, et souvent de l'eau cuite avec du miel, ou avec de la réglisse, dont ils ont grande abondance. Ils sont fort prévoyants, et cal-culent avec grand soin la quantité de grain que peut consommer annuellement une ville avec ses dépendances. Néanmoins ils produisent plus de grains et nourrissent beaucoup plus de bêtes qu'ils ne sauraient consommer, et le reliquat est distribué à leurs voisins. Toutes les choses, quelles qu'elles soient, dont ils ont affaire[2] mais n'ont point au village[3], ils vont les demander aux villes, et il ne faut point commercer ni marchander pour les avoir: les officiers de la ville les leur délivrent gra-tuitement. Car plusieurs villageois le jour de la fête tous les mois[4] viennent auxdites villes. Quand l'août[5] approche, les phylarques viennent déclarer aux gouverneurs des villes combien il faut envoyer de citoyens pour aider à moissonner, et quand tout le nombre de moissonneurs est amassé ensemble au jour dit, ils font quasi en un jour de beau temps toute la moisson de la contrée.

DES VILLES, ET SPÉCIALEMENT
DE LA VILLE D'AMAUROT

Qui a connu une de leurs villes, il les a toutes
connues, parce qu'elles sont toutes semblables, si
la nature du lieu ne l'empêche. J'en décrirai donc
quelqu'une, peu importe laquelle. Mais quel meilleur choix que celui de la ville d'Amaurot, qui est
la plus digne de toutes, et à laquelle toutes les
autres portent honneur en raison du parlement
qui y est ? et aussi parce que je la connais mieux,
car j'y ai demeuré cinq ans entiers.

Donc la ville d'Amaurot est assise en une descente de montagne, qui n'est ni raide ni âpre mais
aisée et douce, et est de forme presque carrée ; sa
largeur commence un peu plus bas que le sommet
de la côte, et s'étend sur deux mille pas jusqu'à la
rivière Anydre[1] ; elle mesure un peu plus en longueur, le long de la rive dudit fleuve.

L'Anydre prend sa source quatre-vingts milles
au-dessus de la ville d'Amaurot, d'une petite fontaine, mais son cours s'augmente par la rencontre
des autres fleuves qui viennent tomber dedans, et
entre autres de deux moyens, si bien que devant la
ville il a d'étendue un demi-mille ; bientôt après il
est encore plus enflé, et une fois descendu plus bas
de soixante milles, il entre dans l'Océan. Sur toute
la distance qui est entre la mer et la ville, et encore
au-dessus sur quelques milles, le flot va et vient
rapidement pendant six heures continues : quand
la mer monte, elle occupe le canal de l'Anydre sur

bien trente milles de long, en repoussant en arrière
l'eau de ladite rivière ; plus haut, elle corrompt de
sa salure l'eau de cette rivière ; puis après, la
rivière s'adoucissant, l'eau vient à couler pure et
claire par la susdite ville, et ainsi purifiée coule
quasi jusqu'à son détroit lorsque la mer s'en
retourne. Sur le fleuve Anydre il y a un pont, non
point de bois, mais de pierre, excellemment fait en
arches, qui traverse depuis la rive opposée à la
ville jusqu'à ladite ville, du côté qui est le plus
éloigné de la mer, afin que les navires puissent
passer au long de la ville sans empêchement[1]. Les
Amaurotains ont une autre rivière, non pas grande,
mais calme et plaisante ; elle prend sa source de la
même montagne où est assise Amaurot et, coulant
par les parties basses de la ville, passe par le milieu
de celle-ci, et se jette dans l'Anydre. Et parce que
ledit ruisseau partait d'un peu en dehors de la
ville, les Amaurotains, l'environnant d'une forteresse, l'adjoignirent à leur cité, afin que si par
hasard il survenait quelque grande force d'ennemis, l'eau ne pût être interceptée, détournée ou
corrompue. De là l'eau coule par des canaux faits
de brique en divers lieux, par les basses parties de
la ville ; et dans les parties hautes, où l'eau ne peut
monter, ils ont de vastes citernes où la pluie est
recueillie, ce qui n'est pas moins utile que l'invention des canaux.

La ville est ceinte de murs hauts et épais, où il y
a force tours et bastions ; aux fossés il n'y a point
d'eau, mais ils sont profonds et larges, et pleins de
buissons d'épines : ils entourent la ville de trois
côtés, de l'autre côté la rivière sert de fossé. Le

plan des rues est fait proprement et commodément, tant pour les voitures et transports, que
contre l'impétuosité des vents ; les édifices ne sont
nullement laids : leurs façades se succèdent en
une file continue des deux côtés tout au long des
rues, qui ont vingt pieds[1] de large. Derrière les
maisons, sur toute la longueur de la rue, ils ont de
vastes jardins, qui sont de tous côtés bien clos par
la façade arrière des maisons. Il n'y a aucune
maison qui n'ait une porte sur la rue et un guichet
donnant sur les jardins. Les portes sont à deux
battants, s'ouvrent facilement de la main, et se
referment d'elles-mêmes. Chacun entre par là qui
veut : ainsi n'y a-t-il rien chez ce peuple qui soit
propriété privée[2]. De dix ans en dix ans ils changent
de maison, par tirage au sort fait entre eux. Ils
font grand cas de leurs jardins : ils y ont des vignes,
des fruits, des légumes et des fleurs, tous si bien
arrangés et si beaux, que je ne vis jamais en aucun
lieu où je fusse rien de plus fructueux ni de plus
raffiné. Ils sont si soucieux de bien arranger leurs
jardins que souvent ils se disputent, rue contre rue,
à qui a le mieux labouré et embelli son jardin. Et
certes par toute la ville on trouvera difficilement
une chose plus pertinente à l'utilité et au plaisir
des citoyens que la culture desdits jardins ; c'est
pourquoi il semble que celui qui construisit cette
ville mit plus de soin à ordonner de beaux jardins
qu'à nulle autre chose. Car ils disent que leur
prince, nommé Utopus, dès le commencement fit
le plan de cette ville, mais quant à la bien agencer
et orner comme elle l'est à présent, parce qu'il

voyait que l'âge d'un seul homme n'y eût pu suffire, il le laissa faire à ses successeurs.

On lit en leurs annales (où est comprise toute l'histoire d'Utopus, lesquelles ils gardent soigneusement comme une sainte relique, et ont gardé mille sept cent soixante ans après que l'île fut prise par ledit Utopus[1]) que les maisons du commencement étaient basses, comme des logis et cases de bergers, assez lourdement bâties de toutes sortes de bois, les parois enduites de terre, le comble érigé en pointe, et couvert de chaume. Mais maintenant elles sont toutes à trois étages ; les parois sont de caillou brisé, pierre de taille ou brique, et le dedans rempli de ciment ou mortier ; les édifices sont faits à terrasse, et ils broient et étendent dessus quelques matières qui ne sont pas de grand coût, et d'une composition telle que ce mélange ne craint ni le feu, ni le vent, ni la tempête, ni la pluie, et est beaucoup meilleur que le plomb. Leurs fenêtres pour empêcher le vent sont munies de verre, dont ils ont en ce pays grande abondance[2]. Parfois aussi ils les garnissent d'une toile fine, déliée et menue, laquelle est huilée avec une huile claire ou un vernis d'ambre, ce dont il sort une double commodité, car elles sont plus luisantes, et il y entre moins de vent.

DES MAGISTRATS ET GOUVERNEURS DES VILLES

Chaque trentaine de familles tous les ans élit un maître et gouverneur pour soi, lequel en leur vieille langue est appelé syphogrant, et en langage moderne phylarque. Un magistrat anciennement nommé tranibore, maintenant protophylarque, est chef et supérieur de dix syphogrants avec leurs familles[1]. Finalement tous les syphogrants, qui sont deux cents en nombre, jurent qu'ils éliront le plus utile à la République, et par secrète élection, parmi quatre personnages que le peuple leur aura nommés, ils en déclarent un pour être leur roi[2] — car de chacune des quatre parties de la ville, on en élit un qui est recommandé au sénat. L'office d'un prince dure toute sa vie, sauf s'il est soupçonné d'aspirer à la tyrannie. Tous les ans ils élisent des tranibores, mais ils n'en changent point sans cause ; toutes les autres magistratures sont annuelles. Les tranibores de trois jours en trois jours, et parfois plus souvent si l'occasion l'exige, viennent au conseil avec le prince ; ils consultent de la République et mettent fin promptement aux controverses entre particuliers s'il y en a, toutefois il ne s'en trouve guère. Le sénat associe à ses délibérations toujours deux syphogrants, et tous les jours de nouveaux ; et ils ont pour règle que rien de ce qui touche à la République n'est ratifié sans avoir été discuté trois jours avant d'être décrété. C'est un crime capital que de consulter des affaires communes hors du sénat et des assemblées publiques ; ces statuts sont faits pour éviter qu'il ne soit facile de changer l'état de la République par la conjuration du prince et des tranibores, et que le peuple ne soit opprimé par la tyrannie. Pour la même raison, tous les jugements qui sont de grande importance sont déférés à l'assemblée des sypho-

grants, lesquels après avoir communiqué la chose
avec leurs familles, la consultent entre eux, et
publient leurs opinions au sénat. La matière parfois passe par le conseil de toute l'île. Le sénat
aussi a cette coutume que, le jour qu'on aura proposé une affaire, ce même jour on n'en discute
point, mais elle est réservée à la prochaine séance,
afin qu'il n'advienne que quelqu'un dise follement
tout du premier coup ce qui lui viendra par la
bouche et puis, considérant qu'il a mal parlé, ne
pense par la suite à quelques raisons pour soutenir son imprudent jugement plutôt que de se
dédire honteusement pour l'utilité de la République, préférant ainsi la perte du salut public à
celle de sa bonne réputation, de peur qu'on ne
dise qu'il avait mal opiné au commencement,
alors qu'il aurait dès ce moment-là dû prendre
garde à parler plus sagement que légèrement.

DES MÉTIERS

Hommes et femmes indifféremment se mêlent
du labourage, et il n'y a personne qui n'y parti-
cipe. Tous et toutes dès leur enfance y sont instruits : on leur en fait la leçon aux écoles, et on les
mène également aux champs les plus proches de
la ville par manière de passe-temps, non pas seulement pour regarder, mais pour exercer leurs
corps à ce métier, et pour y besogner. Outre l'agriculture (qui est comme j'ai dit commune à tous),

chacun apprend quelque autre art pour être le sien propre. Et les métiers les plus communs en ce pays sont drapier, tisserand, maçon, charpentier et forgeron : il n'y a point en cette région d'autres métiers qui occupent assez de gens pour être dignes d'être nommés. Les habits par toute cette île sont tous d'une même façon, sauf les vêtements des femmes, qui diffèrent de ceux des hommes, et ceux des gens non mariés, de ceux des mariés ; cette sorte d'habillement dure ainsi depuis toujours, et n'est pas laide à voir ; elle est apte et aisée au mouvement du corps, convient au froid et au chaud, et chaque famille fabrique ses propres vêtements. Mais de ces autres métiers que j'ai nommés, chacun en apprend un, et non pas les hommes seulement, mais aussi les femmes ; comme elles sont plus faibles que les hommes, elles s'appliquent à des choses plus légères, comme à draper et faire les toiles : aux hommes est donnée la charge des travaux plus pénibles. Chacun pour la plus grande part est instruit au métier que faisait son père, vers lequel la plupart sont naturellement inclinés ; mais si quelqu'un a sa préférence ailleurs, il est transmis par adoption à la famille au métier de laquelle il s'applique, et non seulement le père, mais aussi les magistrats, prennent soin que ledit ouvrier soit placé et mis en apprentissage chez quelque ouvrier qui soit une personne grave et honnête. Pareillement si quelqu'un, après avoir appris un métier, a le désir d'en apprendre un autre, cela lui est permis ; une fois qu'il sait les deux, il fait celui qu'il veut, à moins que la cité n'ait plus besoin de l'un que de l'autre.

La charge principale et quasi unique des syphogrants est de prendre garde que personne ne gise
en oisiveté[1], mais que chacun fasse diligemment
son métier : non pas qu'il travaille depuis l'aube
du jour jusqu'à la nuit bien tard, comme les
chevaux, ce qui est une calamité et une misère
plus que servile, et qui est la coutume des ouvriers
quasi en toutes régions, sauf en Utopie, où les
habitants divisent un jour en vingt-quatre heures
égales, comprenant la nuit avec le jour, et n'en
consacrent que six heures à travailler[2] : trois avant
midi, après lesquelles ils dînent, puis après dîner
ils se reposent deux heures, et cela fait ils travaillent trois autres heures jusqu'au souper, et tôt
après huit heures ils se vont coucher, et reposent
huit heures s'ils veulent. Si au lieu de dormir,
après les repas et le travail, ils veulent faire quelque
chose, cela leur est permis tout comme ils voudront, moyennant qu'ils n'abusent pas de ce temps
pour se livrer à des plaisirs superflus et à la paresse,
mais que chacun s'applique durant ce temps libre
à quelque bonne œuvre de son choix. Plusieurs
emploient cet intervalle-là aux lettres, car c'est
l'usage ordinaire que d'avoir quotidiennement des
leçons publiques avant le jour ; ne sont contraints
d'y assister que ceux qui sont choisis spécialement
pour apprendre les lettres. Quant au reste, un grand
nombre de personnes de tous états[3], tant hommes
que femmes, vont entendre les leçons, les uns
d'une science, les autres d'une autre, comme leur
naturel les y incline ; toutefois si quelqu'un aime
mieux consumer ce temps à son métier (ce qui
advient à plusieurs qui n'ont point l'esprit à

l'étude), on ne lui défend point, mais il est loué comme utile à la République.

Après souper ils jouent une heure, l'été aux jardins, l'hiver en ces salles communes où ils boivent et mangent. En ces lieux ils chantent en musique, ou ils devisent et se récréent de paroles. Ils n'ont point la connaissance des jeux de hasard que nous avons, qui sont inappropriés et pernicieux, mais au lieu de ceux-ci ils ont en usage deux sortes de jeux semblables aux échecs : l'un où l'on voit un conflit de nombre contre nombre, et où un nombre domine l'autre[1] ; l'autre où l'on voit deux armées semblables rangées sur un champ, et où les vices bataillent avec les vertus : en ce jeu est démontré joliment et sagement à la fois la discorde qui est entre les vices et leur concorde contre les vertus, conséquemment quels vices à quelles vertus s'opposent, de quelles forces ils les guerroient ouvertement, de quelles inventions et ruses ils usent en les assaillant par voies obliques, par quel moyen et secours les vertus anéantissent la puissance des vices, par quels artifices elles se moquent de leurs efforts et entreprises, et par quels moyens finalement l'une ou l'autre partie obtient la victoire[2].

Mais en ce passage, afin que vous ne soyez pas trompés, il nous faut contempler un point de plus près. Parce que j'ai dit que les Utopiens ne travaillent que six heures, il est possible que vous pourrez estimer qu'à cause d'un temps si court, il doit s'ensuivre une disette des choses nécessaires à l'usage humain ; ce qui n'advient pas, mais au contraire on voit, par ce bref temps de travail, les hommes avoir non seulement suffisance, mais même grande abondance, de vivres, de vêtements et des autres choses commodes à la vie ; ce que vous comprendrez facilement si vous considérez à part vous la grosse multitude de gens paresseux qui vivent chez les autres nations. Premièrement, presque toutes les femmes, qui constituent la moitié de la population totale ; et si lesdites femmes se mettent en certains endroits à travailler, en ce pays les hommes dorment à leur place. Il faut ajouter à cette tourbe un grand tas de prêtres et de religieux ; ajoutons-y aussi tous les riches, et surtout les propriétaires terriens que l'on appelle gentilshommes, ainsi que leurs valets, qui sont un amas de vauriens portant l'épée[1], et finalement une troupe de mendiants sains et robustes, qui couvrent leur volonté de ne rien faire sous l'ombre de quelque feinte maladie : ainsi vous trouverez beaucoup moins d'ouvriers que vous ne pensiez, du labeur desquels sont amassées toutes les choses de quoi vivent les mortels. Maintenant pensez à part vous que parmi ces ouvriers il y en a bien peu qui s'appliquent aux travaux nécessaires : puisque nous mesurons tout à l'aune de l'argent, il s'ensuit nécessairement que soient exercés de nombreux métiers vains et totalement superflus, qui ne sont au service que du luxe et du plaisir. Or si cette multitude qui maintenant se mêle de travailler était répartie et distribuée en aussi peu de travaux et métiers que l'usage commode de la nature le requiert, il s'ensuivrait nécessairement une grande abondance des choses, et les ouvrages seraient à si petit prix que les ouvriers n'en sauraient vivre.

Mais si tous ceux qui sont retenus par des métiers inutiles et non requis, et toute cette troupe que j'ai mentionnée qui vit sans rien faire (et dont l'un dépense plus que deux qui travaillent), étaient universellement mis à faire œuvre utile, vous pourriez voir facilement qu'un bien petit temps de travail serait suffisant, et même plus que surabondant, pour procurer toutes les choses nécessaires et commodes à l'usage humain, et même encore les plaisirs qui sont honnêtes.

Et cela on peut le voir clairement en l'île d'Utopie. Certes en ce pays, par toutes les villes et lieux adjacents et voisins, de tout le nombre d'hommes et femmes qui sont en âge et en état de travailler, à grand-peine trouverez-vous cinq cents personnes qui en soient exemptes ; parmi celles-ci sont les syphogrants, mais quoique les lois du pays les exemptent du labeur, néanmoins ils ne s'y soustraient pas, afin que par leur exemple ils incitent les autres à travailler. De cette même immunité jouissent ceux que les prêtres ont recommandés au peuple et qu'on a élus secrètement[1] au conseil étroit des syphogrants pour vaquer à l'étude : à ceux-ci, ledit peuple accorde le privilège de ne jamais avoir à s'adonner aux travaux manuels. Et si l'un d'eux ne profite pas aux lettres comme on espérait, il est renvoyé à la besogne comme les autres ; au contraire, il advient souvent que quelque travailleur manuel, pendant les heures où il est délivré de son travail, étudie si bien et mette une si grande diligence à apprendre, qu'il est exempté de son métier et se voit promu dans la compagnie des personnes lettrées. Lorsqu'on veut élire des ambassadeurs, des prêtres, des tranibores, et même un roi (qu'ils appellent en leur vieille langue Barzanès, et en la langue nouvelle Adème[1]), ils les vont choisir parmi cette multitude de gens savants. Comme le reste du peuple n'est ni oisif, ni occupé à des ouvrages inutiles, il est facile d'estimer combien peu de temps suffit à produire quantité de bons ouvrages dans les domaines que j'ai dit.

À cela contribue aussi le fait que les Utopiens en plusieurs arts nécessaires ont moins besoin de travailler que les autres nations. Qu'il en soit ainsi, voyons-le d'abord touchant les édifices : si leur construction ou leur réparation en tous lieux requièrent les mains et le travail continuel de tant d'ouvriers, c'est parce que, quand un père aura construit quelque logis, son héritier, qui sera mauvais ménager[2], petit à petit laissera déchoir ladite structure, et ce qu'il pouvait sauver pour peu de coût, il est contraint de le refaire tout neuf à grands frais. On voit souvent aussi que, quand quelqu'un a bâti quelque maison qui lui a beaucoup coûté, un autre au goût trop délicat méprise ledit édifice, et le laisse en peu de temps ruiner ; puis il en édifiera un autre ailleurs, qui ne coûtera pas moins que le premier. Véritablement chez les Utopiens tout est si bien ordonné, et la République si bien organisée, qu'il advient bien rarement qu'on choisisse un nouvel emplacement pour faire un bâtiment ; et ils ne se contentent pas de remédier promptement aux défauts présents, mais préviennent aussi les accidents à venir. Ainsi se fait que les édifices soient très durables avec très peu de labeur, si bien que les ouvriers ont souvent à

peine aucune besogne à laquelle s'employer, sauf
qu'on leur commande dans l'entre-temps qu'en
leurs maisons ils dolent[1] du bois et équarrissent et
préparent de la pierre, afin que si d'aventure il
advenait quelque accident, on y pût mettre ordre
à temps.

À présent voyons, touchant leurs vêtements,
combien ils y travaillent peu. Premièrement quand
ils sont à la besogne, ils sont nonchalamment vêtus
de cuir ou de peaux, qui leur durent pour le moins
sept ans. Quand ils vont parmi les rues en leurs
affaires, ils couvrent leurs paletots de manteaux
de drap qui sont par toute l'île tous d'une même
couleur, qui est la couleur naturelle du drap[2]. De
la sorte, non seulement leur suffit une quantité de
drap de laine bien plus faible qu'en nul autre pays,
mais aussi ils l'ont à bien meilleur marché. Il y a
moins de travail aux toiles, et pour cette raison ils
en usent plus souvent. Ils ont égard seulement à la
blancheur de la toile, et à la netteté du drap : la
fine toile ou le fin drap ne sont point plus chers
que l'autre. Donc il se fait qu'en Utopie chacun
souvent se contente d'une robe pour deux ans, là
où aux autres pays un seul personnage n'a parfois
pas assez de quatre ou cinq habits de laine de
diverses couleurs, et d'autant de chemises de soie,
et ceux qui veulent s'arranger plus mignonnement
n'en ont pas moins de dix. Certes je ne vois point
de raison qu'un homme en doive désirer plusieurs,
considéré qu'il n'en est pas mieux garni contre le
froid, et n'en paraît pas d'un iota mieux vêtu.

Pour cette cause, vu que tous les Utopiens
s'exercent à des métiers utiles, et qu'en ceux-ci

assez peu de travail suffit à couvrir tous les besoins, il advient parfois que tous les biens y surabondent : ils s'appliquent alors à refaire les chemins publics, s'il y en a certains qui sont défoncés, et pour ce faire ils lèvent une grosse multitude de gens pour y travailler. Et très souvent, quand il n'est pas même besoin de semblables ouvrages, ils déclarent publiquement une diminution de la durée du travail. Car les gouverneurs et magistrats ne contraignent pas leurs sujets contre leur gré à des travaux superflus et vains, parce que l'institution de leur République tend à ce seul point et à ce seul but, à savoir, autant que les nécessités publiques le permettent, à assurer à tous les citoyens le plus de temps possible dégagé des servitudes corporelles, afin qu'ils le consacrent à cultiver et à affranchir leur esprit. Car c'est en cela, croient-ils, qu'est située la félicité de la vie humaine[1].

DES RAPPORTS QUE LES UTOPIENS ONT LES UNS AVEC LES AUTRES[2]

Or maintenant il me faut expliquer comment les citoyens et habitants d'Utopie en usent dans leurs rapports mutuels, comment ils commercent, et quelle manière ils ont de distribuer et répartir leurs biens[3]. Une cité est faite de plusieurs familles : les parentés, alliances et consanguinités communément font les familles. Quand les filles sont mariables, on les allie avec les hommes, et elles se

transportent en la maison de leurs maris. Les
enfants mâles et les fils des fils demeurent toujours dans la famille dont ils sont issus et obéissent
au plus ancien de leur parenté, sauf s'il perd le
sens par sa trop grande vieillesse : dans ce cas, le
plus ancien après lui prend sa place.

Et afin qu'une cité ne soit dépeuplée ou trop
peuplée, on prend garde qu'une famille (chaque
ville en contient six mille, sans compter la campagne adjacente) n'ait jamais moins de dix enfants
pubères, ni plus de seize[1]. Quant aux enfants
impubères, on n'en limite point le nombre. Cette
limite est facile à conserver, quand on prend des
enfants des familles qui sont trop fécondes pour
les mettre avec celles qui multiplient trop peu. Et
s'il y a en une ville plus d'habitants que le nombre
préfix[2], ils en peuplent leurs autres villes qui en
ont défaut. Et si d'aventure toute l'île est chargée
de trop de peuple, ils en prennent en chaque ville
un certain nombre, et les translatent sur le continent voisin, aux lieux où il y a des terres super-
flues, et plus qu'il n'en faut aux habitants de cette
région, et qui demeurent en friche par faute d'être
labourées ; alors de ces terres ils font une contrée
de leur dépendance, qu'on appelle colonie. Ils la
labourent et l'instruisent de leurs lois, et adjoignent
avec eux les indigènes, si ceux-ci veulent vivre
ensemble. Quand ils sont alliés et unis par les
mêmes mœurs et statuts, facilement ils se soudent
et croissent, au profit et utilité de l'un et l'autre
peuple. Ils font en effet par leurs entreprises que
cette terre apporte abondance de biens aux uns et

aux autres, elle qui auparavant ne servait à rien,
ou à si peu, à ceux du pays. Si ceux du pays ne
veulent pas vivre comme eux, ils les repoussent
hors des territoires qu'ils délimitent et s'assignent
à eux-mêmes. Si on veut les empêcher d'habiter
ces terres, ils font la guerre, et disent qu'ils ont
une très juste cause de guerroyer contre ceux qui
leur refusent la possession et l'usage de cette terre
dont pourtant ils n'usent pas, la gardant vaine et
déserte, alors que d'autres, par la loi de nature,
devraient en être nourris[1]. Quand par hasard ou
accident quelqu'une de leurs villes a été dépeuplée et diminuée à tel point qu'elle ne puisse être
repeuplée à partir des autres villes sans que celles-
ci ne passent elles-mêmes en dessous de la limite
de population fixée (ce qui n'advint jamais que
deux fois selon la mémoire des hommes, à cause
d'une peste[2]), ils renvoient quérir leurs citoyens qui
habitent aux colonies, et en repeuplent les villes.
Ils aiment mieux que telle colonie périsse et s'anéan-
tisse, plutôt que de voir une ville de l'île diminuer
et décroître.

Mais revenons à la manière de vivre en commun
des bourgeois d'Utopie. Le plus ancien (comme
j'ai dit) est maître et supérieur d'une famille. Les
femmes servent leurs maris, les enfants leurs pères
et mères, et les plus jeunes les plus vieux. Toutes
les cités sont divisées en quatre parties égales. Au
milieu de chaque partie est établi le marché de
toutes choses. En ce lieu, dans certaines maisons
sont portés les ouvrages de chaque famille, et toutes
les espèces desdits ouvrages sont séparées l'une
de l'autre, et mises dans des greniers. Lorsqu'un

père de famille a besoin, pour lui ou pour les siens, de tels ou tels produits, il les demande et les emporte sans argent ou gage : car pourquoi refuserait-on quelque chose, vu que tout y abonde, et qu'on ne craint pas que quelqu'un veuille demander plus qu'il n'a besoin ? Pourquoi, en effet, penserait-on qu'un homme demandât plus qu'il ne lui faudrait, considéré qu'il est certain et assuré qu'il n'aura jamais défaut de rien ? Quelle est la cause qui rend les bêtes et les hommes adonnés à l'avarice et à la rapacité, sinon la crainte de manquer ? L'orgueil aussi rend l'homme, et lui seul, plein de convoitise, parce qu'il se fait gloire de surpasser les autres par une ostentation vaine et superflue de richesses ; mais ce vice n'a point lieu d'être chez les Utopiens.

Au marché dont je viens de parler est annexé un autre marché de vivres, auquel on ne porte pas seulement des légumes, des fruits et des pains, mais aussi des poissons, des oiseaux et d'autres bêtes bonnes à manger. Il y a des lieux appropriés, en dehors de la ville, où l'on nettoie et lave les chairs dans un ruisseau, où le sang et les ordures s'en vont à vau-l'eau. Lorsque les bêtes sont occises par des serviteurs, puis lavées et préparées, de là on les porte audit marché. Ils ne souffrent jamais qu'un citoyen tue aucune bête, parce qu'ils pensent que par cela petit à petit on pourrait perdre la pitié et la clémence, qui est la plus humaine affection de notre nature. Jamais non plus ils ne permettent qu'on porte à la ville des saletés ou des immondices, parce que leur putréfaction pourrait corrompre l'air et engendrer des maladies.

Dans chaque rue il y a de grandes salles séparées l'une de l'autre par un intervalle égal, et chacune est connue par son nom. C'est là que demeurent les syphogrants, et dans chacune de ces salles trente familles vont prendre leur repas, quinze d'un côté et quinze de l'autre[1]. Les maîtres d'hôtel de chaque salle vont à heure fixe au marché puis, après avoir déclaré le nombre de leurs gens[2], demandent de la nourriture.

Mais avant tous on a égard aux malades, qui sont soignés dans des hôpitaux publics. Autour de la ville, un peu en dehors des murs, ils ont quatre hôtels-Dieu, si grands qu'on pourrait les comparer à autant de bourgades, afin que les pauvres malades, en si grand nombre qu'ils pourraient être, ne soient en ce lieu à l'étroit, ce qui serait incommode, et aussi afin que les malades de peste et d'infirmités contagieuses puissent être ségrégés loin de la compagnie des autres. Lesdits hôpitaux sont si bien équipés de toutes les choses utiles à la santé, on y est si doucement et soigneusement traité, puis il y a là-bas tant de médecins très experts toujours présents, que bien que nul malade n'y soit envoyé contre son gré, toutefois il n'y a dans toute la ville aucun patient qui n'aime bien mieux être mis là-dedans que de demeurer en sa maison.

Après que le pourvoyeur des malades a été au marché, et par l'ordonnance des médecins a reçu les nourritures convenables, les meilleurs morceaux sont répartis entre les salles équitablement, selon le nombre de convives de chacune, sauf qu'on a égard au prince, au grand prêtre et aux tranibores, et même aux ambassadeurs et aux étran-

gers, s'il y en a, bien qu'il n'y en ait guère souvent.
Mais quand par hasard il en vient, il y a certains
logis en ville qui sont préparés pour eux.

À ces salles-ci aux heures de dîner et de souper,
tous ceux qui sont à la charge des syphogrants
s'asseyent au son de la trompette, excepté ceux qui
sont aux hôpitaux ou en leurs maisons. Après
qu'on a eu de la nourriture pour les salles, on
n'empêche point que quelqu'un, s'il le souhaite,
n'aille au marché chercher à manger pour dîner
ou souper à sa maison, car ils savent que nul ne le
voudrait faire inconsidérément. Et bien qu'il ne
soit défendu à personne de boire et manger à la
maison, néanmoins ils n'y prennent pas leur repas
volontiers, parce qu'il n'est pas honnête de s'absenter de la compagnie, et aussi parce qu'il ne
semble guère sage de se donner la peine de préparer un dîner qui sera incomparablement moins
bon que celui qu'on fait à la salle commune tout
près de leurs maisons. Les services qui sont de
plus grand labeur et moins honnêtes, comme de
torcher les pots, laver la vaisselle et autres choses
semblables, sont effectués en ces salles par des
serviteurs. Seules les femmes ont la charge de faire
cuire et préparer la nourriture, et finalement
d'arranger tout le repas, et y sont assujetties les
femmes de chaque famille à tour de rôle. Il y a
trois tables ou plus, selon le nombre des assistants.
Les hommes s'asseyent vers la paroi, les femmes
de l'autre côté, afin que si d'aventure il leur survenait quelque maladie subite (ce qui advient volontiers aux femmes enceintes), elles se lèvent sans
troubler l'ordre des personnes assises, et aillent

aux nourrices, lesquelles sont assises à part avec leurs nourrissons, en un certain réfectoire pour cela établi, qui n'est jamais sans feu, sans eau nette et aussi sans berceaux, pour coucher les petits enfants ou bien les débander près du feu et les laisser jouer. Chaque femme nourrit son enfant, à moins que la mort ou la maladie ne l'empêche. Quand cet accident advient, les femmes des sypho-grants cherchent diligemment une nourrice, et cela n'est pas difficile à trouver, car celles qui le peuvent faire ne font rien plus volontiers que cela, parce que tous prisent et louent beaucoup cette œuvre de pitié, et que l'enfant qui est ainsi nourri reconnaît pour mère sa nourrice. Tous les enfants qui n'ont pas encore cinq ans ne bougent pas d'avec les nourrices, et s'assoient ensemble ; les autres qui n'ont pas atteint l'âge pubère, c'est-à-dire ceux qui ne sont pas encore en âge de se marier, tant les fils que les filles, font le service à table ; ceux qui ne sont pas encore assez forts pour servir se tiennent debout devant les assistants en silence. Les uns et les autres ne mangent que ce qui leur est donné par ceux qui sont assis, et n'ont point d'autre heure assignée pour dîner et souper.

Au milieu de la première table, qui est le siège le plus honorable (car cette table est au plus haut lieu du réfectoire et mise de travers, et on voit de cet endroit aisément toute l'assemblée), le sypho-grant s'assied avec sa femme, et avec eux deux des plus anciens, car à toutes les tables ils s'asseyent par groupes de quatre. Et si une église se trouve située au quartier d'une syphogrance, c'est-à-dire au lieu où se tiennent trente familles, le curé avec sa femme s'asseyent près du syphogrant en présidence. Des deux côtés des tables s'asseyent les jeunes gens, puis les anciens après derechef : ainsi par toute cette salle les gens du même âge sont joints ensemble, et toutefois sont mêlés avec ceux qui ne sont pas de leur âge ; et cette ordonnance fut faite ainsi, afin que la gravité et la révérence des anciens refrénât la licence que pourraient prendre les jeunes gens en gestes et en paroles, considéré que par toutes les tables il ne se peut rien faire ni dire qui ne puisse être vu et entendu par les anciens, qui sont de tous côtés voisins et proches. On ne sert pas en commençant par le haut bout de la table puis en suivant l'ordre, mais on sert d'abord tous les plus anciens, qui sont aux sièges honorables, et on leur donne les meilleurs mets, puis on sert les autres équitablement. Les anciens distribuent de leurs nourritures exquises, dont il n'y avait pas une quantité suffisante pour qu'elles soient proposées à toute la salle, à qui leur plaît parmi ceux qui sont assis auprès d'eux. Ainsi est gardé l'honneur aux plus âgés, et nonobstant les autres n'en ont pas moins de profit.

Tout dîner et souper se commence par quelque lecture qui instruit aux bonnes mœurs, et est brève afin qu'elle n'ennuie pas. Après ladite lecture, les plus anciens devisent et tiennent des propos honnêtes, mais non point tristes ni mélancoliques ; et ils n'accaparent pas tout le dîner et souper avec de longs contes, mais écoutent volontiers alternativement les jeunes gens, et les provoquent de bon gré à parler, afin que chacun ait la liberté de s'exprimer, et qu'on ait ainsi l'expérience des meilleurs esprits. Les dîners sont très brefs, les soupers plus longs, parce qu'il faut travailler après dîner, et dormir après souper, et ils disent que le repos est bien plus salubre pour faire la digestion, et que le travail l'empêche. Nul souper ne se passe sans musique ni sans dessert ; ils font brûler des aromates et aspergent les salles d'eaux de senteur ; bref, ils n'omettent rien de ce qui est possible pour réjouir les assistants. Ils sont en effet assez enclins à l'opinion que tout plaisir qui n'apporte point d'incommodité ne doit pas être défendu[1]. Voilà comment ils vivent en ville. Ceux des champs, qui sont trop éloignés les uns des autres, mangent dans leurs maisons. Nulle famille champêtre n'a défaut de vivres, vu que les villes ne vivent d'autre chose, sinon de ce qui leur est porté des villages.

DES VOYAGES DES UTOPIENS[2]

Si certains ont désir d'aller voir leurs amis demeurant en une autre ville, ou de visiter les lieux, facilement ils obtiennent congé des syphogrants ou de leurs tranibores, pourvu qu'il n'en advienne aucun dommage. Donc on envoie quelque nombre d'Utopiens ensemble, avec la lettre de leur prince, qui contient le congé qu'ils ont de faire leur voyage, et où est fixé le jour de leur retour. On leur baille un chariot ou litière, avec un serf public pour mener et panser les bœufs, mais s'ils n'ont des femmes en leur compagnie, ils renvoient ladite litière,

comme une charge et un empêchement. Sur tout
le chemin ils ne portent nuls vivres, ni autre chose,
néanmoins ils n'ont défaut de rien, parce qu'ils
sont partout comme s'ils étaient en leurs maisons.
S'ils demeurent plus d'un jour en un lieu, en cet
endroit chacun fait son métier, et est traité humainement par les ouvriers du même art. Si quelqu'un
de sa propre autorité vague hors des limites de sa
cité, et s'il est pris sans la lettre de congé de son
prince et supérieur, on lui fait tout plein d'injure
et de déshonneur, puis il est ramené comme fugitif,
et châtié bien aigrement ; s'il récidive, il est mis en
servitude. S'il prend fantaisie à quelqu'un de se
promener et vaguer par les terres de sa cité, on ne
l'empêche point, pourvu qu'il ait le congé et la
permission de son père, ou le consentement de sa
femme. Mais en quelque village qu'il se transporte, on ne lui donne rien à boire ni à manger s'il
n'a fait autant de besogne, avant dîner ou avant
souper, qu'on a accoutumé de faire en ce lieu. Sous
cette condition, il est licite à chacun d'aller et de
voyager à sa guise dans les limites du territoire de
sa ville : ainsi on n'est pas moins utile à la ville,
que si on y était résident.

Vous voyez par ce point qu'en nul lieu de ce
pays il n'y a licence ni permission d'être oisif, ni
prétexte pour être paresseux ; il n'y a point de
tavernes de vin, ni de cervoise ou bière, en nul lieu
il n'y a de bordels, nulle occasion de se gâter,
nulles cachettes ni cabarets, nuls lieux de rendez-
vous[1] : la vue et présence de tous contraignent de
bien faire le métier accoutumé, ou à un repos
honnête. Et par cette bonne mode il est de néces-

sité qu'il s'ensuive abondance de tous biens,
laquelle parvient également à tous. Par quoi certes
il ne se peut faire qu'aucun soit pauvre ou mendiant. Aussitôt que le sénat d'Amaurot (auquel
tous les ans trois citoyens de chaque ville sont
envoyés, comme j'ai dit) a connaissance de l'abondance de quelque contrée, et de la stérilité d'un
autre quartier, l'affluence de l'un supplée la disette
et nécessité de l'autre, et cela est fait gratis, on ne
récompense point ceux qui ont élargi de leurs
biens aux autres : ceux qui ont donné de leurs
substances à quelque ville, ils ne les redemandent
point, mais ils prennent les choses dont ils ont
besoin d'une ville à laquelle ils n'ont rien donné.
Ainsi toute cette île est comme une famille.

Quand ils ont suffisamment pourvu à leur appro-
visionnement (lequel ils font pour deux ans, de
crainte de l'accident qui pourrait advenir l'année
suivante), les choses qui surabondent — comme
de grandes quantités de froment, miel, laine, lin,
bois, graines pour teindre l'écarlate, pourpre,
peaux, cire, suif, cuir, et aussi de bêtes — ils les
transportent aux autres régions[1] et en donnent la
septième partie aux pauvres desdites régions ; le
reste est vendu à bon marché. Et de ce commerce
et trafic, ils rapportent en leur pays non seulement
les marchandises dont ils ont besoin (et ils n'ont
nécessité quasi que de fer[2]) mais aussi grande
somme d'or et d'argent : desquelles choses, à la
longue, ils ont fait si grand amas par tout le pays,
qu'à grand-peine le croirait-on[3]. C'est pourquoi
maintenant il ne leur chaut pas beaucoup s'ils
vendent leurs marchandises argent comptant ou

s'ils les prêtent, tellement qu'à présent pour la plus grande partie ils ne sont payés qu'en cédules[1] et reconnaissances. Toutefois ils n'acceptent aucune obligation des marchands en particulier, mais seulement des villes qui leur en donnent assurance. Et quand le terme du paiement est échu, la ville qui a répondu de leurs marchandises recouvre la dette des débiteurs particuliers, et met la somme au trésor public, et en fait son profit jusqu'à ce que les Utopiens la demandent. Certes lesdits Utopiens en relâchent la plus grande partie, parce qu'ils pensent qu'il n'est pas juste d'ôter une chose dont ils n'usent pas à ceux qui en font bien leur profit. Quant au reste, si les circonstances requièrent qu'ils prêtent quelque portion de cet argent à quelque autre peuple, alors ils le redemandent, ou bien lorsqu'il faut faire la guerre, afin qu'ils s'en aident en temps de danger, ou de nécessité, ou de quelque hasard soudain, et pour cette seule fin gardent-ils ce trésor qu'ils ont par-devers eux[2], et principalement pour soudoyer les gens d'armes étrangers, auxquels ils ne donnent pas de petits gages, et lesquels plus volontiers ils exposent aux périls et fortunes de guerre que leurs citoyens, connaissant assez que par une grosse somme d'argent souvent les ennemis mêmes sont achetables, et que par finesse on les fait guerroyer les uns contre les autres : pour cette raison ils gardent un trésor inestimable, mais non pas comme trésor, ni qu'ils y mettent leur cœur.

La honte me donne frayeur de faire récit de ces choses, craignant qu'on n'ajoute foi à mes propos, car certes si moi-même je ne les avais vues, je sais

de certain qu'à grand-peine je les croirais d'un
autre qui en ferait le conte ; car il est tout clair que
moins un récit est conforme aux mœurs et manières
de vivre des écoutants, moins il obtient auprès
d'eux de crédit. Néanmoins, un homme prudent et
de bon jugement s'émerveillera peut-être moins,
quand il considérera bien la différence qu'il y a
entre nos institutions et les leurs, qu'ils usent de
l'or et de l'argent conformément à leur mode de
vie, et non pas comme nous autres en usons.

Ainsi donc lesdits Utopiens n'usent aucunement
de monnaie, mais la gardent en vue d'un événement qui peut advenir, et qui peut-être adviendra,
mais peut-être aussi n'adviendra jamais. Dans
l'entre-temps, ils font si peu de cas de l'or et de
l'argent, dont se fait ladite monnaie, que nul ne
l'estime plus que sa nature ne le mérite. Et qui est
celui qui ne pense bien que, quant à leur usage,
l'or ne soit moins précieux que le fer, duquel les
hommes ne se peuvent passer, non plus que de feu
et d'eau ? Nature n'a point donné à l'or ni à l'argent d'usage dont nous ne pussions bien nous
passer, si ce n'était la folie des hommes qui l'a
rendu précieux pour sa rareté. Et au contraire
ladite nature, comme une pitoyable et douce mère,
a mis à découvert et à la vue de tous les choses qui
nous étaient bonnes et propices, ainsi que l'air,
l'eau et la terre même, tandis qu'elle a séparé et
mis loin de nous les choses vaines et qui ne servent
de rien[1].

Donc si ces métaux chez les Utopiens étaient
mussés[2] dans quelque tour, le prince et le sénat
pourraient être soupçonnés par le peuple (qui de

folie est assez inventif) de vouloir abuser par
quelque tromperie dudit or et argent, et de l'employer à leur profit particulier, en décevant ledit
peuple. Si pareillement de cesdits métaux on faisait
en bel ouvrage d'orfèvrerie des coupes, flacons et
autre vaisselle semblable, puis s'il advenait qu'il
les fallût refondre pour faire de la pécune à soudoyer leurs gens d'armes, lesdits Utopiens consi-
dèrent que si une fois ils avaient pris leur plaisir
en cette dite orfèvrerie, à grand-peine souffriraient-
ils qu'on leur en ôtât l'usage. Et afin qu'ils obvient
à ces choses, ils ont trouvé une manière de faire,
touchant leur or et leur argent, qui est conforme à
leurs autres façons et modes, mais aux nôtres (qui
prisons tant l'or, et le cachons si soigneusement)
très abhorrente[1] et presque incroyable, sinon à
ceux qui l'auront vue et expérimentée : rien de plus
certain que ledit peuple boit et mange en vaisselle
de terre et de verre, qui est de belle façon mais
non de grand prix, tandis que dans les salles communes, et dans les maisons privées aussi, leurs pots
à uriner et autres vaisseaux qui servent à choses
immondes sont d'or et d'argent ; pareillement les
chaînes et gros fers, par lesquels sont détenus et
liés leurs criminels, qu'ils appellent serfs, sont de
cette même matière ; finalement tous ceux qui ont
commis cas de crime et infamie portent des anneaux
d'or en leurs oreilles et en leurs doigts, au cou un
carcan d'or, et des couronnes d'or autour de leur
tête : ainsi sont-ils soigneux par tous les moyens
que l'or et l'argent entre eux soient tenus en
mépris. Certes les autres nations aimeraient quasi
autant qu'on leur retirât les entrailles du corps,

que de leur ôter leur or et leur argent ; mais si les Utopiens avaient perdu tout ce qu'ils en ont, ils n'en penseraient pas être plus pauvres d'un sou. Ils amassent et recueillent des perles au long des rivages de la mer, et sur certains rochers des diamants et des rubis, sans néanmoins les chercher, mais quand ils les trouvent d'aventure, ils les polissent et accoutrent, et de cela ils ornent leurs petits enfants, lesquels s'éjouissent et glorifient de telles bagues en leurs premiers ans, mais quand ils sont un peu grands, et qu'ils s'aperçoivent qu'il n'y a que les petits enfants qui usent de telles folies, sans l'admonestation de père et de mère, mais de leur propre honte, les jettent au loin — de même que ceux de notre pays, quand ils sont devenus en âge de connaissance, ne tiennent plus compte de noix, de baguenaudes et de poupées[1].

Certes je ne connus jamais si clairement combien cette manière de vivre, qui est contraire à toutes les autres nations, engendre aux cœurs aussi diverses affections, que je ne le connus lors de l'ambassade des Anémoliens[2]. Ladite ambassade arriva à la ville d'Amaurot lorsque j'y étais, et parce que l'affaire qui les menait n'était pas de petit poids, trois citoyens de chaque ville d'Utopie étaient venus au-devant d'elle. Or les ambassadeurs des régions voisines qui s'y étaient transportés avant que lesdits Anémoliens y vinssent — et qui savaient les mœurs et coutumes des Utopiens, connaissant assez que le peuple d'Utopie ne faisait pas grand cas des habits somptueux, et qu'il tenait la soie en dédain, et l'or en mépris et en vile réputation —, quand ils faisaient leur léga-

tion à Amaurot, avaient coutume d'y venir dans le
train le plus simple et modeste qu'ils pouvaient.
Mais les Anémoliens, parce qu'ils en étaient plus
loin et n'avaient pas autant fréquenté en Utopie,
quand ils entendirent que tous les Utopiens se
vêtaient d'une même parure de gros drap, pen-
sèrent, puisqu'ils n'étaient pas autrement accoutrés, que le pays était pauvre et dénué de soie et de
velours ; par conséquent, avec plus d'arrogance
que de sagesse, ils délibérèrent de feindre, par un
appareil pompeux et trop recherché, d'être des
dieux, et d'éblouir les yeux des pauvres Utopiens
par la reluisance de leurs beaux habits. Ainsi
entrèrent dans Amaurot trois ambassadeurs, avec
cent autres personnages qui les accompagnaient,
tous revêtus de vêtements de plusieurs couleurs,
dont maints en habits de soie ; les ambassadeurs
eux-mêmes (qui en leur pays étaient gentilshommes) étaient tous trois vêtus de drap d'or,
ayant au cou de grands colliers d'or, au doigt de
grosses bagues de même, et en leurs chapeaux des
chaînes pendantes avec des perles et des gemmes ;
finalement leurs accoutrements n'étaient pas différents de ceux dont usaient les esclaves, les criminels et infâmes, et les petits enfants en Utopie.
Aussi faisait-il beau voir lesdits ambassadeurs
dresser leurs crêtes quand ils contemplaient leurs
triomphants vêtements parmi ceux des Utopiens
(or tout le peuple s'était répandu par les rues) ;
d'autre part il n'était pas moins plaisant de considérer comme ladite ambassade était frustrée de
son espérance et attente, et de l'estimation qu'elle
prétendait qu'on ferait de leur magnifique équi-

page. Car tous les Utopiens (sauf quelques-uns qui
autrefois avaient, pour affaires idoines, visité les
autres nations) voyaient en ce splendide appareil
une marque de honte, et saluaient révéremment
les plus petits compagnons au lieu des maîtres et
grands seigneurs, et estimaient en raison de leurs
chaînes d'or que ces trois ambassadeurs fussent
des serfs ou quelques criminels : ainsi passaient-ils
par-devant le peuple sans honneur aucun. Pareillement on eût pu voir les petits enfants qui avaient
jeté leurs gemmes et perles, quand ils virent que
les chapeaux desdits ambassadeurs en étaient
garnis, tirer leurs mères par le côté, en disant :
«Ma mère, mais voyez comme ce grand lourdaud
use de perles, comme s'il était encore un petit
enfant !» Et les mères à bon escient leur répon-
daient : «Taisez-vous, c'est peut-être quelqu'un des
fous des ambassadeurs.» Les autres reprenaient
ceux qui avaient fait les chaînes, parce qu'elles
étaient trop ténues et lâches, en disant qu'un criminel facilement les eût pu rompre et, quand il lui
eût plu, s'en défaire et s'enfuir où son intention
eût été. Quand lesdits ambassadeurs eurent été un
jour ou deux en ce lieu, ils virent un très grand
amas d'or dont on ne tenait aucun compte, non
moins vilipendé parmi ce peuple qu'il était loué
parmi eux ; en outre ils contemplaient qu'en une
chaîne d'un serf fugitif de ce pays, il y avait plus
de pesant d'or et d'argent qu'en tout leur appareil ; alors leur plumage se dégonfla, et ils se desti-
tuèrent honteusement de toute cette magnificence
dont ils s'étaient si fièrement rengorgés, et principalement quand ils eurent devisé plus familière-

ment avec les Utopiens, et appris leurs mœurs et
leurs idées.

Lesdits Utopiens s'ébahissent qu'aucun des
mortels puisse tant prendre son plaisir à voir et
contempler la clarté d'une petite perle ou pierre,
qui n'est peut-être même pas vraie, au prix de la
réfulgence[1] et beauté d'une vraie étoile, ou du
soleil même. Pareillement ils s'émerveillent qu'un
homme puisse être assez fou pour se penser être
plus noble pour être vêtu d'un drap de laine plus
fin et plus délié qu'un autre, vu que, si menu et
délié que soit le fil, un mouton en a toujours bien
porté la laine, et cependant la bête n'a jamais été
autre chose qu'une brebis ou un mouton[2]. Ils
s'étonnent aussi que maintenant par toutes nations
on fasse tant d'estime de l'or, qui de sa nature est
tant inutile, tellement que l'homme, qui l'a mis
ainsi en prix, est beaucoup moins prisé et chéri
que l'or même — au point que quelque grosse tête
pesante et endormie, où il n'y a pas plus d'entendement qu'en une bûche, et qui n'est pas moins
mauvais que fou, aura en son service plusieurs
personnages sages et vertueux, et pour aucune
autre raison sinon qu'il lui est échu force écus. Or
si, par quelque fortune ou accident de procès (qui
fait, aussi bien que la fortune, tomber en bas état
les haut montés), l'or et l'argent de ce milord étaient
translatés au moindre de ses serviteurs, comme à
son souillard de cuisine, n'adviendrait-il pas tôt
après que ce seigneur se jetterait au service de
celui qui fut son serviteur, quasi comme un adjoint
desdits écus? Du reste les Utopiens s'ébahissent
encore plus et détestent la sottise de ceux qui font

si grand honneur, et quasi plus qu'à Dieu, aux riches auxquels ils ne doivent rien, et auxquels ils ne sont en nulle sorte obligés, pour aucune autre raison sinon qu'ils sont riches et opulents, et ce alors même qu'ils les savent si riches et avaricieux qu'ils sont certains que de leur vivant, de si grand monceau de pécune qu'ils possèdent, il ne leur en reviendra jamais un seul denier.

Lesdits Utopiens ont conçu de telles opinions en partie de leur culture, parce qu'ils sont élevés dans une République dont les vertueuses mœurs sont bien éloignées de ces espèces de folies que j'ai mentionnées, et en partie des bons livres où ils étudient. Et bien qu'ils ne soient pas beaucoup de chaque ville à être exempts et déchargés de travailler et besogner aux autres travaux manuels pour être assignés à étudier seulement — et on ne choisit pour cela que ceux qu'on a trouvé en leur enfance avoir bonne nature, excellent entendement et le cœur enclin aux arts libéraux —, néanmoins tous les petits enfants en Utopie sont instruits aux lettres et aux sciences ; et même la plus grande part du peuple, tant hommes que femmes, tout le long de leur vie, aux heures qu'ils ne sont pas astreints à travailler, emploient ledit temps à l'étude[1].

Les sciences leur sont données à entendre et à apprendre en leur langue vulgaire, laquelle n'est pas souffreteuse de termes, mais riche et douce à ouïr, et il n'y a langage au monde qui plus fidèlement exprime ce que l'entendement aura conçu. Ils ont un même langage quasi par toutes les régions de cet hémisphère, sauf qu'en certains

lieux il est corrompu, aux autres non. De tous les
philosophes qui sont en renom dans l'hémisphère
connu de nous, avant que je vinsse en Utopie, les
Utopiens n'avaient jamais entendu parler d'aucun ;
et toutefois leurs musique, logique, arithmétique et
géométrie sont quasi semblables à celles que nos
anciens philosophes trouvèrent. Au reste, de même
qu'ils sont en tous arts presque égaux aux anciens
philosophes, de même sont-ils fort éloignés des
inventions de nos nouveaux dialecticiens, car ils
n'ont trouvé aucune des règles au sujet des «res-
trictions», des «amplifications» et des «suppo-
sitions» subtilement inventées dans les *Petites
Logiques*, que tous les enfants apprennent en notre
pays[1]. Pareillement ils n'ont encore trouvé les
secondes intentions, et nul d'eux n'a encore pu
voir l'homme en commun (ainsi que ceux de par-
deçà l'appellent), quoique ce colosse soit, comme
vous savez, plus grand qu'un géant, et que nous
ayons su, il y a déjà longtemps, le montrer du
doigt[2].

Ils sont, sur le cours des astres et les mouve-
ments des planètes, très doctes, et même ils ont
inventé industrieusement des instruments de
diverses figures, grâce auxquels ils ont très diligemment compris les motions et situations du
soleil et de la lune, et des autres astres qui sont vus
en leur horizon. Mais quant à la concorde ou au
différend des étoiles erratiques, et à la tromperie
de deviner par science sidérale, ils n'en ont seulement rien songé, et ne s'en soucient aucunement[3].
Ils connaissent bien et devinent les temps de pluie,
les vents et les autres tempêtes et tourmentes par

certains signes dont ils ont eu l'expérience par un long usage. Mais des causes de toutes ces choses, du flot de la mer[1] et de sa salure, et sommairement de l'origine et nature du ciel et du monde, ils en parlent ainsi que nos anciens philosophes, et tout comme lesdits philosophes sont parfois de contraires opinions, aussi sont les Utopiens, qui souvent allèguent de nouvelles explications, divergentes de toutes celles que nos philosophes ont tenues, mais qui pour autant ne s'accordent pas toujours entre elles[2].

Touchant les sciences morales, ils disputent comme nous des biens de l'âme et du corps et des biens externes que nous appelons de fortune, et ils en font tout plein d'arguments, à savoir si les biens corporels ou de fortune doivent proprement être nommés biens, ou si ce nom appartient seulement aux biens de l'âme[3]. Ils devisent de vertu et volupté, mais leur principale dispute est de savoir en quelle chose doit être située la félicité de l'homme, et si cette chose est unique ou s'il y en a plusieurs. Sur ce point, ils semblent un peu trop enclins à suivre les sectateurs de la volupté, en laquelle ils définissent que réside la totalité, ou la meilleure partie, de la félicité humaine[4]. Mais (de quoi on s'émerveille) cette sentence si délicate[5] consistant à faire résider la souveraine félicité dans la volupté, ils en prennent le fondement et l'appui sur le culte de Dieu et la religion, que néanmoins ils observent de façon si grave et sévère, voire presque triste et rigoureuse. Au point qu'ils ne disputent jamais de la félicité sans adjoindre à la philosophie rationnelle quelques principes de religion, sans lesquels ils croient que la raison est de soi trop faible et débile pour entreprendre la quête de la vraie félicité[1].

Lesdits principes sont tels : que l'âme est immortelle, et que ladite âme est née pour la félicité par la libéralité de Dieu, et qu'à nos bienfaits après cette vie sera donnée récompense, et à nos délits punition. Bien que cela sente sa religion, toutefois ils sont d'opinion qu'on doit être attiré à croire ces choses par raison, car sans ces principes-là, ils disent que sans hésitation il n'est homme si bête, qui ne fût d'opinion de prendre ses plaisirs par voies licites ou illicites — il se garderait seulement qu'une moindre volupté n'empêchât une plus grande, et de poursuivre celle qui le récompenserait de douleur ou maladie[2]. Car suivre et s'adonner à la vertu, qui est étroite et pleine de difficulté, et non seulement chasser et séquestrer de soi le plaisir et la douceur de la vie, mais volontairement souffrir une affliction et une douleur dont on n'espère point de fruit, ils disent que c'est une grande folie : si un homme toute sa vie a vécu misérablement en mélancolie et ennui, et si après sa mort il n'en est récompensé, quel profit y aura-t-il ? Mais les Utopiens ne pensent pas que la félicité réside en toute volupté, mais en volupté honnête, et ils disent que notre nature est attirée à cette volupté comme au souverain bien par la vertu — la ligne contraire à cette opinion dit que la félicité doit être attribuée à la vertu[3]. Car ils définissent et tiennent que la vertu n'est rien d'autre que vivre selon la nature[4], et que nous avons été enseignés par Dieu à cette affaire, et que quiconque obtempère à la raison en appétant ou fuyant une chose, celui-là suit la nature comme son guide. Ils disent en outre que la raison avant toute chose enflamme les hommes d'amour et de vénération de la majesté divine, à laquelle nous sommes redevables de ce que nous sommes nés, et de ce que nous pouvons accéder à la félicité. Secondement, la raison nous admoneste et incite à mener la vie la moins fâcheuse et ennuyeuse que nous pourrons et la plus joyeuse et récréative qu'il est possible, et à aider les autres nos semblables à en obtenir autant, pour la conservation de la communauté et société naturelles. Car jamais il n'y eut sectateur de la vertu et contempteur de la volupté qui fût si sévère et si raide qu'il te recommandât les labeurs, les veilles et la négligence de ton corps, sans te recommander aussi de soulager de toute ta puissance la pauvreté et l'incommodité des autres, et qui ne soit pas d'opinion qu'il est louable, principalement en l'honneur de l'humanité, qu'un homme console et secoure l'autre, si c'est bien chose humaine que de mitiger et adoucir l'angoisse et fâcherie des autres, de leur ôter la tristesse et les rendre à la joyeuseté de vie, c'est-à-dire à la volupté honnête, par compassion et humanité, qui est une vertu qui sied et convient à l'homme mieux que toutes les autres ; et puisqu'on fait cela à autrui, pourquoi nature ne nous inciterait-t-elle pas à en faire autant à nous-mêmes ? Si la vie joyeuse, c'est-à-dire voluptueuse, est mauvaise, tu dois non seulement ne pas aider ton prochain à y tendre, mais l'en détourner de tout ton pouvoir, comme d'une chose nuisible et mortifère. Mais si

la vie joyeuse, c'est-à-dire la volupté, est bonne et
honnête, et que tu la dois procurer aux autres
comme une chose bonne et convenable, pourquoi
ne pourchasseras-tu pas ce bien premièrement
pour toi, vu que tu ne dois pas être moins favorable envers toi qu'envers autrui ? Puisque nature
t'admoneste d'être bon aux autres, il faut bien dire
qu'elle te commande de ne pas être cruel et impitoyable à toi-même ; nature donc nous ordonne la
vie joyeuse, c'est-à-dire l'honnête volupté, ainsi
que disent les Utopiens, comme la fin de toutes les
actions, et aussi tiennent-ils que la définition de la
vertu, c'est vivre selon l'ordonnance de nature.

Puisque la nature invite les hommes à se porter
mutuellement secours en vue d'une vie joyeuse
— laquelle chose elle fait justement, car il n'y a
homme si élevé ni si grand prince que seul il fasse
l'objet des soins de la nature, considéré qu'elle
se soucie à égalité de tous ceux qu'elle joint et
assemble en une communauté de même semblance —, cette même nature certes te commande
expressément de prendre garde que tu ne te
consacres à tel point à tes profits qu'il s'ensuive le
dommage et détriment d'autrui. Donc les Utopiens
sont d'opinion qu'on ne garde pas seulement les
pactes et contrats particuliers qu'on a les uns avec
les autres, mais aussi les lois publiques, qu'un bon
prince a justement promulguées, ou qu'un peuple
non opprimé par la tyrannie, ni circonvenu par
fraude, d'un commun accord a ordonnées sur la
répartition et distribution des commodités de la
vie, qui est la matière de la volupté et de l'honnête
plaisir. Prendre soin de tes intérêts, moyennant

que tu n'enfreignes lesdites lois, c'est prudence. Se soucier en outre de l'intérêt public, c'est faire ton devoir envers la République. Mais empêcher le plaisir d'autrui pour avoir le tien, c'est faire tort à autrui. Au contraire, te priver de ton plaisir pour augmenter celui d'autrui, c'est l'office d'un homme humain et bénin, ce qui ne peut ôter autant de profit qu'il en rapporte — car quand on a fait plaisir à quelqu'un, il nous récompense ; et puis la grande reconnaissance du bienfait, et le souvenir de l'affection et de la bienveillance de ceux à qui tu as fait du bien, t'apportent plus de plaisir à l'esprit que ne t'en eût donné en ton corps la volupté dont tu t'es abstenu. Finalement notre Seigneur Dieu, pour un petit et bref plaisir mondain dont nous nous sommes éloignés, nous récompense d'une liesse grande et qui jamais ne meurt, ce que facilement la religion persuade à un cœur qui volontairement y consent. Voilà comment les Utopiens, après avoir bien considéré et pesé la chose, sont d'opinion que toutes nos actions, et même les vertus, ont égard à la volupté comme au souverain bien des humains.

Ils appellent volupté tout mouvement et état du corps et de l'âme, où on prend plaisir par l'instinct de nature. Ils y ajoutent, non sans discernement, le désir naturel ; car autant non seulement la sensualité, mais aussi la droite raison, poursuivent toute chose qui est joyeuse et plaisante de nature, où l'on ne tend point par l'outrage et injure d'autrui, et qui n'occasionne ni la perte d'un bien plus plaisant que celui qu'on appète, ni aucune peine, autant les choses dont les hommes, par un

consensus très frivole, s'imaginent en dépit de
la nature qu'elles leur sont douces et joyeuses
(comme s'il était en leur pouvoir de changer aussi
bien les qualités que les noms des choses), les Utopiens disent qu'on n'y trouve point de félicité,
mais que lesdites choses nuisent beaucoup, notamment en cela que, dès qu'on est une fois imbu de
telles opinions erronées sur la volupté, elles
occupent totalement l'entendement de l'homme,
si bien qu'il n'y reste plus aucun lieu pour y recevoir les naturels et vrais plaisirs. Car il y a beaucoup de choses qui par leur nature n'ont aucune
suavité ni douceur, mais dont la plus grande partie
est pleine d'amertume, et qui toutefois, sous l'effet
des séductions perverses de la mauvaise concupis-
cence, non seulement sont tenues pour les souve-
raines voluptés, mais encore sont comptées parmi
les principales justifications de la vie humaine.

En cette espèce de fausse volupté, les Utopiens
comprennent et placent ceux dont j'ai fait mention
auparavant, qui se pensent être d'autant plus gens
de bien qu'ils ont une meilleure robe, ce en quoi
ils errent deux fois en une chose, car ils ne sont
pas moins trompés de penser que leur accoutrement soit meilleur pour être de plus fin drap,
qu'ils ne le sont d'estimer qu'ils sont meilleurs
pour être mieux vêtus. Car si nous considérons
l'usage d'un habit, pourquoi dirons-nous que le
drap délié est plus excellent que le gros ? Toutefois
ceux-ci, comme s'ils étaient plus singuliers par
nature que les autres modestement accoutrés, ne
considérant point leur erreur, lèvent leurs crêtes
et pensent être beaucoup mieux prisés pour leurs

belles robes, et l'honneur qu'ils n'oseraient espérer s'ils étaient vêtus plus simplement, ils le vont réclamer pour leurs beaux accoutrements, et si l'on passe auprès d'eux en leur prêtant trop peu d'attention, ils en sont fort marris.

N'est-ce point semblable bêtise que de se croire honoré par de vains et inutiles honneurs ? Combien reçois-tu de plaisir vrai et naturel, si un autre est devant toi la tête nue, et s'il plie les genoux pour te faire mille révérences ? Cela guérira-t-il les tiens de la goutte, ou allégera-t-il la frénésie de ta tête ? En cette représentation de feinte volupté s'abusent et affolent ceux qui se disent gentilshommes, et s'en glorifient et s'en flattent, sous prétexte qu'ils se trouvent issus d'une race ancienne qui a été riche en terres et possessions — car pour le temps qui court, la noblesse n'est pas autre chose. Et même si leurs ancêtres ne leur ont rien laissé de toutes ces richesses, ou si eux-mêmes les ont gâtées et consumées, ils ne s'en estiment toutefois pas moins nobles d'un iota.

Les Utopiens comptent et adjoignent avec ceux-ci ceux qui mettent leur fantaisie dans les perles et pierres précieuses, et se croient devenus des dieux si quelquefois ils peuvent avoir quelque excellente pierre de la sorte que, en leur temps et en leur pays, on estime le plus — car ce ne sont pas les mêmes espèces de pierre qui sont prisées partout ni en tout temps. Ces gens n'en achètent point qui soient enchâssées dans une monture d'or, mais les veulent séparées et nues, et qui plus est ils demandent au marchand la garantie sous serment que la perle ou la pierre sont vraies, tant ils sont

soucieux et craintifs que leur œil ne soit abusé, et
qu'on ne leur baille une pierre fausse au lieu d'une
vraie. Pourtant, quand ils viennent à contempler
ladite pierre, et ne savent discerner si elle est vraie
ou fausse, pourquoi la fausse leur donne-t-elle
moins de plaisir que la vraie ? L'une et l'autre
doivent être d'égale valeur à leurs yeux, tout
comme aux yeux d'un aveugle[1].

Que diraient les Utopiens de ceux qui se font un
trésor, non pas pour se servir à leur usage du
monceau d'or, mais pour prendre plaisir à le
regarder seulement ? En ont-ils une vraie volupté ?
Que nenni, mais ils sont trompés par un plaisir
qui est faux et frustratoire. C'est aussi le cas de
ceux qui, au contraire, cachent leur or, dont ils
n'auront jamais l'usage, et qui ne le verront peut-
être plus, et qui, à force de craindre de le perdre,
le perdent pour de bon : car quelle différence trouve-
t-on entre le perdre, et le cacher en terre en l'ôtant
à soi-même et à tout usage humain ? Et toutefois
l'avaricieux se réjouit de son trésor caché, comme
si c'était son esprit qu'il tenait désormais en sécurité. Si quelque larron le dérobe, sans que le possesseur n'en sache rien, et que ledit possesseur
meure dix ans après que son trésor a été pillé,
pendant toute la décennie où il a survécu à ce vol,
que lui importait-il que l'argent fût dérobé ou
sauf ? Il n'en a certes pas retiré plus de profit dans
un cas que dans l'autre.

À ces fous et déraisonnables passe-temps ils
ajoutent les joueurs de cartes, de dés et autres jeux
de hasard — dont ils ont connu la folie non par
usage, mais par ouï-dire — ainsi que les chasseurs

de bêtes ou d'oiseaux. Quel plaisir y a-t-il (se disent-ils) à jeter les dés sur un damier, ce qu'on a fait tant de fois que s'il y avait là quelque plaisir, on en pourrait perdre l'appétit par ce fréquent usage? Quelle récréation — là où on attendrait plutôt de la fâcherie — peut-on avoir à ouïr les abois et hurlements des chiens? Quel plaisir plus grand y a-t-il de voir courir un lévrier après un lièvre, que de voir courir un chien après un autre chien? Le semblable se fait tant d'un côté que de l'autre: ils courent et raccourent, si c'est seulement la course qui te plaît. Mais si tu te repais de l'espérance de voir mourir le lièvre, et de le voir mettre en pièces devant tes yeux, tu devrais plutôt être ému à miséricorde de contempler un pauvre levreau être déchiré par un chien, une faible et débile bête être lacérée par une plus forte, un bétail craintif et fuyard être dévoré par un inhumain, et un animal paisible et innocent être mangé par un cruel. Donc les Utopiens ont abandonné tout cet exercice de chasse, comme si c'était chose déshonnête à gens libres, aux bouchers — lequel métier de boucherie, comme j'ai dit auparavant, ils font faire par des serviteurs — et disent que la chasse est la plus basse et vile partie de boucherie: les autres parties sont plus utiles et honnêtes parce qu'elles sont nécessaires à la vie humaine et qu'un boucher ne tue les bêtes que par nécessité, tandis qu'un chasseur ne fait mourir un misérable lièvre ou quelque oiseau pour rien d'autre que pour son déduit[1]. Ils sont d'opinion que ce désir de voir ainsi bourreler et meurtrir les pauvres bêtes soit procède d'un cœur prédisposé à la cruauté, soit

ne peut manquer de conduire l'homme à cette disposition, par l'exercice coutumier d'une volupté si
inhumaine.

Ces affaires-là et toutes les choses de cette sorte
(qui sont innombrables), quoique le commun popu-
laire les reçoive et prenne pour des voluptés, ce
nonobstant les Utopiens tiennent qu'elles n'ont
point de rapport avec la vraie volupté, parce qu'on
n'y trouve rien qui soit doux et suave de nature. Le
fait que ledit vulgaire prend son plaisir çà et là aux
choses que j'ai devant alléguées, qui lui semblent
un acte de volupté, ne change rien à l'avis des Utopiens : car ce qui est en cause, ce n'est pas la nature
de la chose, mais leur propre accoutumance per-
vertie, par le vice de laquelle se fait qu'ils prennent
les choses amères pour les douces — de même que
les femmes enceintes trouvent la poix et le suif plus
doux que miel, parce qu'elles ont le goût altéré. Et
néanmoins le jugement de quelqu'un, qu'il soit
dépravé par la maladie ou par la coutume, de
même qu'il ne peut changer la nature de nulle
chose, de même ne peut changer la nature de la
volupté.

Les voluptés que les Utopiens confessent être
vraies, ils les divisent en diverses sortes : ils attri-
buent les unes à l'âme, les autres au corps. À l'âme
ils donnent l'entendement, et cette douceur et jouissance que fait naître la contemplation du vrai ;
puis ils y ajoutent la délectable recordation[1] d'avoir
bien vécu, et l'espérance indubitable du bien futur
et du loyer qui en doit advenir. Ils répartissent la
volupté du corps en deux manières. La première
est quand le sentiment reçoit quelque plaisir

manifeste : ce qui se fait quand on restaure les
parties du corps, après que la chaleur naturelle
qui est en nous a fait sa digestion, en prenant
derechef à boire et à manger ; et aussi quand on
expulse les choses desquelles le corps abonde,
comme en urinant, en rejetant la matière fécale,
en connaissant charnellement notre femme, en
nous frottant ou grattant. Parfois cependant naît
en nous une volupté qui ne restitue rien aux
membres de ce dont ils pourraient avoir besoin,
ni ne leur enlève rien dont ils seraient en peine,
mais émeut et excite nos sens par une puissance
occulte, et par une émotion manifeste les cha-
touille et les convertit à soi, comme la volupté que
nous prenons à ouïr les chants et accords de
musique.

L'autre manière de volupté corporelle réside,
ainsi qu'ils disent, en l'état tranquille et tempéré
du corps, c'est-à-dire pour chacun en une santé
qui n'est troublée ou empêchée par aucune
maladie. Cette santé, si elle n'est pas opprimée
par quelque douleur, délecte et réjouit l'homme
d'elle-même, même si elle n'est mise en mouvement par aucune volupté ajoutée extérieurement.
Bien qu'elle se manifeste et s'offre moins à nos
sens que cet enflé appétit de boire et de manger,
néanmoins plusieurs l'affirment être le plus grand
de tous les plaisirs : bref tous les Utopiens ou
presque disent et confessent que c'est le fondement et la base de toutes les voluptés, parce que
seule elle rend la condition de vie humaine paisible et désirable, au point que quand elle est
absente, nul plaisir n'y saurait avoir lieu. Car ne

sentir aucune douleur, si la santé n'est pas présente, ils appellent cela torpeur et privation de sentiment, et non pas volupté.

Il y a déjà longtemps qu'ils ont rejeté l'opinion de ceux qui soutenaient que la santé ne devait être reçue pour volupté, parce qu'on ne pouvait s'apercevoir de la présence de cette dernière sans quelque mouvement extérieur[1]. Chez eux cette question a été débattue vigoureusement, mais maintenant tous s'accordent au contraire ou presque, et disent que la santé ne saurait être privée de volupté. Car ils raisonnent de la sorte : puisqu'en la maladie il y a de la douleur, laquelle est l'ennemie mortelle de la volupté tout comme la maladie est l'ennemie de la santé, comment n'y aurait-il pas, réciproquement, de la volupté dans le repos de la santé ? Peu importe, pensent-ils, que l'on dise que « la maladie est une douleur », ou que l'on dise que « en la maladie est une douleur » : l'un et l'autre reviennent au même. Aussi, que la santé soit la volupté même, ou bien que nécessairement elle engendre la volupté comme le feu engendre la chaleur, certes il se fait d'un côté et d'autre que ceux qui ont une santé constante et entière ont ni plus ni moins de volupté et de plaisir.

Quand nous buvons et mangeons, disent-ils, qu'est-ce autre chose, sinon la santé, laquelle se commençait à empirer, qui bataille contre la faim, avec le secours des viandes ? Puis quand en cette faim la santé recouvre petit à petit ses forces, ce retour jusqu'à sa vigueur accoutumée nous suggère et induit ce plaisir par lequel nous sommes restaurés. La santé, donc, qui se réjouit en ce conflit, ne prendra-t-elle point plaisir aussi après avoir gagné la victoire contre la faim? Quand elle aura enfin recouvré sa force première, qui était le seul enjeu de ce combat, retombera-t-elle aussitôt dans la torpeur sans prendre aucune récréation? Ne connaîtra-t-elle point le bien qui lui est advenu? Les Utopiens disent que ce n'est pas véritablement parler que de dire qu'on ne sent pas sa santé. Qui est celui qui, en état de veille, ne sent pas qu'il est sain, sinon celui qui ne l'est point? Certes personne n'est jamais à tel point privé de sentiment, ou frappé de léthargie, qu'il ne confesse que la santé lui est joyeuse et délectable: mais que nommez-vous délectation, sinon la volupté en d'autres termes?

Lesdits Utopiens singulièrement s'adonnent aux voluptés de l'âme, étant d'opinion que ce sont les principales d'entre toutes les autres, et disent que la meilleure de celles-ci vient de l'exercice des vertus, et de la bonne conscience que procure une vie bonne. Touchant les voluptés du corps, ils donnent la palme à la santé, comme à la plus exquise et excellente. Le plaisir qu'on prend à boire et à manger, et toute chose qui contient telle sorte de volupté, sont certes à appéter, mais ce n'est, comme ils disent, pour aucune autre raison que pour garder la santé; car de telles choses ne sont pas plaisantes d'elles-mêmes, mais elles sont nécessaires, dans la mesure où elles résistent à la maladie, qui pourrait survenir secrètement. De même que l'homme sage doit préférer ne pas tomber dans les infirmités et les maladies plutôt que de prendre médecine, et détourner les dou-

leurs plutôt que de leur chercher des remèdes, de
même vaut-il mieux ne pas avoir besoin de cette
espèce de volupté plutôt que d'être restauré par
leur usage. Car si quelqu'un se pense bienheureux
parce qu'il jouit de ce type de voluptés corporelles,
il faut alors qu'il confesse qu'il se tiendrait être au
comble de la félicité si lui échoyait une vie consistant en perpétuelle faim, soif, démangeaison, et
passée à manger, boire, gratter et frotter. Or qui
ne voit bien qu'une telle manière de vivre est non
seulement sale, mais même misérable ? Ces plai-
sirs-là sont les moindres de tous, parce qu'ils sont
les moins purs, et jamais n'adviennent sans qu'ils
soient joints et mêlés avec des douleurs et tourments contraires[1] : ainsi, avec le plaisir qu'on prend
à manger, est accouplée la faim — et non pas en
quantités égales, car la douleur, étant plus véhé-
mente, est aussi plus durable ; la faim survient
avant le plaisir qu'on prend à boire et manger, et
ne s'éteint pas avant que le plaisir ne meure avec
elle. Donc les Utopiens pensent bien qu'il ne faut
pas faire grande estime de tels plaisirs, sinon en
tant que la nécessité le requiert ; toutefois ils s'en
réjouissent, et reconnaissent la libéralité de notre
mère nature, qui donne réjouissance et récréation
à ses créatures même aux choses qu'il faut faire si
souvent par nécessité. S'il fallait expulser les maladies quotidiennes, qui viennent de la faim et de la
soif, par des potions et drogues amères, comme
les autres infirmités qui nous viennent plus rarement, quel plaisir aurions-nous de vivre ?

Au contraire ils entretiennent et confortent volontiers la beauté, la force et l'agilité, comme les dons

de nature proprement voluptueux. Ainsi font-ils
également des plaisirs qui sont introduits par
l'ouïe, les yeux et les narines, lesquels nature a
voulu être propres et particuliers à l'homme —
car il n'y a point d'autre espèce d'animaux, à part
l'homme, qui contemple la beauté du monde, et
qui soit excitée par la grâce des odeurs (sauf pour
discerner quoi manger), et aussi qui entende l'accord ou la discordance des sons musicaux. Bref
les Utopiens poursuivent telles sortes de menus
plaisirs comme si ce fussent les sauces donnant
saveur à la vie humaine, mais ils prennent garde
en toute chose que le moindre plaisir n'empêche
le plus grand, et que la volupté quelquefois n'engendre la douleur, ce qui advient nécessairement
quand ladite volupté est sale et déshonnête. Ils
pensent que c'est une très grande folie que d'être
négligent de sa beauté, d'empirer et détériorer sa
force, de tourner son agilité en paresse, d'exté-
nuer son corps par des jeûnes, de faire tort à sa
santé, et de mépriser les autres douceurs de nature
— à moins que quelqu'un ne méprise son profit
privé pour plus ardemment procurer le bien
public, ce dont il espérerait être récompensé par
Dieu d'un plus grand plaisir; mais autrement,
pour une vaine ombre de vertu, s'affliger sans
qu'il en revienne bien et utilité aucune à son prochain, et pour supporter moins fâcheusement des
adversités qui peut-être n'adviendront jamais,
cela leur semble être chose frivole et de néant, et
même la marque d'un cœur cruel envers soi-
même, et ingratissime à l'encontre de nature puisqu'il renonce à tous ses bienfaits, comme s'il ne

daignait être tenu à elle d'aucune chose. Voilà
l'opinion des Utopiens touchant la vertu et la
volupté, et ils ne pensent point qu'on en pût trouver
de plus véritable selon l'humaine raison, si une
religion envoyée du ciel n'inspirait à l'homme
chose plus sainte[1]. En quoi si leur jugement est
bon ou mauvais, le temps ne permet pas que nous
en expliquions rien, et ce n'est d'ailleurs pas
nécessaire, parce que nous avons entrepris de
narrer leur manière de faire et de vivre, et non pas
de défendre et approuver celle-ci[2].

Quant au reste, quelle que soit la valeur de ces
doctrines, je suis persuadé qu'en nul endroit de la
terre il n'y a peuple plus excellent ni République
mieux fortunée. Ils sont agiles de corps et vifs, et
plus puissants que ne l'annonce leur stature, qui
n'est pourtant ni basse ni petite. Et bien que leur
terroir ne soit des plus fertiles du monde, ni leur
air des plus sains, néanmoins par leur tempérance
et sobriété de vie ils conservent leur santé et se
fortifient contre les corruptions qui en peuvent
advenir, et par leur industrie remédient si bien à
la terre, qu'en nulle région du monde il n'y a plus
grande abondance de fruit ni de bestiaux, ni même
de gens qui vivent plus longuement, ni qui soient
moins sujets à maladie. On ne verra point seulement en ce lieu être bien arrangées, et avec diligence, les choses que font communément les autres
laboureurs, qui par art et par travail améliorent
des terres qui, de leur nature, sont mauvaises ;
mais on y verra de surcroît une forêt totalement
arrachée par les mains du peuple en un endroit, et
en l'autre replantée — et en cette besogne, ils ont

égard non au rendement mais au transport : ils
font en sorte que les bois soient plus près de la
mer ou des rivières, ou des villes elles-mêmes, car
les fruits et les grains sont plus aisés à amener de
loin par voie de terre que ne l'est le bois.

La gent d'Utopie est facile, récréative, indus-
trieuse et aimant le repos, toutefois assez tra-
vailleuse corporellement quand il en est besoin,
autrement non. Quant à l'exercice de l'esprit,
jamais ils ne s'en lassent. Après donc avoir ouï de
nous et entendu quelques propos que nous leur
tînmes touchant les lettres et sciences des Grecs
(quant aux latines, ils n'en faisaient pas grand
compte, hormis de l'histoire et de la poésie[1]), vous
seriez émerveillés du zèle avec lequel ils nous
pressèrent de les leur montrer et lire ; nous commençâmes donc à leur donner des leçons de grec,
plutôt d'abord pour ne pas sembler leur refuser ce
service que parce que nous en espérions aucun
fruit. Mais quand nous eûmes un petit peu avancé,
ils firent tant par leur diligence qu'il nous apparut
qu'il n'était pas vain ni frivole de leur réserver la
nôtre, et de leur communiquer ce que nous avions
appris de cette langue. Bref lesdits Utopiens, après
avoir été introduits, vinrent à imiter et contrefaire
si aisément les caractères des lettres grecques, à
prononcer si bien et clairement les mots, à les
apprendre et retenir si rapidement, et à les traduire si fidèlement, que ce me semble chose miraculeuse. Une partie de ces Utopiens, incités non
seulement par leur propre volonté, mais aussi par
l'ordonnance de leur sénat, entreprirent de savoir
ladite langue grecque, et n'y furent élus parmi

leurs étudiants que les plus beaux esprits et les
gens d'âge mûr ; de ce fait, il n'y eut rien en ladite
langue, touchant ce qu'ils désiraient savoir des
bons auteurs, qu'ils ne parlassent sans faillir (à
moins que le texte ne fût fautif dans les livres[1]) en
moins de trois ans. Et ce qui leur fit apprendre
plus facilement (comme je crois) cesdites lettres,
c'est qu'elles se rapprochent un peu de leur langage ; j'estime en effet que cette gent a pris son
origine des Grecs, parce qu'en leur langue ils
usent de certains termes grecs, comme aux noms
de leurs villes et magistratures[2]. Quant au résidu,
leur langage est presque tout persique.

Ils ont de moi la plupart des œuvres de Platon
et plusieurs d'Aristote, et aussi Théophraste *Des
plantes* — car quand je fis ma quatrième navigation, je mis dans le navire un petit paquet de
livres[3] au lieu de marchandise, parce que j'avais
déterminé de n'en revenir jamais plutôt que
tôt —; or ledit Théophraste en plusieurs endroits
était gâté (ce dont je fus bien marri), car comme
nous étions sur mer, j'avais été négligent de le
serrer, suite à quoi il fut découvert par une guenon
qui, en se jouant et en folâtrant autour, en déchira
çà et là quelques feuillets[4]. D'entre les grammai-
riens ils ont seulement Lascaris, parce que je n'y
portai point avec moi Théodore de Gaza, ni aucun
dictionnaire sauf Hésychius et Dioscoride[5]. Ils
tiennent les livres de Plutarque pour très agréables,
et se délectent de l'élégance et des facéties de
Lucien. Parmi les poètes, ils ont Aristophane,
Homère, Euripide et Sophocle de la petite impression d'Alde[6]. Des historiens ils ont Thucydide,

Hérodote et Hérodien[1]. En médecine, un de mes
compagnons, nommé Tricius Apinatus, y avait
apporté avec lui quelques petites œuvres d'Hippo-
crate, et la *Microtechnè* de Galien[2], desquels livres
ils font grande fête ; et bien qu'ils aient moins
besoin que n'importe quel peuple du monde de
l'art de médecine, néanmoins cette science en nul
endroit de la terre n'est plus en honneur et prix
qu'en Utopie, parce qu'ils comptent cette science
entre les plus belles et utiles parties de Philosophie ; par l'aide de laquelle Philosophie, quand ils
cherchent les secrets de nature, ils ne pensent pas
seulement de cela recevoir un plaisir admirable,
mais aussi entrer dans les meilleures grâces de
l'auteur et ouvrier de cette nature naturée[3]. Et ils
sont d'opinion que Dieu, à la manière des autres
ouvriers, a exposé et mis en montre la machine du
monde pour qu'elle soit contemplée et regardée
de l'homme, lequel il a fait seul capable de cette si
excellente chose, et que plus la créature humaine
sera curieuse et soigneuse de voir et admirer ledit
œuvre divin, plus l'ouvrier aimera ladite créature
— bien plus que celle qui, comme une bête où il
n'y a point d'entendement, restera insensible et
stupide devant ce spectacle si grand et si merveilleux, et le tiendra en mépris[4].

Exercés aux lettres comme ils le sont, les esprits
des Utopiens savent admirablement inventer des
arts qui soient commodes à la vie humaine, mais
ils nous sont redevables de deux choses, à savoir
de l'art d'imprimerie, et de faire le papier[5], qu'ils
doivent cependant non seulement à nous, mais
aussi à eux-mêmes pour une bonne part. Car

comme nous leur montrions quelques livres imprimés sur papier de la façon d'Alde, et leur parlions de la matière pour faire ledit papier et de l'industrie d'imprimer — sans les leur expliquer en détail, parce que nul d'entre nous n'était expert en l'un ni en l'autre métier —, soudain ils vinrent à concevoir en leur entendement très subtilement la besogne, et quoique auparavant ils écrivissent seulement sur des peaux, des écorces et des roseaux[1], tôt après ils s'essayèrent à faire le papier et à imprimer. Il est vrai qu'au commencement ils ne besognèrent guère bien, mais en expérimentant souvent une même chose, en peu de temps ils devinrent bons ouvriers en tous les deux métiers, et firent tant que s'ils avaient des copies des livres grecs, ils pourraient avoir un grand nombre de beaux livres imprimés de leur impression. Mais pour le présent ils n'ont d'autres livres que ceux que j'ai cités ; de ceux-là, cependant, ils ont déjà imprimé et publié plusieurs milliers de volumes.

Si d'aventure il vient quelque personnage en Utopie pour voir le pays, et s'il est homme de cerveau et d'esprit, et s'il a vu le monde et qu'il leur en puisse parler et deviser, croyez qu'il est le bienvenu ; pour cette cause j'y fus fort bien accueilli, et notre arrivée leur fut agréable. Car volontiers ils écoutent quand on leur conte ce qui se fait au monde. Quant au reste, guère de marchands ne vont en ce lieu pour marchander : qu'est-ce qu'ils y porteraient sinon du fer, ou de l'or ou de l'argent, ou telle autre chose que chacun aimerait mieux reporter en son pays ? En outre, ce que les marchands pourraient charger en ce pays, eux-mêmes l'aiment mieux transporter aux autres régions, et ce me semble un acte de prudence d'ainsi les transporter eux-mêmes plutôt que de laisser les étrangers venir les quérir en ce lieu : ils font cela afin de mieux connaître les mœurs et la manière de vivre des nations étrangères, et aussi de peur d'oublier l'usage de la mer et la science de la navigation.

DES SERFS

Ils n'usent point d'esclaves et serfs qui ont été pris à la guerre, si la guerre n'a été menée par eux-mêmes, et ne se servent d'enfants de serfs, ni de serviteurs qu'ils pourraient acheter des autres nations, mais de ceux de leur pays qui ont été réduits en servitude pour quelque crime, ou de ceux qui sont condamnés à mort aux villes étrangères, de quoi il est le plus, et de ceux-là ils en amènent beaucoup qui ne leur coûtent guère, et le plus souvent les ont pour rien. Ces sortes de serviteurs sont contraints non seulement de besogner tant qu'ils vivront, mais sont détenus en prison après avoir travaillé ; ils traitent d'ailleurs plus rudement ceux de leur pays que les étrangers, comme ayant mérité plus dur tourment, et comme gens perdus où il n'y a nul espoir de conversion, considéré qu'ils avaient été dès leur jeunesse si bien nourris et instruits à la vertu, et toutefois ne se sont pu contenir d'être méchants. Ils ont aussi

d'autres sortes de serviteurs, à savoir quand
quelque manœuvre d'une autre région, qui est
pauvre et travailleur, de son gré choisit de servir
en Utopie ; ils les traitent honnêtement, et ne leur
donnent guère plus de travail que ce qu'ils ont
eux-mêmes accoutumé de prendre, et ne les
reçoivent guère moins humainement et doucement que leurs concitoyens. Quand l'un d'entre
eux s'en veut retourner à son pays (ce qui n'advient pas souvent), ils ne le retiennent pas contre
sa volonté, et ne le laissent pas aller sans bien le
salarier.

Ils s'occupent très bien des malades (comme j'ai
dit auparavant) et n'omettent de leur procurer
absolument rien de ce qui est susceptible, par
médecine ou bons traitements de vins et viandes,
de les remettre en santé. Même ceux qui sont
malades de maladie incurable, ils les consolent de
leur parole et de leur présence, en ajoutant finalement tous les conforts qu'il est au monde possible
de leur donner. Et si la douleur n'est pas seulement irrémédiable, mais continuellement vexe et
afflige le pauvre patient, alors les prêtres et gouverneurs du pays viennent admonester le langou-
reux, lui remontrant qu'il est incapable et privé de
tous les bénéfices de la vie, n'apportant qu'ennui
et fâcherie aux autres, et à lui-même nuisible, qu'il
ne fait que survivre à sa mort, et qu'il doit par
conséquent se déterminer à ne pas nourrir plus
longuement ce mal, et, considéré aussi que la vie
ne lui est plus que tourment, qu'il ne doit pas
craindre de mourir, mais qui plus est, prendre
bon espoir, et s'exempter lui-même de cette si

douloureuse et misérable vie comme d'une prison
ou d'une torture, ou de son gré souffrir que les
autres l'en ôtent, et qu'en faisant cela, il détruira
par sa mort non pas son bien et commodité, mais
son supplice, et fera sagement, religieusement et
saintement, après avoir obéi en telles affaires au
conseil des prêtres, qui sont déclarateurs des
volontés de Dieu. Ceux à qui ils ont persuadé ces
choses mettent volontairement fin à leur vie par
faim, ou sont induits à dormir, et en dormant sont
délivrés de leurs maux sans sentir nullement les
douleurs de la mort. Mais personne n'est contraint
en ce point de mettre fin à ses jours s'il n'y prête
son bon vouloir, et ils ne laissent pas de lui faire
plaisir et rendre service durant sa maladie. Ils
croient qu'il est honnête d'ainsi mourir ; autrement, celui qui se donnerait la mort sans l'autorité
et conseil des prêtres et du sénat, son corps n'est
point brûlé ni mis en terre, mais jeté sans sépul-
ture vilainement dans quelque palud ou bourbier[1].

Une fille ne se marie point en ce pays avant
qu'elle n'ait dix-huit ans, et un garçon avant qu'il
n'ait vingt-deux ans[2]. Si l'homme ou la femme,
avant qu'ils soient mariés, sont convaincus de
furtive lubricité, on les punit sévèrement, et ils
sont privés d'être jamais mariés, si le prince ne
leur fait grâce. Le père et la mère de famille où un
tel acte a été perpétré, comme n'ayant pas bien
fait leur devoir de les garder, demeurent en grande
infamie et scandale. Et ce qui est cause qu'ils font
si grosse punition de ce délit, c'est qu'ils consi-
dèrent pour l'avenir que peu s'engageraient dans
l'amour conjugal, où il faut user sa vie avec sa

partie, et qui plus est endurer les ennuis et fâche-
ries du mariage, s'ils n'étaient diligemment détournés de tout vagabondage sexuel.

La coutume que voici — qui nous semble à nous
déraisonnable et ridicule — pour choisir une
femme, ils l'observent à bon escient, gravement et
sans moquerie. Quand l'un d'entre eux se veut
allier par mariage à quelque jeune pucelle ou à
une femme veuve, une mère de famille honnête et
sage fera dépouiller ladite fille ou femme pour la
présenter devant l'amoureux ; quelque vertueux
homme en fera autant dudit amoureux, le livrant
tout nu devant l'amoureuse ; et ils se contempleront l'un l'autre de haut en bas, pour connaître si
tout y est bien accompli[1]. Or comme nous n'approuvions pas cette coutume, nous en moquant
comme d'une chose indécente et déshonnête, les
Utopiens firent réponse qu'au contraire, ils s'émerveillaient de la grande folie des hommes de toutes
les autres nations : quand il est question d'acheter
seulement un pauvre cheval de cinquante sous, ils
ont tant de peur d'être trompés, que bien qu'il soit
quasi tout nu, encore refusent-ils de l'acheter si on
ne lui ôte la selle et la bride, de peur que sous ces
couvertures-là il n'y ait quelque ulcère caché ; et
au contraire, quand il est question de choisir une
femme, choix dont il vient plaisir ou fâcherie qui
durent toute la vie, ils sont si peu soigneux qu'ils
la prennent non sans grand péril et danger d'être
mal assortis (si par après quelque chose leur
déplaît), puisqu'ils ne la voient découverte que par
le visage, où il y a à peine la largeur d'une paume,
tandis que tout le reste du corps est enveloppé et

couvert de robes et accoutrements. Car tous ne sont point si sages qu'ils aient égard seulement à la bonté des mœurs d'une femme, et les plus prudents mêmes de ce pays, quand ils se marient, veulent bien qu'avec les vertus de l'esprit de leurs femmes, soient ajoutées aussi les grâces et perfections du corps. Véritablement sous de telles enveloppes et rideaux peut être cachée une telle difformité qu'elle pourra totalement aliéner le cœur d'un mari d'aimer jamais sa femme, alors qu'il ne se peut plus séparer du corps de ladite femme. Si cette difformité vient à apparaître après le mariage contracté, il faut certes qu'il l'endure et s'en contente, mais avant le mariage, il est expédient de pourvoir par des lois que nul n'y soit trompé, et les Utopiens y ont pourvu d'autant plus soigneusement que c'est la seule nation qui, entre toutes les autres de cette partie-là du monde, se contente d'une seule femme[1], et que le mariage en ce lieu ne se rompt pas souvent autrement que par la mort, si nul adultère n'est en cause, ou fâcherie ou ennui de complexion qu'on ne peut tolérer.

Quand le mari ou la femme sont offensés par adultère, à celui qui a droit est donné congé par le sénat de changer sa partie ; celui ou celle qui a tort demeure infâme et ne se peut jamais remarier. De répudier sa femme malgré qu'elle en ait et sans qu'elle ait commis aucune faute, parce qu'il lui est advenu quelque maladie ou accident, de nulle sorte ils ne l'endurent. Car ils disent que c'est chose inhumaine de délaisser une personne, spécialement quand elle a besoin de confort et consolation, et de se montrer infidèle à sa femme ou à

son mari quand il est vieux, vu que la vieillesse est
sujette à beaucoup de maladies, et de soi-même
est une vraie maladie[1]. Quant au reste, il advient
quelquefois, quand deux gens mariés ne peuvent
durer ensemble à cause de la contrariété incompatible de leurs mœurs, que de leur propre volonté
et accord ils se séparent et trouvent des parties
avec lesquelles ils espèrent vivre plus doucement
et se remarient, mais non pas sans l'autorisation
du sénat, qui n'admet point le divorce si la cause
ne lui est diligemment connue par le récit des
maris et des femmes[2]. Encore cela ne se fait-il pas
facilement, parce que la cour connaît que tel
espoir facile de nouveau mariage, proposé et mis
devant les yeux des personnes, n'est pas chose
propre à entretenir et confirmer l'amour entre
gens mariés. Ceux qui rompent leur mariage sont
punis de la plus pénible servitude ; quand un
homme marié se joue avec une femme mariée
autre que la sienne, ou qu'une femme mariée prend
son plaisir avec un autre que son mari, ceux à qui
on a fait tort répudient les adultères, et il leur est
permis de se marier ensemble s'ils veulent, ou à
d'autres, comme bon leur semblera. Mais si un
homme qui a été offensé, ou une femme à qui on a
fait tort, ne veulent pas abandonner leurs parties,
et persistent en l'amour de celles-ci, qui leur ont
fait si grand déplaisir, il ne leur est pas interdit ni
défendu de vivre ensemble en mariage, pourvu
que l'innocent aille avec celui qui est condamné
d'être en servitude, et qu'ils travaillent comme les
autres serfs et criminels. Suite à quoi il advient
quelquefois que la pénitence de l'un et la sollici-

tude de l'autre, émouvant la pitié du prince, les
remettent en leur première liberté ; mais si celui
qui a offensé récidive, on le fait mourir.

Pour les autres délits, nulle loi n'a établi aucune
punition déterminée, mais selon que le crime est
atroce ou léger, plus grande ou plus petite est
la peine décrétée par les sénateurs[1]. Les maris
punissent leurs femmes, et les pères et mères leurs
enfants, s'ils n'ont commis chose si énorme qu'il
les faille punir publiquement pour donner exemple
aux autres[2]. Mais communément les gros péchés
sont punis de servitude, et les Utopiens pensent
que cette servitude n'est pas moins pénible et
triste aux délinquants que si on les faisait mourir,
et qu'elle apporte un plus grand profit à la République. Car leur travail est plus utile et plus profitable que leur mort, et par leur exemple et la
terreur qu'il inspire, ils détournent plus durable-
ment les autres de faire le semblable. Si ceux qui
sont ainsi traités se rebellent et récalcitrent, pour
finir on occit, comme des bêtes indomptées et
félonnes, ces obstinés que le cachot et les chaînes
n'ont su refréner. Mais ceux qui supportent leur
captivité patiemment ne sont pas totalement privés
de toute espérance : après avoir été domptés et
châtiés par de longs tourments, si on voit en eux
une pénitence qui témoigne que le péché qu'ils ont
commis leur est plus déplaisant que la peine qu'ils
souffrent, la servitude est mitigée ou remise, par
la prérogative et autorité du prince ou par le
commun accord du peuple. Avoir sollicité une fille
pour la déflorer n'est pas moins dangereux que de
l'avoir violée. Car en tous crimes ils égalent tout

effort et propos délibéré à l'acte, et tiennent la
volonté pour l'équivalent du fait, disant que l'empêchement ne doit pas profiter à celui auquel il
n'a pas tenu qu'il y ait eu empêchement[1].

Les Utopiens prennent grand plaisir aux fous[2].
Et autant ils estiment être un grand déshonneur
que de leur faire outrage, autant ils ne défendent
point qu'on prenne récréation à leur folie ; et ils
disent que cela tourne à grand bien aux fous,
parce que si quelqu'un est trouvé si sévère et si
triste que jamais il ne rie des faits et dits qu'on voit
en un fou, ils ne lui donnent jamais la garde dudit
fou, craignant qu'il ne soit pas assez doucement
traité par celui à qui il ne peut apporter aucun
fruit ni aucune délectation — alors que c'est le
seul don qu'ils aient pour se recommander. De se
moquer d'un personnage laid ou imparfait de ses
membres, ce n'est pas le déshonneur de celui qui
est moqué, mais de celui qui fait la raillerie, et qui
lui reproche follement, comme si c'était un vice,
une chose qu'il n'était point en sa puissance d'éviter. Et autant les Utopiens sont d'opinion que négliger d'entretenir sa beauté naturelle est le propre
de gens nonchalants et paresseux, autant tiennent-
ils pour une insolence déshonnête de se farder.
Car ils savent par expérience que nulle grâce ou
beauté ne rend une femme recommandable à son
mari autant que la bonté des mœurs et la défé-
rence. Et si on voit que certains se délectent de la
seule beauté d'une femme, pourtant il n'y a personne qui y soit retenu s'il n'y trouve vertu et
obéissance.

Les Utopiens non seulement donnent terreur

par des punitions à ceux qui auraient vouloir de mal faire, mais invitent à la vertu ceux qui ont vouloir de bien faire par des prix et honneurs qui leur sont offerts : c'est pourquoi ils ont coutume de faire mettre dans les lieux publics les statues des excellents personnages qui ont rendu des services signalés à la République en souvenance de leurs bons actes, afin que la gloire de leurs aïeux soit un éperon et une incitation à la vertu pour leur postérité. Celui qui sera convaincu d'avoir prétendu à quelque dignité ou office par corruption, qu'il n'ait jamais espoir de parvenir à aucune. Ils vivent et conversent ensemble aimablement. Les magistrats ne sont pas arrogants, fiers ou terribles : ils sont nommés Pères[1], et se montrent tels ; volontairement on leur fait l'honneur qu'on est tenu de leur faire, et les sujets ne les honorent pas à regret. Nulle robe précieuse ni couronne ne distingue le prince des autres : on le reconnaît seulement à une poignée d'épis de blé qui est portée devant lui[2], tout comme l'insigne d'un évêque et prélat est un cierge que quelque ministre tient en main devant lui.

Ils ont bien peu de lois, et s'en contentent parce qu'ils sont bien régis et gouvernés, et blâment spécialement cette chose chez les autres nations, à savoir que d'infinis livres de lois et d'interprètes ne leur suffisent pas[3]. Ils disent que c'est chose très injuste que des hommes soient obligés par des lois qui sont en si grand nombre qu'on ne les saurait lire en entier, ou si obscures que personne ne les entend. Les avocats aussi, qui traitent les causes finement et cauteleusement, et disputent

des lois trop subtilement et malicieusement, sont
tous expulsés de leur République, car ils disent
qu'il est profitable que chacun plaide sa cause, et
qu'il raconte au juge les mêmes choses qu'il pourrait relater à son avocat. Ainsi y a-t-il moins d'am-
bages, et plus facilement établit-on la vérité,
quand celui qui plaide conte lui-même sa matière,
sans qu'aucun avocat ne lui ait appris tout le tas
de finesses et de feintes dont ils ont l'habitude
d'user. Moyennant quoi, le juge diligemment et
industrieusement pèse toutes choses, et aide les
hommes simples contre les tromperies des rusés
— ce qui est difficile à observer chez les autres
nations, parmi un si grand tas de lois perplexes[1] et
douteuses. Quant au reste, en Utopie chacun est
bon légiste car, comme j'ai dit, il y a un bien petit
nombre de lois, et plus l'interprétation en est
grossière, plus ils l'estiment équitable. Considéré
(disent-ils) que toutes les lois se promulguent afin
que chacun soit admonesté de faire son devoir,
quand ladite interprétation en est plus subtile et
cachée, peu en ont la connaissance, et donc peu
en sont admonestés ; mais quand le sens en est
plus facile, simple et vulgaire, il est manifesté à
tous. Autrement, quelle différence cela fait-il pour
le peuple — qui forme le plus grand nombre, et a
le plus besoin d'en être admonesté — qu'il n'y ait
pas de lois du tout ou bien, une fois les lois établies, qu'on les interprète en un sens tel que nul ne
puisse l'entendre sans un esprit d'élite et un long
examen ? Car la recherche d'un tel sens est bien
éloignée de l'entendement grossier du peuple, et

aussi sa vie n'y saurait suffire, parce qu'elle est accaparée par la quête de sa subsistance.

Incités par la bonne police[1] et vertu des Utopiens, les peuples voisins qui sont francs et libres (car les Utopiens en ont déjà dès longtemps délivré plusieurs de la tyrannie) vont leur demander des magistrats et gouverneurs, les uns tous les ans, les autres pour cinq ans, puis quand lesdits gouverneurs ont fait leur temps, ils les ramènent avec honneur et louange, et en ramènent de nouveaux en leur pays. Ce faisant, lesdites nations pourvoient certes très bien et très salutairement à leur République, car, vu que son salut ou son dommage dépendent des mœurs des chefs et magistrats, qui eussent-ils pu plus sagement élire que ceux qui ne peuvent être détournés de l'honnêteté par l'or ou par l'argent (de quel profit leur seraient l'or et l'argent, vu qu'ils retournent bientôt en leur pays, et alors n'en ont nul usage[2]?), et qui, étant inconnus à leurs citoyens, ne peuvent être fléchis par l'amour ou la haine de personne? Or ces deux maux-ci, l'avarice et la partialité, dès qu'ils pèsent sur les jugements rendus, aussitôt pervertissent toute la justice, qui est le plus puissant nerf de la République. Les Utopiens appellent ces peuples, à qui ils baillent des gouverneurs qui par eux leur sont demandés, leurs confédérés et alliés, et les autres à qui ils ont fait quelque bien, ils les nomment leurs amis.

La paix que les autres peuples si souvent entre eux font, rompent et renouvellent, les Utopiens ne la font jamais avec aucune nation. Car à quoi sert de faire la paix, disent-ils? La nature ne suffit-elle

pas à établir l'amitié entre les hommes? Et quiconque la méprise aura-t-il plus de soin du contrat
verbal qui se ferait de la paix, qu'il n'en a de la
nature elle-même? Et ce qui les attire à cette opi-
nion-là, c'est qu'en ces régions qui leur sont voisines, les princes ne gardent guère fidèlement
leurs promesses ni la paix. Au contraire en Europe,
et principalement dans les parties que la foi de
notre Seigneur Jésus Christ et la religion possèdent, la majesté et autorité de la paix est saintement et inviolablement observée, en partie grâce à
la justice et bonté des princes chrétiens, en partie
aussi grâce à la révérence et la crainte qu'ins-
pirent les papes, eux qui, de même qu'ils ne promettent rien qu'ils ne tiennent scrupuleusement,
de même commandent à tous les princes qu'ils
demeurent constants en toutes leurs promesses;
et ceux qui y contreviennent, ils les contraignent
par leur censure pastorale[1] et leurs justes sévé-
rités, et pensent à juste droit que c'est chose déshonnête, si la fidélité fait défaut à ceux qui sont en
leur propre nom appelés fidèles[2].

Mais en cette nouvelle partie du monde terrestre, que la ligne de l'équinoxe[3] sépare moins de
ce pays qui est le nôtre que n'en diffèrent la vie et
les mœurs, il n'y a point d'assurance en la paix, et
plus elle est nouée par plusieurs saintes cérémonies, plus légèrement elle se rompt, parce que facilement se trouve dans les contrats et conventions
quelque parole de finesse et tromperie qui y est
insérée et dictée délibérément par cautèle, en sorte
que lesdits contrats ne puissent être garantis par
de si fermes obligations qu'il n'en échappe aucun

mot qui soit à la fin susceptible de justifier qu'on
se dérobe à la fois à la paix et à sa promesse. Et si
ceux qui se glorifient d'avoir eux-mêmes été les
inventeurs de ce conseil, et de l'avoir donné aux
princes, trouvaient cette ruse, cette fraude et cette
tromperie dans les contrats et conventions entre
personnes privées, ils pousseraient les hauts cris
et diraient que c'est un vrai sacrilège et une chose
digne d'être punie au gibet. En conséquence de
quoi la justice semble n'être rien d'autre qu'une
vertu vulgaire, triviale et de petite étoffe, qui est
assise tout au bas du trône royal, ou à tout le
moins qu'il y ait deux justices. L'une, qui appartient au peuple, va à pied, se traîne par terre, et est
enchaînée de tous côtés par plusieurs chaînes, de
crainte qu'elle ne se jette hors de l'enclos où elle
est retenue. L'autre est la justice des princes ; elle
est non seulement plus auguste que la justice du
peuple, mais aussi d'autant plus libre et plus
franche ; à celle-là, rien n'est illicite, sinon ce qui
ne lui plaît point.

Je crois que cette manière de vivre des princes
de là-bas, qui gardent si mal la paix, est cause que
les Utopiens n'en veulent point faire ; s'ils vivaient
en ces pays-ci, peut-être changeraient-ils leur opinion. Pour autant, même en admettant que la paix
soit bien gardée, il leur semble néanmoins mauvais
que se soit répandue la coutume de confirmer de
la sorte ladite paix, car de là advient que les
hommes pensent être nés pour être ennemis l'un à
l'autre, et pouvoir à bon droit s'entrenuire si
aucune paix ne le défend — comme si l'alliance de
nature ne suffisait pas à joindre et allier un peuple

avec un autre peuple, que ne séparent que le bref intervalle d'une colline ou d'un ruisseau. Or quand la paix est ainsi faite, néanmoins l'amitié entre eux n'en est pas plus corroborée, mais demeure une licence de piller les terres les uns des autres, dans la mesure où, les contrats de paix étant rédigés à mauvais escient, aucun terme n'a été inclus dans l'accord pour l'empêcher expressément. Les Utopiens, au contraire, sont d'opinion qu'on ne doit estimer son ennemi personne qui n'a fait aucun tort ou injure, et que l'alliance de nature entre les hommes doit tenir lieu de paix, et qu'il vaut bien mieux être conjoints par la bienveillance plutôt que par des promesses, et être unis de cœur plutôt qu'en paroles.

DE LA MANIÈRE DE GUERROYER DES UTOPIENS

Les Utopiens détestent et ont en horreur la guerre comme une chose brutale — laquelle toutefois chez aucune bête n'est autant en usage que chez les hommes — et font très peu d'estime de la gloire qu'on va chercher par les armes, ce qui va contre la mode presque de toutes les nations. Et bien qu'assidûment non seulement les hommes mais aussi les femmes[1], à certains jours déterminés, s'exercent audit métier de crainte qu'ils n'y deviennent malhabiles quand l'usage le requiert, toutefois communément ils n'entreprennent au-

cune bataille, sauf pour défendre leurs terres et
frontières, ou pour repousser les ennemis répandus parmi les champs de leurs amis et alliés, ou
par compassion envers quelque peuple oppressé
par la tyrannie, pour le délivrer de la servitude et
du joug du tyran — ce qu'ils font de tout leur
pouvoir par humanité et clémence. S'ils accordent
volontiers leur aide à leurs amis, ce n'est pourtant
pas toujours pour les défendre, mais parfois aussi
pour rendre et tirer vengeance du tort fait à leurs
amis. Mais certes ils ne font cela qu'à condition
qu'on aille les consulter avant d'avoir encore rien
entrepris, que la cause soit jugée juste, que l'objet
de la querelle ait été redemandé, et que la partie
adverse ait refusé sa restitution ; alors eux-mêmes
décident que la guerre doit être menée, et ce non
seulement toutes les fois que les ennemis ont mené
une incursion ou emporté quelque butin, mais
encore plus cruellement quand en quelque lieu on
a fait injure aux marchands de leurs dits amis
sous couvert de lois iniques, ou qu'ils ont été trompés sous couleur de justice par une interprétation
perverse de bonnes ordonnances[1].

Telle fut l'origine de la guerre, qui fut faite un
peu avant notre temps, que les Utopiens entreprirent de mener contre les Alaopolites en faveur
des Néphélogètes[2] : en effet les Alaopolites sous
couvert de justice avaient fait outrage aux marchands des Néphélogètes, à ce qu'il leur semblait.
Or, fût-ce à bon droit ou à tort, l'injustice fut punie
par un si cruel conflit — car cette bataille n'opposa pas seulement les puissances et les haines de
ces deux peuples, mais aussi les efforts et les biens

des nations voisines — que bien des nations qui
étaient très florissantes furent les unes grandement endommagées, les autres défaites et vain-
cues ; puis la reddition et l'asservissement des
Alaopolites mit un terme à ces maux qui se multi-
pliaient les uns des autres. Par cette reddition, les
Alaopolites tombèrent en la sujétion des Néphélogètes (car les Utopiens ne combattaient pas pour
eux-mêmes), qui étaient pourtant loin d'égaler la
puissance des Alaopolites au temps où ces derniers fleurissaient.

Voilà comment les Utopiens poursuivent âpre-
ment l'injure faite à leurs amis, même en matière
d'argent ; mais ils ne se vengent pas ainsi du tort
qui leur est fait à eux-mêmes. Si d'aventure il
advient qu'ils soient trompés et perdent de leurs
biens, moyennant qu'on ne fasse point violence à
leur corps, ils ne s'en montrent point autrement
courroucés, sinon qu'ils refusent de commercer
avec ceux qui les ont trompés jusqu'à ce qu'ils
aient obtenu réparation. Non qu'ils ne soient pas
aussi soigneux de leurs concitoyens que de leurs
alliés, mais ils sont plus mécontents qu'on dérobe
le bien de ces alliés que le leur propre, parce que
les marchands de leurs amis, quand ils perdent
quelque chose, c'est de leur argent ou bien particulier, et pour cette raison ils en reçoivent plus de
dommage, tandis que si leurs concitoyens perdent
quelque chose, c'est du bien public, et puis de ce
qu'ils ont en abondance chez eux : c'est comme
une chose superflue, et qui autrement ne serait
pas transportée en dehors du pays[1]. C'est pourquoi
s'il advient quelque détriment, personne d'eux ne

s'en ressent : pour cette raison, ils sont d'opinion que ce serait une trop grande inhumanité que de venger par la mort de plusieurs un tel dommage, dont personne d'entre eux n'aperçoit l'incommodité ni dans l'entretien de son corps ni dans celui de sa vie. En revanche, si l'un des leurs est en quelque contrée injustement blessé ou mis à mort, que ce soit par décision publique ou par l'action d'un particulier, une fois la chose connue et avérée par leurs ambassadeurs, jamais on ne les apaise qu'ils ne dénoncent aussitôt la guerre, à moins que les coupables ne leur soient rendus, auquel cas ils les punissent de mort ou de servitude.

Les victoires acquises par sang les fâchent, et même ils en ont honte, car ils estiment que c'est une bêtise que d'acheter trop cher une marchandise, aussi précieuse soit-elle. Mais ils se glorifient et réjouissent grandement quand leurs ennemis sont vaincus et écrasés par fraude et finesse : ils en triomphent publiquement et en dressent les trophées sur quelque lieu éminent, comme si ce fût une grande prouesse d'avoir ainsi vaincu. C'est alors qu'ils se vantent d'avoir agi virilement et vaillamment, toutes les fois qu'ils ont vaincu par force d'esprit et subtilité, ce qu'aucune autre bête ne peut faire à part l'homme ; car, disent-ils, les ours, les lions, les sangliers, les loups, les chiens et les autres bêtes ne bataillent que par force corporelle, et autant maintes d'entre elles nous surpassent en puissance et en cruauté, autant nous les surpassons toutes en esprit et en raison.

En leurs guerres ils n'ont égard qu'à une chose, c'est d'obtenir ce qui fait l'objet de leur querelle

— d'ailleurs, s'il leur avait été octroyé dès le commencement, ils n'auraient jamais fait la guerre.
Mais si la chose va autrement, ils tirent une si
sévère vengeance de ceux à qui ils imputent le fait,
que la terreur pour l'avenir les détourne de s'enhardir à faire rien de semblable. Voilà le but qu'ils
se fixent, et qu'ils poursuivent quand il en est
temps, tout en restant cependant plus soucieux
d'éviter, s'il est possible, le péril de guerre que
d'acquérir renom et louange par celle-ci. Donc
aussitôt que la guerre est dénoncée, ils font de
petits écrits, ou cédules[1], qu'ils signent de leur
seing public, et les font pendre secrètement sur la
terre de leurs ennemis en quelques lieux éminents,
toutes en même temps ; par celles-ci, ils promettent
de gros salaires à ceux qui occiront le prince
ennemi, puis font promesse aussi de donner un
loyer (non pas si grand, mais toutefois opulent et
magnifique) à ceux qui en feront autant aux personnages dont les noms sont spécifiés en ces
mêmes cédules, lesdits personnages étant ceux
qui, après le prince, sont considérés par eux comme
les auteurs de la décision de leur faire la guerre.
Tout ce qu'ils ont déterminé de donner aux meur-
triers susdits, ils le doublent quand on leur amène
un desdits personnages proscrits en vie. Et même,
si ceux qui sont proscrits et condamnés veulent
faire la même chose envers leurs compagnons, ils
ont le loyer que j'ai allégué, et on leur remet la
peine qui leur était promise. Par quoi il se fait bien
vite que ledit prince et aussi lesdits proscrits se
défient de tous les autres, et même ne se fient pas
l'un à l'autre, et sont en grande crainte et en non

moindre péril. Il est certain que souvent par cela il est advenu que la plus grande partie des proscrits, et même le prince, ont été trahis par ceux à qui ils se fiaient totalement. Voilà comment les dons et présents poussent facilement à tout mal. Les Utopiens en usent d'ailleurs sans mesure : n'oubliant pas en quel danger ces dons invitent les hommes à se hasarder, ils prennent soin que la grandeur du péril soit compensée par l'abondance des biens, et ainsi promettent-ils non seulement un gros monceau d'or, mais aussi des terres de grand revenu en lieux sûrs chez leurs amis, terres qu'ils assignent comme leur propriété perpétuelle à ceux qui font tels actes, et ils leur tiennent promesse fidèlement et entièrement.

Les Utopiens s'estiment acquérir un grand honneur, comme gens sages et bien avisés, par cette mode de mettre à prix et acheter son ennemi, que les autres nations blâment et réprouvent comme si ce fût le fait d'un cœur cruel et dégénéré. Ils s'en justifient en disant que par ce moyen ils se déchargent de grosses guerres sans coup férir, et qu'ils sont humains et miséricordieux parce qu'ils rachètent la vie d'une grande quantité d'innocents par la mort de peu de coupables, lesquels innocents eussent été tués en bataillant, tant de leur côté que de celui de leurs ennemis — car ils ont quasi aussi grande pitié du commun peuple et de la tourbe ennemie que des leurs, sachant qu'ils n'entreprennent pas la guerre de leur propre gré, mais y sont contraints par la furie des princes. Et si ce procédé ne réussit pas, ils trouvent le moyen de semer quelque discorde entre le frère du prince

(s'il en a) et ledit prince, ou entre lui et quelque
grand seigneur de sa cour, en lui donnant espérance de s'emparer du pouvoir. Si de telles sortes
de ligues et factions ne se peuvent faire à l'intérieur du royaume, ils excitent contre leurs ennemis
les peuples voisins et les mettent en différend, en
exhumant quelque vieux titre ou droit sur quelques
terres, dont les rois ne sont jamais en défaut[1]. En
outre ils leur promettent l'aide de leurs biens pour
mener la guerre et leur élargissent abondamment
de l'or et de l'argent pour ce faire. Pour ce qui est
de leurs citoyens, ils les hasardent aux conflits le
moins qu'ils peuvent : ils les chérissent et aiment
tant, et ceux-ci se prisent tant les uns les autres,
qu'ils ne voudraient volontiers échanger l'un
d'entre eux contre un prince ennemi. Mais comme
tout l'or et l'argent qu'ils ont s'emploient seulement à l'usage de la guerre, ils ne le distribuent
pas à regret, car même s'il était entièrement
dépensé à cette affaire, ils ne laisseraient pas de
vivre aussi bien que d'habitude. Qui plus est, outre
leurs richesses domestiques, ils ont un trésor infini
hors de leur pays, constitué (comme j'ai dit auparavant[2]) par les dettes qu'ont envers eux plusieurs
nations. Ainsi entretiennent-ils grâce à cela des
gens de guerre qui sont à leur solde, et les envoient
aux conflits quand besoin en est : ces gens viennent
de tous côtés, et principalement des Zapolètes[3].

Ce peuple est éloigné d'Utopie de cinq cents
milles, vers le soleil levant. C'est une nation barbare, sauvage, farouche, tenant de la nature des
forêts et âpres montagnes où ils sont nourris ; une
gent endurcie, patiente au chaud, au froid et au

travail, ignorante de tous plaisirs et voluptés, sans pratique de l'agriculture, nonchalante d'édifices et vêtements, ayant seulement le soin du bétail, et pour la plus grande partie vivant de chasse et de rapine. Ces gens-là ne sont nés que pour la guerre, et cherchent tous les moyens de guerroyer; dès qu'ils les ont trouvés, ils s'en emparent avec convoitise, puis partent de leur pays en grosse troupe, et s'offrent pour de bien petits gages à tous ceux qui les demandent. Ils ne savent qu'un métier pour vivre : celui par lequel on acquiert la mort. Ils bataillent vertueusement, vaillamment et fidèlement pour ceux qui les gagent, mais ils ne s'obligent jusqu'à nul jour déterminé : ils viennent se rendre à un parti sous cette condition que si, le jour d'après, la partie adverse leur donne de plus gros gages, ils s'y rallieront — mais si, le jour suivant, les premiers qu'ils ont servis leur offrent davantage, ils retournent sous leur solde. On ne fait guère de guerres où il n'y ait un grand nombre d'entre eux en l'une et l'autre armée; par quoi il advient chaque jour que même ceux qui sont parents par le sang et qui, lorsqu'ils étaient gagés ensemble dans le même parti, vivaient familièrement et aimablement les uns avec les autres, peu après se trouvent séparés en divers osts[1], et alors guerroient mortellement l'un contre l'autre et s'entre-tuent, le cœur rempli de haine, oublieux de leur race et de leur amitié, sans aucune cause pour s'entrenuire, sinon qu'ils sont faits soudards de divers princes pour une bien petite somme d'argent — à laquelle ils tiennent cependant si fort que, s'ils trouvent quelqu'un qui leur donne une pièce de plus que leurs gages qu'ils reçoivent par jour, facilement ils seront induits à changer de partie. Ainsi se sont-ils rapidement imbus d'avarice, qui ne leur profite toutefois en rien. Car ce qu'ils acquièrent par le sang, ils le consomment et dissipent soudain en des excès misérables.

Ce peuple-ci mène la guerre pour les Utopiens contre n'importe qui, parce qu'ils sont mieux gagés par lesdits Utopiens que par nuls autres. De même que les Utopiens s'abouchent avec des gens de bien dont ils usent, de même s'allient-ils avec de mauvais garnements dont ils abusent. Ceux-là, quand il en est temps, sont par eux exposés aux plus grands hasards et dangers, par l'impulsion et l'attrait de magnifiques promesses ; mais souvent la plus grande partie de ces méchants aventuriers ne revient jamais de la guerre pour demander ce qui lui était promis. Ceux qui demeurent vivants, ils leur tiennent promesse fidèlement et entièrement, afin qu'ils les enflamment pour l'avenir à de semblables entreprises et hardiesses. Il ne chaut pas beaucoup aux Utopiens s'ils perdent un grand nombre desdits Zapolètes, considérant qu'ils feraient grand plaisir au genre humain s'ils pouvaient nettoyer et purger le monde de tout ce ramassis de peuple si mauvais et détestable[1].

Après cesdites bandes d'aventuriers, les Utopiens usent des compagnies de ceux pour qui parfois ils prennent les armes, puis s'aident des gens d'armes de leurs amis et confédérés. Finalement ils y ajoutent leurs citoyens, d'entre lesquels ils élisent un homme de guerre éprouvé qu'ils instituent chef de toute l'armée, et auquel ils subordonnent deux lieutenants ; tant que ledit général est sain et entier, les deux autres n'ont nulle charge, mais s'il est pris ou tué, l'un des deux lieutenants lui succède comme par droit héréditaire, puis à l'autre lieutenant est adjoint un tiers, afin que si d'aventure, compte tenu des hasards de la guerre, le général périssait, toute l'armée ne fût troublée et mise en déroute.

Dans chaque cité on choisit les soldats qui seront recrutés parmi ceux qui se portent volontaires ; car jamais on ne pousse aux armes, pour guerroyer dehors, personne malgré qu'il en ait, parce qu'ils sont bien persuadés que si quelqu'un par nature est craintif, il ne fera aucune prouesse, mais qui pis est, donnera crainte à ses compagnons. Mais s'il est question que quelque bataille survienne en leur pays, ils mettent cette sorte de gens lâches et couards (moyennant qu'ils soient sains) dans les navires, parmi d'autres qui sont hardis et chevaleresques, ou ils les placent çà et là sur les murailles en quelque lieu d'où ils ne puissent fuir : ainsi la honte envers les leurs, l'ennemi à portée de main et le désespoir de fuir leur ôtent la crainte, et souvent l'extrême nécessité se convertit en prouesse et magnanimité.

Et autant aucun d'eux n'est mené à la guerre contre sa volonté, autant on ne défend point aux femmes d'y aller si elles veulent accompagner leurs maris ; qui plus est, elles y sont admonestées et incitées par des louanges. Et quand elles s'y trouvent, elles sont rangées aux côtés de leurs dits maris, et tout à l'entour sont mis leurs enfants et leurs parents par le sang ou par alliance, afin que

puissent mieux se secourir les uns les autres ceux
que la nature pousse davantage à s'entraider[1].
C'est pour eux un grand scandale quand l'homme
revient de la guerre sans sa femme, ou la femme
sans l'homme, ou quand le fils revient après avoir
perdu son père ; si bien que si l'on en est venu au
corps-à-corps avec eux, moyennant que les ennemis persévèrent à guerroyer, la bataille est longue
et meurtrière, et l'on combat jusqu'à la mort.

Autant ils sont soucieux par-dessus tout d'éviter
qu'ils ne bataillent eux-mêmes, s'ils peuvent être
exempts de s'y trouver et envoyer à leur place
quelques soudoyés, autant, quand ils ne peuvent
faire autrement que d'être présents au conflit, ils
l'entreprennent aussi hardiment qu'ils l'ont prudemment refusé tant qu'il leur a été possible ; et ils
ne s'échauffent point tant de la première impétuosité qu'ils ne se renforcent petit à petit avec le
temps, et ont le courage si ferme qu'on les tuerait
plutôt que de leur faire tourner le dos[2]. Car l'assurance qu'a chacun de trouver des vivres en sa
maison et l'absence de préoccupation vis-à-vis de
l'avenir de leurs enfants (qui est un souci qui débi-
lite en tous lieux les cœurs magnanimes) les
élèvent, et pour cette raison ils refusent de se
laisser succomber. En outre le savoir qu'ils ont
aux armes leur donne confiance. Enfin les droites
opinions dont ils sont imprégnés dès leur jeunesse
par l'instruction et les bonnes institutions de leur
République ajoutent encore à leur courage : ainsi
ne méprisent-ils pas tant leur vie qu'ils aillent l'exposer aux dangers follement, mais ils ne l'estiment
point non plus si chère qu'ils veuillent la retenir

avaricieusement et honteusement, quand l'honnêteté les invite à la mettre en péril.

Quand ils sont au plus fort de la guerre, une
bande des plus chevaleresques jouvenceaux qui
ont conjuré la mort du chef d'armée adverse, et
qui se sont voués à vaincre ou mourir en cette
épreuve, vont par les rangs chercher ledit chef en
l'attaquant à découvert ou en l'assaillant par ruse,
et de près comme de loin ne poursuivent personne
d'autre. Finalement par ladite compagnie qui
adopte une formation en triangle, allongée et inin-
terrompue (car quand certains sont lassés, ils sont
incessamment remplacés par des troupes fraîches),
ledit chef est assiégé, si bien qu'il advient bien
rarement qu'il ne soit pas occis, ou qu'il ne tombe
pas vivant en la puissance de ses ennemis, s'il ne
se sauve par la fuite.

Si la victoire est pour eux, ils ne se livrent point
au carnage ; ils capturent plus volontiers les
fuyards qu'ils ne les tuent, et ne les poursuivent
jamais sans retenir pendant ce temps une compagnie de leur armée en ordre de bataille sous son
enseigne : aussi préfèrent-ils permettre que tous
leurs ennemis se retirent plutôt que de s'accou-
tumer à poursuivre lesdits fuyards avec des troupes
en désordre, s'ils ont obtenu la victoire avec leur
arrière-garde, tout le reste de leur armée ayant été
mis en déroute ; car ils se souviennent que maintes
fois il leur est advenu qu'après que la plus grande
part de toute leur armée eut été rompue et mise en
fuite, comme leurs ennemis se réjouissaient de la
victoire et poursuivaient les fuyards de çà et de là,
alors un petit nombre desdits Utopiens, qui avaient

été mis à part pour porter secours si besoin en était et pour faire attention aux aventures et accidents qui pourraient s'offrir, voyant lesdits ennemis vagants, dispersés et présumant trop de leur sécurité, soudain les vinrent assaillir, et changèrent le sort de tout le conflit, si bien que lesdits Utopiens ôtèrent des mains de leurs ennemis la victoire, qui était auxdits ennemis indubitable et certaine, et que finalement les vaincus surmontèrent les vainqueurs à leur tour.

Il n'est pas aisé de dire si lesdits Utopiens sont plus habiles à dresser des ruses contre leurs ennemis ou à les déjouer. Ils font semblant quelquefois de vouloir tourner le dos, mais ils pensent tout l'opposé, et quand ils veulent se retirer, ils le font de telle sorte que leurs ennemis estimeront tout le contraire. Or s'ils se sentent menacés par le terrain, ou par le trop grand nombre de leurs adversaires, alors une belle nuit, sans faire de bruit, ils déplacent leur camp, ou jouent de quelque autre ruse, ou bien de jour petit à petit se retirent, en gardant si bon ordre que leurs ennemis ne courent pas moins de péril à les assaillir tandis qu'ils fuient que s'ils tenaient bon.

Ils munissent leur camp très diligemment de fossés larges et profonds, et jettent la terre à l'intérieur dudit camp. Et pour cela ils n'emploient aucuns manouvriers ou pionniers autres que leurs soldats ; tous y besognent, hormis ceux qui sont en armes devant les remparts à faire le guet, de crainte des escarmouches et soudaines alarmes. Donc avec les efforts de tant de gens d'armes, ils dressent plus rapidement qu'on ne saurait croire de grandes fortifications qui entourent un vaste espace.

Pour recevoir et soutenir les coups, ils sont armés d'armures fortes et puissantes, qui ne sont pesantes ni n'empêchent de se mouvoir et voltiger, au point que même en nageant elles ne les gênent en rien. En leurs exercices et apprentissages militaires, ils s'accoutument en effet à nager tout armés. Les armes avec lesquelles ils bataillent de loin sont des flèches, qu'ils tirent puissamment et fort droit, non seulement à pied, mais aussi à cheval ; pour guerroyer de près, ils n'usent pas d'épées, mais d'une sorte de hache qui est aiguë et pesante, et fort meurtrière, que l'on en frappe d'estoc ou de taille. Ils inventent industrieusement certaines machines de guerre, et quand elles sont faites ils les cèlent soigneusement, de crainte que leurs ennemis n'en aient vent, car si elles étaient exposées avant qu'on vînt à la guerre, la chose pourrait plutôt tourner à leur moquerie qu'à leur profit. En les forgeant par-dessus tout ils prennent garde qu'elles soient faciles à transporter et à manœuvrer.

Ils gardent si inviolablement les trêves conclues avec leurs ennemis que même si sur ces entrefaites ils sont provoqués à la guerre, ils refusent de les rompre. Ils ne pillent ni ne gâtent les terres de leurs dits ennemis, et pareillement ils ne brûlent pas les récoltes, mais qui plus est, autant qu'il leur est possible, ils font en sorte que lesdites récoltes ne soient pas foulées aux pieds par les hommes et les chevaux, car ils estiment qu'elles croissent pour leur usage. Ils n'offensent jamais ni ne blessent un homme désarmé, si ce n'est quelque espion. Les villes qui se rendent à eux, ils les sauve-gardent; ils ne saccagent pas même celles qu'ils ont prises par assaut, mais ils font mourir ceux qui ont empêché la reddition, et réduisent les autres défenseurs en servitude. Ils ne touchent pas à ceux qui ne peuvent se défendre. S'ils trouvent certains qui aient donné le conseil de se rendre, ils leur donnent quelque portion des biens de ceux qu'ils ont condamnés à mourir; le reste, ils l'élar-gissent aux gens d'armes qui sont venus à leur secours. Aucun d'eux ne prend du butin.

Quand la guerre est finie, ce ne sont pas leurs alliés pour qui ils ont bataillé qui supportent les frais, mais les vaincus, et ils leur font payer à ce titre une partie en argent, qu'ils réservent pour de semblables affaires de guerre, l'autre partie en terres qui leur demeurent toujours, et qui ne sont pas de petit revenu. Ils ont maintenant en plu-sieurs nations telles sortes de rentes qui, consti-tuées petit à petit de diverses affaires, se sont montées à plus de sept cent mille ducats tous les ans. Et sur ces terres-là ils envoient quelques-uns d'entre eux demeurer en qualité de receveurs, qui vivent magnifiquement et se montrent grands sei-gneurs en ces lieux. Après que lesdits receveurs sont, eux et leur train, entretenus par ledit revenu, il demeure encore de grosses sommes d'argent qu'ils mettent en leur trésor public, à moins qu'ils n'aiment mieux les prêter au peuple de ce pays — ce qu'ils font souvent, jusqu'à ce qu'ils en aient besoin, et encore est-il bien rare qu'ils rede-mandent le tout. De ces terres-là ils en assignent

une portion à ceux qui, en répondant à leurs inci-
tations, ont encouru le danger que j'ai déclaré ci-
devant[1]. Si quelque roi ou prince prend les armes,
et s'il se prépare à envahir leurs possessions,
soudain ils se portent hors de leurs frontières avec
des forces importantes pour aller à sa rencontre ;
car ils n'entreprennent guère souvent de faire la
guerre sur leurs terres, et il n'est aucune nécessité
si grande qu'elle les contraigne à recevoir en leur
île le secours d'aucune nation étrangère.

DES RELIGIONS DES UTOPIENS

Leurs religions sont différentes non seulement
par toute l'île, mais même dans chaque ville[2]. Les
uns adorent le soleil, les autres la lune, et les
autres quelque autre planète en guise de dieu. Il y
en a certains qui honorent et tiennent non seulement pour un dieu, mais pour leur souverain Dieu,
quelque personnage dont la vertu et la gloire au
temps passé ont resplendi. Mais la plus grande
partie d'entre eux, et la plus sage, ne croit rien de
tout cela, mais pense qu'il est quelque unique
déité à eux inconnue, qui est éternelle, immense,
inexplicable et que l'humaine pensée ne peut comprendre, répandue à travers tout cet univers non
pas en étendue, mais en vertu[3] : celui-ci, ils l'appellent Père. Ils confessent que toutes choses
prennent de lui leur commencement, leur accroissement, leur continuation, leur changement et

leur fin, et ne rendent à nul autre qu'à lui les honneurs qui appartiennent à Dieu. Et quoique tous les autres aient une croyance différente, néanmoins ils s'accordent avec ceux-ci en ce point, à savoir qu'ils sont d'opinion qu'il est un souverain seigneur auquel on doit attribuer à la fois la formation du monde et la providence qui le gouverne, et tous l'appellent communément en langage du pays Mythra[1]; mais ils sont discordants en ceci, que ceux qui adorent le Soleil disent que c'est lui qui est Dieu, ceux qui adorent la Lune en disent autant, et ainsi de suite des autres. Bref chacune de ces sectes différentes croit, quel que soit le souverain qu'elle se reconnaisse, que celui-ci est bien cette même nature à la déité et majesté unique de laquelle on attribue, par un consentement et accord unanime, la souveraineté de toutes choses. Mais maintenant tous les Utopiens se détournent petit à petit de cette variété de superstitions et se réunissent en cette unique religion qui semble surmonter les autres par la raison. Et il n'y a point de doute que toutes ces superstitions ne se fussent déjà évanouies et abolies si la crainte n'eût donné à entendre auxdits Utopiens, quand il advient quelque infortune au moment de décider de changer leur religion, que ladite infélicité ne survient pas par hasard, mais procède du Ciel, comme si Dieu voulait se venger d'eux et de leur infidèle entreprise de vouloir délaisser le culte légué par leurs aïeux.

Après qu'ils ont su de nous et ouï parler de notre Seigneur Jésus Christ, de sa doctrine, de ses mœurs et de ses miracles, et aussi de la merveilleuse constance de tant de martyrs dont nous faisions mention, qui par leur sang volontairement répandu ont attiré à leur secte un si grand nombre de nations, on ne saurait croire comme ils se sont rangés à ladite secte chrétienne avec beaucoup d'affection, ce qui est advenu peut-être par une secrète inspiration de Dieu, ou parce qu'il leur a semblé que notre dite secte fût fort approchante de celle qui est chez eux la meilleure[1]. Et ce qui y a beaucoup aidé, à ce que je crois, c'est qu'ils avaient entendu que c'était la volonté de Jésus Christ que ses disciples et apôtres vécussent en commun, et que dans les couvents chrétiens gardant vraiment leur règle, cette coutume durait encore[2]. Bref, de quelque façon que cela soit advenu, plusieurs d'entre eux se sont alliés à notre religion et furent baptisés. Mais parce que de tout le nombre de compagnons que nous étions, il n'y avait que nous quatre vivants (deux avaient trouvé la mort), et que de ces quatre nul n'était prêtre, ce dont je suis marri, nous ne pouvions leur conférer tous les sacrements. Aussi lesdits Utopiens sont-ils encore privés des sacrements que nul chez nous ne peut conférer s'il n'est prêtre[3]. Ils entendent cependant leur nature, et les désirent plus que nulle autre chose ; et même ils disputent soigneusement entre eux pour savoir si, sans l'entremise d'un évêque chrétien, quelqu'un de leur nombre, élu pour être prêtre, peut acquérir le caractère de prêtrise. Il semblait qu'ils en voulussent élire, mais quand je partis ils n'en avaient pas encore élu.

Ceux qui ne veulent pas croire à Jésus Christ ne menacent ni ne donnent aucune terreur à ceux qui sont conduits par sa loi ; sauf que j'en vis quelque jour un de notre alliance, qui fut mis en prison en ma présence. Car comme celui-ci était nouvellement baptisé, et comme (contre notre conseil) il tenait publiquement des propos plus zélés que prudents sur le culte de Jésus Christ, il commença à s'échauffer au point d'affirmer non seulement qu'il préférait nos cérémonies et sacrifices à tous les autres, mais qu'il blâmait universellement les autres comme des cultes profanes, et il disait que leurs sacrificateurs étaient des infidèles et des sacrilèges, et qu'ils seraient punis en enfer par le feu éternel. Après qu'il eut longtemps prêché de telles choses, ils le prirent, l'accusèrent et le condamnèrent, non pas pour avoir méprisé leur religion, mais parce qu'il avait excité le peuple au tumulte, et conséquemment l'envoyèrent en exil[1]. Certes entre leurs plus vieilles ordonnances on dénombre celle-ci, qui interdit de faire tort à personne à cause de sa religion.

Avant que le roi Utopus vînt en cette île, il connut que le peuple étranger qui était venu demeurer en ladite île avait connu de constants désaccords et différends touchant la religion, et remarqua que toutes les sectes de ladite île, étant discordantes au sujet du culte, bataillaient pour le pays chacune de leur côté, ce qui lui avait donné l'occasion, au commencement, de les vaincre toutes. Or quand il eut obtenu la victoire sur ce peuple utopien, sa principale ordonnance fut que chacun prît et suivît une religion comme bon lui semblerait ; et que chaque secte pouvait s'efforcer de gagner les autres à sa manière d'adorer, moyennant que ce fût dou-

cement et modestement, en alléguant des raisons
péremptoires pour le soutien de son culte, et non
pas en détruisant les autres par force et violence si
la persuasion échouait; il prohiba d'y procéder
par voie de fait, et ordonna qu'on s'abstînt de tout
blâme ou insulte; tant et si bien que si quelqu'un
dispute sur ce sujet avec trop d'arrogance, on le
bannit ou on le réduit en servitude.

Voilà les statuts de leur prince Utopus, non qu'il
fît cela par égard seulement pour la paix, qu'il
voyait être annihilée et anéantie par la haine impla-
cable et les luttes perpétuelles qui opposaient ses
sujets, mais parce qu'il pensait que proclamer de
tels statuts était dans l'intérêt de la religion elle-
même. Lui-même n'osait rien définir imprudem-
ment au sujet de ladite religion, car il n'était même
pas certain que Dieu ne désirât pas être adoré de
diverses manières, et n'inspirât pas une chose à
l'un, et l'autre à l'autre. Cet Utopus établit aussi
que ce serait une chose inepte et insolente de
contraindre personne par la force et les menaces
au culte d'un dieu, et de vouloir que ce que l'un
croit être vrai doive paraître tel à tous les autres;
en particulier, si une religion est vraie et que toutes
les autres soient fausses, ledit roi Utopus prévoyait
que finalement à l'avenir la vérité pourrait se mani-
fester et apparaître de soi-même, moyennant que
la chose fût menée avec raison et modération[1].
Mais si on y procédait par armes et tumultes, les
pires hommes étant aussi les plus obstinés, ils suf-
foqueraient la très bonne et très sainte religion
sous le conflit de leurs vaines superstitions, comme

les bons grains périssent entre les épines et ron-
ciers.

C'est pourquoi il abandonna la question sans la
trancher, et laissa chacun libre d'en croire ce qu'il
en pensait, sinon qu'il prohiba et défendit entièrement et inviolablement que nul ne fût si abâtardi
ni dégénéré de la dignité de la nature humaine,
qu'il crût que les âmes mourussent avec le corps,
et que le monde se régît sans la providence de
Dieu[1]; pour cette cause, les Utopiens croient
qu'après cette vie, des supplices et des peines sont
infligés aux vices, et des rémunérations décernées
aux vertus. Ceux qui croient l'opposé, parce qu'ils
dégradent tant la sublime nature de leur âme en
l'égalant à la vileté[2] du corps bestial, ils ne les estiment pas dignes d'être du nombre de leurs citoyens,
ni même du rang des hommes; car si la crainte
n'empêchait cette sorte de gens-là, ils feraient sans
doute autant de cas des statuts et des manières de
vivre des autres bons bourgeois que d'un flocon de
laine. En effet, qui est-ce qui doute que de tels personnages, qui sont asservis à leur désir particulier, et qui n'ont (hors les lois) aucune crainte de
rien, ni nul espoir après que leur corps est mort,
ne s'efforceraient (s'il n'y avait ladite crainte) de
se jouer secrètement des lois publiques du pays,
ou de les enfreindre par la violence? Pour cette
raison, nul honneur n'est communiqué par les
Utopiens à ceux qui sont de cette opinion; nulle
charge ni nul office public ne leur sont baillés; ainsi
sont-ils vilipendés et délaissés çà et là, comme
des gens pusillanimes et nonchalants. Du reste on
ne les punit pas autrement, parce que les Utopiens

croient que nul n'a le pouvoir de comprendre tout ce qu'il voudrait bien ; ils ne les contraignent pas non plus par des menaces à dissimuler leur cœur, car ils veulent que chacun exprime ce qu'il pense en son entendement sans feintise ni menterie, et vous ne sauriez croire comme ils haïssent la dissimulation et l'hypocrisie, parce que ce sont les germes de la tromperie. Toutefois ils interdisent que les hommes qui ont de telles opinions puissent les défendre, du moins devant le peuple ; mais si c'est à part, devant les prêtres et les personnages d'autorité, non seulement cela leur est permis, mais même ils les admonestent à le faire, dans l'espérance qu'à l'avenir leur folie cédera enfin le pas devant la raison.

Il y en a d'autres qui ne sont pas en petit nombre, qui ne pensent mal faire, et auxquels on ne défend pas (comme s'ils étaient fondés en quelque raison) de parler et disputer de ce qui procède de leur entendement ; ces personnes soutiennent une erreur toute contraire aux autres, car elles sont d'opinion que les bêtes brutes ont des âmes immortelles et éternelles, mais qu'elles ne sont pourtant pas à comparer aux nôtres en dignité, et ne sont pas non plus nées pour avoir une félicité et une béatitude égales aux nôtres[1].

En effet, presque tous les Utopiens tiennent pour tout certain que la béatitude des hommes doit être pour l'avenir si grande que, quand il arrive que l'un d'entre eux vient à être malade, ils pleurent et lamentent la maladie, mais de la mort ils ne s'affligent aucunement — sinon de celle de ceux qu'ils voient mourir à grand regret, et de ceux-là ils ont un très mauvais présage, et y prennent aussi mauvais signe en jugeant eux-mêmes que les âmes de tels personnages sont comme désespérées et montrent qu'elles se sentent coupables, craignent le départ, et devinent secrètement qu'elles seront punies pour leurs délits. En outre lesdits Utopiens pensent que l'arrivée de celui qui est mandé, lorsqu'il doit être poussé malgré lui et de force, n'est guère agréable à Dieu[1]. Donc ceux qu'on voit mourir d'un tel genre de mort, on en a horreur, et les corps des défunts sont portés avec tristesse et en silence, puis après avoir prié Dieu qu'il lui plaise d'être favorable aux pauvres âmes, et qu'il veuille doucement supporter les imperfections des trépassés, ils mettent le corps en terre. Au contraire, tous ceux qui meurent volontairement et pleins de bon espoir ne sont pleurés par personne, mais en chantant on suit leurs corps, et avec une grande affection on recommande leurs âmes à Dieu ; finalement ils brûlent lesdits corps plus révéremment que dolentement[2], et sur place ils érigent une colonne où sont gravées les louanges des défunts. Quand ils sont retournés à la maison, ils tiennent propos des mœurs et des actes desdits défunts, lesquels n'ont rien fait en leur vie de louable dont ils fassent plus d'estime que de leur mort joyeuse. Ils croient qu'une telle recordation[3] de bonté est pour les vivants une très efficace incitation à la vertu, et aussi qu'un tel honneur est très agréable aux trépassés, lesquels, à ce qu'ils pensent, assistent aux propos qui se tiennent d'eux, bien qu'on ne les voie point, parce que les yeux des hommes ne sont pas assez subtils et aigus pour les

contempler. Lesdits Utopiens tiennent ces choses
pour certaines, et allèguent pour raison qu'il serait
malséant à l'état des bienheureux d'être privés de
la liberté d'aller et venir où il leur plairait, et aussi
qu'ils seraient ingrats d'avoir totalement délaissé
le désir d'aller voir leurs amis, auxquels l'amour
mutuel et la charité les ont liés quand ils vivaient,
laquelle charité devrait (ainsi qu'ils conjecturent)
être plutôt augmentée que diminuée après la
mort en de tels vertueux personnages, de même
que tous les autres biens se sont multipliés pour
eux après leur décès. Donc les Utopiens croient
que les trépassés conversent avec les vivants, et
qu'ils sont contemplateurs de leurs faits et dits.
Pour cette raison entreprennent-ils plus hardiment leurs affaires, comme si lesdits trépassés
étaient leurs coadjuteurs[1]; de plus, s'ils s'étaient
proposé de faire secrètement quelque chose qui
ne fût pas honnête, la présence de leurs ancêtres
défunts qu'ils pensent toujours être avec eux les
en garde, et leur donne terreur de commettre cette
malhonnêteté.

Ils méprisent et se moquent des devins et des
gens qui s'adonnent à une vaine superstition, auxquels les autres nations ont grandement égard. À
l'inverse, les Utopiens ont en grande révérence les
miracles qui proviennent sans aucune cause ou
opération naturelle, et les vénèrent comme des
œuvres attestant la présence de la divinité : souvent,
disent-ils, il en advient en leur pays. Et singulièrement en des circonstances graves et douteuses
lesdits Utopiens font des processions publiques
pour prier Dieu avec beaucoup de foi, grâce à

quoi leurs demandes sont communément exau-
cées, et là voit-on maints miracles.

Ils pensent que c'est rendre un culte agréable à
Dieu que de contempler les œuvres de nature, et
de donner louange à l'ouvrier qui les a faites. Toutefois il y en a certains entre lesdits Utopiens, et
pas en petit nombre, qui, émus de dévotion,
méprisent les lettres et ne s'adonnent à aucune
science, sans être oisifs toutefois, et tiennent qu'on
n'acquiert et mérite la future béatitude après la
mort que par les travaux corporels et en faisant
plaisir à autrui par son labeur. Pour cette raison,
les uns s'appliquent totalement à servir les malades ;
les autres refont les chemins, curent les fossés,
radoubent les ponts, fouissent des mottes de terre
et du sablon, ou tirent de la pierre, abattent des
arbres et les débitent ; ils mènent en charrette du
bois, des grains, aussi d'autres choses aux villes, et
ne se montrent pas seulement serviteurs de chacun
en public, mais aussi en particulier plus que serviteurs. En tous lieux où il y a quelque ouvrage
laborieux, difficile ou malpropre, que plusieurs
craignent d'entreprendre pour le travail qui y gît,
ou parce qu'ils sont fâchés d'y mettre les mains
pour la vileté de la besogne, ou pour la raison
qu'ils ne pensent en pouvoir venir à bout, les
susdits en prennent toute la charge joyeusement
et volontairement, et procurent que tous ceux qui
ne sont pas de leur secte vivent en repos, par leur
perpétuel travail où ils vaquent sans cesse. Et pour
autant ils ne blâment pas la vie des autres en exal-
tant la leur. Plus ceux-ci se montrent serviteurs,
plus ils sont honorés de tous les autres Utopiens.

Ils ont deux sectes de tels personnages chari-
tables. L'une ne se marie jamais, demeure totalement chaste et ne mange pas de viande (ni même,
pour certains d'entre eux, d'aucun animal qui ait
eu vie), et méprise totalement les plaisirs et passe-
temps mondains de la vie présente, comme si ce
fût chose nuisible. Ils tendent seulement et tâchent
à parvenir à la vie future, par les veilles, les sueurs
et les peines, et cependant sont joyeux et dispos,
dans l'espoir d'obtenir en peu de jours ce qu'ils
désirent. L'autre secte, qui n'est pas moins laborieuse, se marie, et ne tient pas en mépris les
œuvres et soulagements du mariage ; ils consi-
dèrent qu'ils sont eux-mêmes obligés à la nature,
et que leur lignée doit être vouée au service du
pays. Ceux-ci ne refusent aucun plaisir pourvu
qu'il ne les retarde pas de la besogne et du travail ;
ils aiment les chairs des bêtes à quatre pieds, pour
la raison qu'il leur semble que cette viande les
rende plus forts et robustes à toute besogne. Les
Utopiens estiment que ceux-ci sont les plus prudents, et les autres les plus saints et religieux : s'ils
se fondaient sur la raison pour préférer la chasteté
et la continence au mariage, et la vie austère à
la vie joyeuse et douce, les Utopiens s'en moque-
raient ; mais parce qu'ils disent qu'ils le font par
dévotion, ils les louent et les ont en grande révérence[1]. Ils se gardent en effet soigneusement de
parler indiscrètement d'aucune religion. Les Utopiens en leur langue nomment ces sortes de gens
dévots Buthresques, que nous pouvons traduire
en français par Religieux[2].

Ils ont pareillement des prêtres d'excellente

sainteté, et n'en ont guère, si bien qu'en chaque
ville il n'y en a point plus de treize, pour autant
d'églises. Et quand on va à la guerre on en mène
sept de chaque ville avec les gens d'armes, et
pendant ce temps on en met sept autres à leur
place ; quand ceux qui ont été à la guerre sont
revenus, on les remet chacun en sa place. Ceux
qui étaient substituts, on les établit avec l'évêque,
puis à mesure que les prêtres en place décèdent,
ils leurs succèdent par ordre. De ces treize prêtres
que j'ai dit, il y en a un qui est supérieur, comme
nous disons un évêque. Lesdits prêtres sont élus
par le peuple au suffrage secret à la manière des
autres magistrats, pour éviter les faveurs, et quand
ils sont élus leur communauté ou collège les
consacre. Ils ont la charge du service divin et des
affaires religieuses, et aussi de corriger et réformer
les mœurs. Les Utopiens estiment que c'est une
chose bien honteuse quand quelqu'un est convoqué
devant lesdits prêtres et réprimandé par eux pour
mauvaise vie.

Autant c'est l'office des prêtres d'admonester et
exhorter le peuple, autant c'est la charge du prince
et des autres magistrats d'emprisonner et punir
les malfaiteurs. Les prêtres ont néanmoins la puissance d'interdire d'entrer à l'église et de participer
aux sacrifices ceux qu'ils trouvent obstinés et endur-
cis à tout mal, et il n'y a aucune peine dont les
Utopiens aient plus grande horreur. Ceux qui sont
en cet état sont en la plus grande infamie où ils
sauraient être, et leur conscience est merveilleusement agitée par la crainte d'être damnés ; même
leur corps n'est guère assuré, car s'ils ne viennent

soudain devant les prêtres pour recevoir pénitence, le sénat les fait prendre et les punit de leur
impiété[1].

Les prêtres ont le soin d'instruire et endoctriner
les enfants et autres jeunes gens, et leur montrent
à bien vivre avant que de leur enseigner les lettres.
Ils sont grandement soigneux de dresser les esprits
des jeunes enfants pendant qu'ils sont tendres et
faciles, et de les induire à de bons jugements et des
opinions droites et utiles à la conservation de leur
République. Car quand de telles opinions ont pris
leur siège au cerveau desdits jeunes enfants, croyez
que quand ils sont parvenus en l'âge d'homme, ils
les retiennent, et même tant qu'ils vivent. De surcroît, lesdits bons jugements contribuent grandement à préserver l'état du bien commun, qui ne
déchoit et ne s'anéantit guère que par la faute des
vices qui procèdent de perverses opinions.

Les prêtres sont mariés aux femmes les plus
excellentes de tout le peuple (du moins les prêtres
qui ne sont pas eux-mêmes des femmes, car ce
sexe-là n'est point exclu de cette dignité, mais on
n'en élit guère ; encore faut-il que ce soient des
femmes veuves, et qu'elles soient déjà âgées). En
effet à nul magistrat on ne porte honneur plus
grand qu'à un prêtre, en sorte que si les prêtres
ont commis quelque crime, nulle cour n'en a la
connaissance : on en laisse la connaissance et correction à Dieu et à eux-mêmes. Ils estiment n'être
pas licite de toucher de main mortelle un prêtre,
quelque criminel qu'il soit, considéré qu'il est dédié
à Dieu de manière si excellente et singulière,
comme une offrande sacrée. Cette coutume leur

est d'autant plus aisée à observer qu'ils ont en ce pays très peu de prêtres, et de surcroît les élisent avec grand soin et diligence. Car il n'advient pas souvent qu'un prêtre qui est entre les bons choisi comme le meilleur, et qui pour sa seule vertu est sublimé et élevé à une si grande dignité, dévie des bonnes mœurs pour suivre la voie du vice et du délit. Mais le cas échéant, comme la nature des hommes est muable, encore ne devrait-on craindre qu'ils sussent faire un grand dommage à la République, parce qu'ils sont en si petit nombre, et puis ils n'ont aucune puissance, hormis l'honneur qu'on leur fait. Et la raison pour laquelle les Utopiens ont si peu de prêtres, c'est que si la dignité sacerdotale, à laquelle ils vouent une si grande révérence, était communiquée et distribuée à plusieurs, on n'en tiendrait pas si grand compte ; surtout qu'ils pensent qu'il est bien difficile de trouver beaucoup d'hommes assez vertueux pour convenir à une telle dignité, pour l'exercice de laquelle il ne suffit pas d'être garni de vertus moyennes et vulgaires.

Lesdits prêtres ne sont pas en moindre réputation chez les étrangers qu'en leur pays ; voici un exemple qui en rendra un témoignage manifeste, et montrera aussi ce que je crois être l'origine de cette estime. Quand les armées sont en ordre de bataille, les prêtres se mettent à part, mais guère loin du conflit, tous à genoux, revêtus de leurs ornements sacrés, et les mains tendues au ciel ; avant toutes choses, ils prient Dieu qu'il lui plaise d'envoyer la paix, puis demandent la victoire pour leurs gens, mais que cette victoire ne se fasse par l'effusion du sang ni de l'un ni de l'autre parti[1].

Quand leur armée a obtenu la victoire, ils courent au conflit, et la gardent d'exercer aucune cruauté envers les vaincus. Ceux qui sont en danger de mort, s'ils peuvent une fois voir lesdits prêtres et les nommer, ils sont sauvés ; l'attouchement de leurs larges robes préserve tous autres biens et richesses de tout outrage de guerre. En conséquence de quoi, toutes les nations les tiennent en si grande estime et en tel honneur que bien souvent ils ont su préserver leurs troupes de la fureur des ennemis non moins que les ennemis du danger de leurs osts[1]. Il est tout manifeste que quelquefois on a vu leurs soldats mis en déroute, hors de tout espoir, tournant le dos pour fuir, les ennemis acharnés sur eux pour les piller et occire ; mais par la venue desdits prêtres qui se mettaient entre les deux armées, la boucherie cessait, la mêlée se rompait et la paix se faisait. Certes il n'y eut jamais de peuple si cruel, inhumain et barbare que chez eux la personne desdits prêtres ne fût tenue comme sainte, sacrée et inviolable.

Touchant leurs fêtes, ils solennisent le premier et dernier jour de chaque mois, et aussi de chaque an, qu'ils divisent en mois définis par le circuit de la lune, tout comme l'an finit quand le Soleil a fait son cours. Le long dudit an, tous les premiers jours sont nommés en leur langue Cynemernes, et les derniers Trapemernes, ce qui équivaut à « premières fêtes » et « dernières fêtes ».

Les églises en ce lieu sont fort belles[2], et non seulement enrichies de bel ouvrage, mais aussi spacieuses et contenant grand nombre de peuple — ce qu'il était nécessaire de faire, parce qu'en

Utopie il y a peu de temples. Toutefois elles sont un petit peu obscures, non pas que la chose ait été faite par ignorance de l'architecture, mais ils disent que ce fut par le conseil des prêtres, étant d'opinion qu'une trop grande clarté faisait vaguer les pensées et les dispersait çà et là, mais qu'une lueur moyenne les rassemblait et augmentait la dévotion. Étant donné que tous ne partagent pas un même culte et une même religion, et que néanmoins toutes les formes de ladite religion, aussi diverses et différentes soient-elles, convergent toutes vers le culte et l'adoration de la divine nature (comme diverses routes vers une fin unique), pour cette raison on ne voit ni n'entend rien, dans lesdites églises, qui n'apparaisse être conforme à toutes les manières d'adorer Dieu qu'ils ont en commun[1]. Si quelque secte a un sacrifice à faire en particulier, on le fait chacun en sa maison. Les sacrifices publics se font d'une manière telle qu'ils ne contredisent aucunement les sacrifices particuliers. C'est pourquoi en leur temple on ne voit nulle image des dieux, afin que chacun soit libre de concevoir en son entendement l'effigie de Dieu telle qu'il lui plaira. Ils n'invoquent point de nom de dieu autre que Mythra, et tous l'appellent ainsi en commun. Par ce nom-là, tous unanimement concordent et conviennent à connaître une nature de divine majesté, quelle qu'elle soit. Ils ne conçoivent aucune prière qu'il ne soit loisible à chacun de prononcer sans offenser sa secte.

Ainsi donc se trouvent-ils au temple aux jours qu'ils appellent dernières fêtes, à l'heure du soir, encore à jeun, pour rendre grâce à Dieu de l'an ou mois heureusement passé, dont cette fête marque le dernier jour. Le jour d'après, qu'ils appellent première fête, ils s'assemblent au matin dans les églises, priant Dieu que l'an ou mois suivant, qu'ils commencent par cette fête, leur soit prospère. Aux dernières fêtes, avant d'aller au temple, les femmes se jettent aux pieds de leurs maris, et les enfants devant leurs pères et mères à genoux, en confessant avoir failli, et n'avoir pas bien fait leur devoir envers eux. Ainsi demandent-ils pardon de l'offense, en sorte que si d'aventure ils avaient eu quelque discord ensemble, ils le dissipent de cette façon, afin que d'un cœur pur, serein et net ils assistent aux sacrifices ; car il est sacrilège de s'y trouver le cœur troublé d'inimitié contre son prochain. Pour cette raison, les Utopiens ne se présentent jamais à l'église le jour desdites fêtes s'ils sentent avoir le cœur gros d'ire ou rancune à l'encontre de quelqu'un, à moins qu'auparavant ils ne se soient réconciliés et que leur cœur ne soit purgé et nettoyé, car ils craignent que Dieu ne les punisse grièvement s'ils commettaient ce délit. Quand ils sont venus à l'église, les hommes se mettent au côté droit, et les femmes à part à gauche, et ils s'établissent en sorte que tous les enfants mâles de chaque maison sont devant le père de famille, et les filles devant la mère. Ainsi pourvoit-on afin que ceux qui ont la charge d'instruire et endoctriner lesdits enfants en leurs maisons, pareillement quand ils sont dehors aient égard à leurs gestes, contenances et manières. Semblablement lesdits Utopiens prennent soin en ces lieux sacrés de mêler et joindre un jeune enfant avec un plus âgé, de crainte que si on donnait charge d'un enfant à un autre d'âge égal, ils n'abusassent l'un de l'autre et passassent le temps à des folies puériles, alors qu'ils devraient concevoir à l'égard des cieux une crainte dévote, qui est le principal et presque unique aliment des vertus.

Les Utopiens en leurs sacrifices ne tuent jamais de bête, parce qu'ils pensent que la divine clémence ne se réjouit pas de sang et de boucheries, elle qui a élargi la vie aux bêtes afin qu'elles vécussent, et non qu'elles fussent tuées. Ils font sacrifice à Dieu d'encens et d'autres odeurs, et outre cela lui portent force cierges et chandelles, non pourtant qu'ils ne sachent bien que cela n'apporte aucun profit à Dieu, non plus que les prières des hommes, mais ils sont d'opinion que cette manière de l'adorer avec de telles odeurs et lumières, qui ne sont nuisibles à rien, lui plaît, et aussi que par de telles cérémonies les hommes se sentent de quelque façon élevés en dévotion, et plus joyeux et résolus à lui rendre un culte.

Quand le peuple va le jour de la fête à l'église, il s'accoutre tout de blanc. Les prêtres se vêtent d'ornements de diverses couleurs, qui sont d'une forme et d'un ouvrage merveilleux, mais non pas faits d'une matière très précieuse : car ils ne sont pas tissus de fil d'or ni entrelacés de pierres précieuses, mais ornés de diverses plumes d'oiseaux, si joliment cependant et avec tant d'artifice que la valeur d'aucune matière, aussi précieuse soit-elle, ne saurait être comparée audit ouvrage[1]. De plus ces pennes et plumes d'oiseaux, et l'ordre et l'arrangement en lequel elles sont réparties sur les

accoutrements des prêtres, recèlent, à ce que disent
les Utopiens, quelques mystères secrets, dont l'interprétation leur est déclarée par les prêtres : une
fois qu'ils en sont instruits, ces symboles servent
à leur rappeler les biens que Dieu leur a faits, et
comment ils le doivent aimer et révérer de leur
côté, et aussi se servir mutuellement les uns les
autres.

Aussitôt que le prêtre sort de la sacristie et qu'il
s'offre ainsi revêtu desdits ornements, tout le
peuple soudain se jette contre terre par révérence,
en un si profond silence de tous côtés qu'une telle
apparence et manière de faire donne quelque
terreur et crainte, quasi comme si une déité y fût
présente. Puis quand ils ont quelque peu demeuré
contre terre, le prêtre leur donne un signe, alors
ils se lèvent et chantent quelques cantiques en
l'honneur de Dieu, qu'ils entremêlent d'instruments musicaux de formes très différentes de ceux
que nous voyons en nos régions. La plupart de
ceux-ci surpassent de beaucoup en douceur ceux
dont nous usons, tandis que certains autres ne
sauraient même être comparés aux nôtres. Mais
sans doute ils nous surmontent grandement en
une chose, c'est que toute leur musique, qu'elle
soit jouée sur des instruments ou chantée par la
voix humaine, imite et exprime si bien les passions
naturelles, que le son en est si proprement accom-
modé à la matière — que l'oraison soit dépréca-
tive, joyeuse ou propitiatoire, ou contienne quelque
trouble, deuil ou courroux —, et que la forme de
leur mélodie donne si bien à entendre la chose

qu'ils chantent, qu'elle émeut merveilleusement, pénètre et enflamme les cœurs des auditeurs.

À la fin le prêtre et le peuple font de solennelles prières, composées de telle sorte que ce que tous ensemble récitent, chacun d'eux le puisse référer à soi en particulier. En ces oraisons-là, chacun reconnaît Dieu comme auteur de la création et du gouvernement du monde, et conséquemment de tous les autres biens; il lui rend aussi grâces de tant de bienfaits reçus, et spécialement de ce que, par la faveur de ce créateur, il s'est trouvé en une République si heureuse et fortunée, et pareillement qu'il est parvenu en une religion qu'il espère être très véritable. En quoi s'il fait erreur, et s'il y en a quelques autres meilleures et que Dieu approuve plus, il prie que sa bonté fasse qu'il en ait la connaissance, car il est prêt à suivre de quelque côté que ce soit le chemin où il lui plaira de le conduire et diriger. Mais si cette forme de République est bien la meilleure, et sa religion la plus droite, qu'il lui donne grâce de persévérer en celles-ci et d'y rester fidèle, et pareillement qu'il veuille guider tous les autres mortels vers ces mêmes institutions et mœurs et vers cette même opinion au sujet de la divinité, à moins que cette diversité des religions ne plaise à son impénétrable volonté[1]. Finalement il prie qu'à sa mort Dieu le veuille recevoir sans l'éconduire; quant à en fixer le temps plus tôt ou plus tard, il n'est pas assez hardi pour en faire la requête. Néanmoins, soit dit sans offenser sa majesté, il lui serait bien plus agréable de parvenir par une mort laborieuse et pénible en son paradis que d'en être tenu éloigné trop longtemps en cette vie mortelle, le cours en fût-il très heureux et prospère. Une fois ces oraisons terminées, derechef les Utopiens s'inclinent contre terre, et tôt après se relèvent et s'en vont dîner ; puis après dîner le reste du jour s'achève en jeux et en exercices de guerre.

Je vous ai décrit le plus véritablement que j'ai pu la forme de cette République des Utopiens, laquelle j'estime être non seulement la meilleure, mais même la seule qui puisse de droit s'attribuer le nom de République[1]. Chez toutes les autres nations, on parle assez de l'utilité publique, mais cependant on ne pense qu'à son bien en particulier ; en Utopie où il n'y a rien de particulier, le peuple est totalement attentif aux affaires publiques ; et ce non sans raison, ici comme là-bas. Car aux autres régions, qui est celui qui ne sache que, si un personnage ne pense pas à soi particulièrement, il pourra mourir de faim, la République fût-elle la plus opulente et florissante du monde ? En conséquence de quoi la nécessité le contraint à avoir plutôt égard à soi qu'à autrui. Au contraire en Utopie, où toutes choses sont communes à tous, nul ne doute que rien ne fasse jamais défaut à aucun particulier, pourvu que les greniers publics soient remplis. Car les biens se répartissent en ce lieu bien équitablement et justement, et ainsi n'y a-t-il point en Utopie de pauvres ni de mendiants ; et alors que personne ne possède rien, toutefois tous sont riches. Est-il plus grande richesse que de vivre joyeusement et paisiblement, l'esprit totalement libre de tout souci ? de ne pas trembler pour son boire et son manger ? de ne pas être tourmenté des demandes plaintives de sa femme ? de ne pas craindre pour l'avenir que la pauvreté frappe ses enfants ? de ne pas être en anxiété de la dot de ses filles ? et de ne pas penser à acquérir des biens pour les marier, mais d'être assuré de la félicité et des vivres pour soi, pour tous ses parents et amis, sa femme, ses enfants, les fils de ses enfants, et toute une longue généalogie, dont les gentils-hommes font tant de cas ? Qui plus est, on ne s'occupe pas moins de ceux qui ont travaillé dans le passé, mais qui maintenant sont faibles et impotents, que de ceux qui à cette heure travaillent.

J'aimerais bien que quelqu'un osât s'enhardir à comparer l'équité des Utopiens à la justice que font les autres nations : puissé-je mourir si j'ai trouvé chez elles aucune trace ni apparence de vrai et légitime droit. Mais quelle justice est-ce lorsqu'on voit quelque gentilhomme, quelque orfèvre[1] ou quelque usurier, ou d'autres qui soit ne font absolument rien, soit ne font que des choses qui ne sont pas grandement nécessaires à l'utilité de la République, mener si grand train et vivre si magnifiquement de leur oisiveté ou d'un négoce superflu et vain ? Vu que cependant un pauvre serviteur, un charretier, un forgeron, un maçon, un charpentier, un manouvrier et un laboureur, bien qu'ils travaillent tant et si assidûment qu'un cheval serait bien lassé d'en soutenir autant, et bien que leur labeur soit si nécessaire qu'une République ne pourrait durer un an sans eux, mènent leur vie si pauvrement et sont tous si mal traités qu'il pourrait sembler que les chevaux aient un meilleur

sort qu'eux, parce que leur peine n'est pas si continue, que leur pitance n'est guère moins bonne,
qu'elle est d'ailleurs plus propre et semble meilleure à leur appétit, et qu'enfin ils n'ont pas à se
soucier pour l'avenir de quoi ils vivront. Lesdites
pauvres personnes, au contraire, un labeur stérile
et une peine infructueuse les tourmentent à l'heure
présente, et l'anticipation de leur pauvreté à venir
dans leur vieillesse les tue, parce que leurs gages
journaliers sont si petits qu'à grand-peine en
vivent-ils pour le jour, et qu'il n'en peut par conséquent rien demeurer de surabondant pour sub-
venir à leur vieillesse.

Cette République-là n'est-elle pas bien injuste et
ingrate d'octroyer avec prodigalité tant de dons et
biens à des gens qui se disent nobles, aux orfèvres
et aux autres de cette sorte, ou à des personnages
oisifs, ou aux flatteurs et aux pourvoyeurs de
vaines voluptés, et au contraire de ne tenir aucun
compte et de pauvrement traiter les laboureurs,
charbonniers, serviteurs, charretiers, charpentiers,
forgerons et autres de semblable état, sans lesquels
ne pourrait exister absolument aucune République ?
Et après que ladite République a abusé des travaux
et labeurs de ceux-ci pendant qu'ils étaient dans la
fleur de l'âge, une fois qu'ils sont devenus vieux et
maladifs, et dénués de tout, elle se montre ingratissime et les récompense en les laissant mourir
misérablement de faim, oublieuse de tant de veilles,
de tant de peines et de tant de biens qu'ils lui ont
faits en leur temps. Qui pis est, les riches de jour
en jour contrôlent le salaire qu'un pauvre ouvrier
peut gagner pour sa journée et en retranchent

quelque portion non seulement par fraude particulière mais aussi au moyen de lois et ordonnances
publiques, en sorte que ce qui semblait au temps
passé injuste, à savoir de récompenser mal ceux
qui faisaient le plus de bien à la République, les
susdits hommes riches l'ont aboli, et ont voulu
tenir qu'une telle injustice était justice, et ont pro-
mulgué des lois pour l'autoriser.

C'est pourquoi, quand je pense à toutes ces
Républiques qu'on dit aujourd'hui être en maints
lieux florissantes et opulentes, je n'y vois rien
d'autre, que Dieu m'en soit témoin, qu'une sorte
de conspiration des riches qui, sous couleur d'être
assemblés pour régir le bien public, pensent seulement à leur profit privé ; ils imaginent et inventent
toutes les manières et finesses par lesquelles ils
pourraient d'abord garder sans crainte de les
perdre les biens qu'ils ont amassés par leurs crimes,
ensuite en acquérir d'autres qui ne leur coûtent
guère par le labeur et travail de tous les pauvres,
et abuser desdits pauvres. Dès que cette tourbe de
riches a établi que de telles tromperies devaient
être observées au nom de la République, et même
au nom des pauvres qui sont compris en cette
République, lesdites inventions passent et sont
réputées comme lois ; et les biens qui eussent pu
suffire à nourrir et entretenir eux et les pauvres
ensemble, ces gens détestables, à la convoitise insatiable, les ont répartis entre eux.

Ô combien de telles sortes de gens sont pourtant
éloignés de la félicité de la République des Utopiens ! En bannissant de celle-ci tout usage de
l'argent, et partant tout avidité, quelle infinité

d'ennuis n'en a-t-on pas retranchée ! Quelle semence de vices n'a-t-on pas éradiquée ! Qui est celui qui ignore que si l'argent était aboli, avec lui seraient anéantis les fraudes, larcins, rapines, procès, tumultes, noises, séditions, meurtres, trahisons et empoisonnements, qui sont punis plutôt que refrénés par de quotidiens supplices ? Pareillement si l'usage de l'argent était délaissé, qui est-ce qui doute qu'à ce même instant ne périraient les craintes, inquiétudes, soucis, labeurs, veilles et même la pauvreté, qui pourtant semble ne manquer que d'argent ? Mais croyez bien que si l'argent était aboli en tout lieu, la pauvreté serait soudain diminuée.

Et pour en donner la preuve plus clairement, considère une année de stérilité, en laquelle il est advenu que plusieurs milliers de personnes sont mortes de faim : je gage qu'à la fin de cette pénurie, qui eût voulu ouvrir les greniers des riches y eût trouvé tant de grains que si on eût pu les distribuer à ceux qui sont morts de pauvreté et consomption, personne ne se fût ressenti de cette disette procédant de quelque vice de l'air et imperfection de la terre. Certes chacun vivrait bien à son aise, n'était ce béni et saint argent, dont on dit qu'il fut trouvé afin qu'on eût par lui plus facilement accès aux vivres, mais qui seul nous barre la route pour y parvenir. Je ne doute point que les riches mêmes ne sachent bien qu'il vaudrait mieux ne pas manquer des choses qui sont nécessaires à la vie humaine plutôt que d'abonder en plusieurs biens superflus, et être délivré d'une infinité de maux plutôt que d'être environné de grandes richesses.

Je ne doute point que l'égard de chacun à son profit, ou l'autorité de Jésus Christ notre Sauveur (qui par sa grande sagesse ne pouvait ignorer ce qui était très commode aux mortels, et pour la parfaite bonté dont il est plein n'eût su conseiller aucune chose qui n'eût été très bonne), n'eût déjà aisément attiré tout le monde aux lois de cette République utopienne, si cette seule bête Orgueil, qui est prince et père de tous les autres vices, n'y résistait. Cet orgueil mesure sa félicité non point à ses propres profits, mais aux incommodités d'autrui ; il refuserait d'obtenir la place d'un dieu si cela devait le priver des pauvres misérables qu'il domine et dont il se moque afin que sa félicité soit plus exhaussée et en plus grande magnificence par comparaison avec les misères et calamités des pauvres, dont il tourmente et attise l'indigence en étalant ses propres richesses. Ce serpent infernal[1], qui est si avant fiché dans le cœur des hommes qu'il n'en peut être aisément arraché, tient son siège en ce lieu afin que les humains ne puissent rectifier le cours de leur vie, et les retarde de même que le poisson nommé *remora*, qui retient et arrête les navires à son plaisir[2].

À tout le moins, je suis joyeux que cette forme de République, que je souhaite à toutes les autres nations, soit échue aux Utopiens, eux qui ont suivi de si bons principes de vie que sur eux ils ont fondé une République non seulement très heureuse mais aussi, autant qu'on puisse le deviner par conjecture humaine, perdurable. Puisque le vice d'ambition et l'esprit de parti, avec les autres vices que j'ai dit, sont extirpés d'Utopie, il ne faut point craindre qu'entre les citoyens sourde quelque discorde, ce qui a été la cause de la perdition de maintes villes opulentes et très bien munies. Tant qu'y régneront la concorde et de saines institutions, croyez que l'envie de tous les princes voisins — qui a déjà souvent tenté d'y pénétrer, mais en a toujours été repoussée — ne saurait mettre en désarroi ni troubler l'empire utopien.

Après que Raphaël eut récité ces matières, maintes choses me revinrent à l'esprit qui, dans les mœurs et lois de ce peuple utopique, me semblaient être bien absurdement établies : en leur manière de faire la guerre, aussi en leurs sacrifices et religion, et en d'autres statuts dont ils usent, mais tout spécialement en ceci (qui est le plus principal fondement de toute leur institution) qu'ils vivent en commun, sans aucun commerce et trafic d'argent, ce qui suffit à ruiner de fond en comble toute noblesse, magnificence, dignité, gloire et majesté, qui sont selon l'opinion commune les vrais ornements, l'embellissement et l'honneur d'une République[1]. Toutefois, je savais que ledit Raphaël était las de deviser et composer de cette île utopienne, et aussi je n'étais pas absolument certain qu'il sût endurer qu'on dispute contre ses propos, surtout que j'avais encore le souvenir que certains avaient été repris par lui sous prétexte qu'ils craignaient de ne pas être estimés assez sages, comme il disait, s'ils n'eussent trouvé quelque chose à réfuter dans les inventions des autres[2]. Pour cette raison, après avoir loué la doctrine et l'enseignement des Utopiens et exalté sa harangue, je le pris par la main et le menai souper dans mon logis, en lui disant que nous aurions une autre fois le loisir et l'opportunité de repenser plus profondément à ces mêmes choses et d'en conférer ensemble plus largement — et que plût à Dieu qu'un jour cela advînt[1]. D'ici là, autant je ne puis donner mon assentiment à toutes les choses qui furent dites par ce personnage, bien qu'il fût sans controverse savantissime et fort expert aux affaires humaines, autant je confesse facilement qu'il y a en la République des Utopiens bien des choses que je souhaiterais voir en nos villes de par-deçà, sans pourtant véritablement l'espérer[2].

Fin du second et dernier livre.

Ici finit le devis et propos d'après dîner de Raphaël Hythlodée touchant les lois et mœurs de l'île d'Utopie, qui n'est encore à guère de gens connue, mis en élégance latine par l'illustre, très docte et bien renommé personnage le seigneur Thomas Morus, chancelier d'Angleterre, et tourné en langue française par maître Jean Le Blond[3].

ANNEXES

PRÉSENTATION

PARATEXTES

Le nombre et la place des *parerga* (ou, selon une terminologie plus moderne, des paratextes) de *L'Utopie* ont varié selon les différentes éditions latines, et plus encore dans les traductions françaises : seules les traductions de Nicolas Gueudeville et d'André Prévost donnent une vision à peu près exhaustive des paratextes des premières éditions latines, tandis que la plupart des autres traductions les omettent presque totalement. Ces paratextes jouent pourtant un rôle crucial dans la mise en place de la fiction du récit de voyage, en encadrant à leur tour le récit-cadre (livre premier) qui introduit la description de l'Utopie (livre second). Ils témoignent à la fois de la manière dont l'auteur et son cercle d'amis humanistes orientent, souvent avec un humour pince-sans-rire, la réception de l'œuvre, et des directions prises par cette réception à partir de sa mise en circulation.

Pour ces raisons, sont donnés en annexes, le plus souvent dans la première traduction française publiée (éventuellement révisée et modernisée), les paratextes suivants, non pas dans l'ordre où ils apparaissent imprimés dans les éditions de Bâle (1518), mais dans celui qui a paru le plus logique pour la lecture, compte tenu notamment de leur date de composition (certaine ou probable) et de l'évolution de leur position (ou de leur éventuelle suppression) dans les différentes éditions.

Composés pour la première édition (Louvain, 1516)

La lettre-préface de More à Pierre Gilles, transmise à Érasme dans un pli daté du 3 septembre 1516 (voir Allen #461, cité *infra*, p. 326), reprise dans les éditions ultérieures ; traduction de Samuel Sorbière (1643).

La lettre de Pierre Gilles à Jérôme Busleyden (datée du 1er novembre 1516), reprise dans les éditions ultérieures ; traduction de Nicolas Gueudeville (1715).

L'alphabet et le poème utopiens (œuvre de Pierre Gilles), absents de l'édition de Paris mais repris dans celles de Bâle ; traduction de Louis Marin.

La carte d'Utopie dans ses deux versions successives : la première, attribuée à un « peintre éminent » par Gérard Geldenhauer dans une lettre à Érasme datée du 12 novembre 1516 (Allen #487[1]), appa-

1. Dans l'édition de Yale (*op. cit.*, p. 277), E. Surtz émet

raît en tête de volume dans la première édition de Louvain, mais pas dans l'édition de Paris ; la seconde version, dessinée à partir de la première et attribuée à Ambroise Holbein, apparaît dans les éditions de Bâle.

Le sizain d'Anémolius, repris dans les éditions ultérieures ; traduction de Louis Marin.

La lettre de Jérôme Busleyden à More, transmise à Érasme dans un pli daté du 9 novembre 1516 (Allen #484), reprise dans l'édition de Paris, rejetée en postface dans les éditions de Bâle ; traduction de Nicolas Gueudeville (1715).

Les vers de Gérard Geldenhauer et Corneille Schrijver, repris dans l'édition de Paris, rejetés en postface dans les éditions de Bâle ; traduction de Nicolas Gueudeville (1715).

Composés pour la deuxième édition (Paris, 1517)

La lettre de Guillaume Budé à Thomas Lupset (datée du 31 juillet 1517), reprise dans les éditions ultérieures ; traduction de Jean Le Blond (1550).

La seconde lettre de More à Pierre Gilles, non reprise dans les éditions de Bâle ; traduction de Guillaume Navaud.

---

l'hypothèse que ce « peintre éminent » puisse être Geldenhauer lui-même : les initiales NO qui apparaissent sur le drapeau du bateau au premier plan pourraient selon lui être l'abréviation de *No[viomagus]*, la transcription latine de « Gérard Geldenhauer de Nimègue » étant *Gerardus Geldenhouerus Noviomagus*.

Composés pour la troisième édition (Bâle, 1518)

La lettre d'Érasme à l'imprimeur Froben (datée du 25 août 1517) ; traduction de Nicolas Gueudeville (1715).

Parmi les paratextes composés pour les premières éditions latines, ne sont pas reproduits ici la lettre et les vers de Jean Desmarais, composés pour la première édition de Louvain, repris dans l'édition de Paris, mais que Érasme fait disparaître des éditions de Bâle (voir la lettre d'Érasme à Beatus Rhenanus datée du 6 décembre 1517, Allen #732).

Nous omettons également de reproduire les annotations apparaissant en marge du texte de *L'Utopie*, dont Pierre Gilles s'attribue quelques-unes (voir sa lettre à Busleyden, p. 238), et que la page de titre de l'édition de Paris semble attribuer à Érasme : quoique parfois instructives, elles n'apportent pas de lumières décisives sur la réception et l'interprétation de l'œuvre.

Composés pour des éditions ultérieures

Les *parerga* composés pour les éditions et traductions ultérieures n'appartiennent plus au premier mouvement de circulation de l'œuvre, mais peuvent cependant offrir un éclairage intéressant sur sa réception. Ceux qui apparaissent dans les traductions publiées en Europe avant 1650 sont reproduits, le cas échéant traduits en anglais, et commentés, dans Terence Cave (dir.), *Thomas More's* Utopia *in Early Modern Europe : Paratexts and Contexts*, Manchester, Manchester U. P., 2008.

La première traduction française inclut un certain nombre de paratextes de Le Blond qui ne sont pas reproduits ici. Nous donnons en revanche l'«Avertissement déclaratif de l'œuvre» qui ouvre la version de la traduction de Le Blond révisée par Barthélemy Aneau (1559) : après la seconde lettre de More à Pierre Gilles (qui l'a peut-être inspiré), il y présente une lecture originale de la dialectique entre histoire, fiction et théorie qui fonde *L'Utopie*. L'édition révisée par Aneau contient également un lexique décryptant l'étymologie des noms utopiens (voir *infra*, p. 277, note 1).

Nous reproduisons enfin un extrait de la «Préface du traducteur» Nicolas Gueudeville à sa version de *L'Utopie* (1715) : lui-même auteur d'une réécriture des *Voyages* en Amérique du baron de Lahontan[1], Gueudeville renouvelle avec un certain bonheur le jeu entre histoire, fiction et théorie.

---

1. Voir Lahontan, *Dialogues avec un sauvage*, éd. Réal Ouellet, Montréal, Lux, 2010.

Cosmographiae Introductio (1507)

Cet ouvrage est très probablement celui où More a lu le récit des voyages de Vespucci. On en reproduit ici un détail du planisphère de Martin Waldseemüller, représentant un portrait de Vespucci et une réduction de la carte de l'Amérique. Pour le texte de Vespucci, voir *Le Nouveau Monde. Récits de Christophe Colomb, Pierre Martyr d'Anghierra, Amerigo Vespucci*, trad. Jean-Yves Boriaud, Paris, Belles Lettres, 1992.

Extraits des correspondances de More et d'Érasme

Nous donnons enfin deux extraits de lettres particulièrement éclairants :

Un extrait de la lettre de More à Érasme du 4 décembre 1516 (Allen #499) où More se rêve ironiquement en roi d'Utopie. Cette lettre, ainsi que les autres extraits de la correspondance entre More et Érasme cités dans la présente édition, est donnée dans la traduction de Germain Marc'hadour et Roland Galibois : Érasme de Rotterdam et Thomas More, *Correspondance*, Sherbrooke, Éditions de l'Université de Sherbrooke, 1985.

Un large extrait de la lettre d'Érasme à Ulrich

von Hutten du 23 juillet 1519 (Allen #999). Il existe certes des biographies plus complètes de More, qu'elles soient anciennes ou modernes (voir la bibliographie), mais cette lettre dessine le portrait le plus complet de l'homme qu'était More à l'époque de la publication de l'*Utopie*. Érasme prend d'ailleurs soin d'y souligner la convergence entre les mœurs de More et celles des Utopiens, et de présenter la maison de More comme une sorte d'avatar du foyer utopien. Cette lettre est donnée dans la traduction de Germain Marc'hadour : Saint Thomas More, *Lettre à Dorp ; La Supplication des âmes*, Namur, Le Soleil Levant, 1962, p. 15-35.

Nous remercions très chaleureusement Germain Marc'hadour de nous avoir autorisé à reproduire ici ces traductions.

PARATEXTES

Composés pour la première édition
(Louvain, 1516)

Lettre-préface de Thomas More
à Pierre Gilles
(envoyée à Érasme le 3 septembre 1516)

J'ai honte, mon cher Gilles, de m'acquitter si tard de ma promesse ; et que vous ayez attendu toute une année ce que vous espériez, sans doute, de recevoir dans six semaines. En effet vous saviez bien qu'en ce traité de la République d'Utopie je n'avais ni à inventer ni à disposer les matières, et qu'il ne fallait que réciter naïvement ce que vous et moi avions ouï raconter à Raphaël. Vous jugiez aussi que mon travail serait abrégé des ornements du langage, auxquels je n'avais pas à m'étudier, ce discours ayant été conçu sur-le-champ, sans pré-

---

* Traduction de Samuel Sorbière (1643) révisée ; les passages omis dans la traduction de Sorbière sont donnés dans la traduction de Nicolas Gueudeville (1715).

paration, et par un homme moins versé en la langue
latine qu'en la langue grecque : de sorte que plus
mon style s'approcherait de sa simplicité négligée,
plus je m'approcherais de la vérité de la chose, qui
est le principal but que je devais me proposer. Je
vous avoue franchement que ma peine était si fort
abrégée par tout ce que vous alléguez, qu'il ne me
restait presque rien à faire. Et certes s'il en eût
été autrement, l'invention ou l'économie[1] de cet
ouvrage eussent pu exercer longtemps un homme
docte et de bel esprit, c'est-à-dire un plus habile
que je ne suis ; et s'il eût fallu ajouter à la vérité les
fleurs de l'Éloquence, tous les efforts de ma plume
n'eussent pas empêché que le plus long terme que
j'eusse pu choisir ne fût trop court. Mais étant
délivré de tous ces soins, et n'ayant qu'à écrire
simplement ce que j'avais ouï, il est certain que la
chose demeurait fort aisée[2].

1. *Économie* : ordonnancement.
2. Ces protestations de More, destinées à accréditer l'existence du personnage d'Hythlodée, ont peut-être trompé quelques
naïfs, s'il faut en croire ce qu'écrit Beatus Rhénanus (qui supervisa pour le compte d'Érasme la réédition de *L'Utopie* faite à
Bâle) dans une lettre à Willibald Pirckheimer datée du 23 février
1518 (voir *Utopia*, édition de Yale, p. 252-253) : « Par les Muses,
écoute la belle histoire que voici : l'occasion s'étant naguère
présentée, lors d'une assemblée réunissant ici un certain
nombre de notables, de mentionner *L'Utopie*, et comme j'en
faisais l'éloge, un certain lourdaud s'est avisé de prétendre
qu'il ne fallait pas accorder à More plus de mérite qu'à n'importe quel secrétaire de séance, qui se contente de prendre
note des propositions d'autrui, et n'assiste à la scène, comme
on dit, qu'à la manière d'un comparse, sans rien penser par
lui-même : car tout ce que More disait, il l'avait recueilli de la
bouche d'Hythlodée, et n'avait fait que le consigner par écrit.

Toutefois la violence de mes affaires a été telle, qu'elles m'ont dérobé ce peu de loisir qui m'était nécessaire : car pendant que je vais tous les jours au barreau, que j'instruis un procès, que je suis arbitre ou juge d'un autre, que je rends des visites de compliment et d'affaires, que je suis presque toute la journée hors du logis, et plus souvent pour autrui que pour moi-même, vous ne sauriez croire combien peu de temps il me reste pour l'étude. Ce n'est pas encore tout. Étant de retour à la maison, il faut que je m'entretienne avec ma femme, que je me divertisse avec mes enfants, que je dise quelque mot à mes gens. Je compte tout cela parmi mes affaires, puisqu'il faut que je m'en occupe, si je ne veux vivre chez moi en étranger, et si je veux satisfaire au devoir qui m'oblige de rendre ma conversation douce à ceux que la nature, le hasard ou mon propre choix m'ont donnés pour compagnons de la vie — à condition, néanmoins, de ne pas les gâter par trop de douceur, et de ne pas nous assujettir à nos domestiques par un excès d'indulgence. Mais cependant les jours, les mois et les années s'écoulent que je n'y prends pas

---

Par conséquent, disait-il, le seul éloge que méritait More était d'avoir rapporté ces paroles comme il fallait. Et il ne manqua pas de gens pour accorder leur suffrage à cet avis et pour estimer qu'il témoignait d'un discernement très sûr. *Ne trouves-tu pas bienvenu ce jeu d'esprit de More, lui qui a réussi à abuser de tels hommes qui, loin d'être les premiers venus, sont respectés par la plupart de gens, et qui plus est des théologiens ?* » (la dernière phrase, en italique, apparaît en grec dans le texte original, rédigé pour le reste en latin). La plupart des lecteurs, cependant, ont d'emblée mis en doute la véracité du récit : voir *infra* la seconde lettre de More à Pierre Gilles, p. 266.

garde. Quand est-ce donc que je puis avoir le loisir
d'écrire ? Car je n'ai rien dit encore du sommeil ni
des heures du repas, quoique le premier emporte
presque la moitié de notre vie, et que quelques-
uns ne consument pas moins de temps à la table.

De moi je n'ai d'entier que ce que je retranche à
la nécessité de ces deux occupations, ce qui, étant
peu de choses, m'a traîné dans des longueurs iné-
vitables ; j'ai néanmoins enfin achevé ma besogne,
et je la vous envoie maintenant, afin que vous
preniez la peine d'y jeter les yeux, et que si j'ai
rien oublié vous m'en avertissiez. Car je ne voudrais pas si fort présumer de ma mémoire que de
penser que rien ne lui pût être échappé ; bien que
je ne m'en défie pas tout à fait, et plût à Dieu que
j'eusse une pareille mesure d'esprit et d'érudition.
Mais Jean Clément[1] mon page qui était avec nous,
comme vous savez que je le mène partout où je
pense qu'il peut apprendre quelque chose, espé-
rant beaucoup des progrès qu'il a faits aux langues
grecque et latine, m'a jeté dans un grand doute.
Car il me semble qu'Hythlodée nous disait que le
pont d'Amaurot sur l'Anydre avait cinq cents pas
de long ; et Jean assure qu'il faut en ôter deux
cents, la largeur de la rivière n'étant que de trois
cents pas. Je vous prie de rappeler votre mémoire
là-dessus ; d'autant que si vous êtes de son avis je
suivrai votre opinion, et croirai que je me suis
trompé. Mais s'il ne vous en souvient pas mieux
qu'à moi je laisserai la chose comme je l'ai écrite.

1. John Clement (1500-1572) allait devenir médecin et
épouser Margaret Gigs, pupille et fille adoptive de More.

Je tâcherai de n'en avancer aucune qui ne soit très véritable, et si j'en lâche qui soit de quelque façon douteuse, je dirai plutôt un mensonge que je ne mentirai, préférant déroger à l'exactitude plutôt qu'à l'honnêteté[1].

Vous pourrez néanmoins remédier à cet inconvénient s'il vous plaît de vous informer de Raphaël, ou de lui en écrire, au cas qu'il soit absent. Il est de besoin que vous preniez cette peine, quand ce ne serait que pour un autre scrupule qui me vient à l'esprit, et duquel je ne sais si je lui dois attribuer la faute plutôt qu'à vous ou à moi. Car il ne nous dit point, et nous faillîmes aussi à lui demander, en quelle partie du Nouveau Monde est située l'Utopie, de quoi je ne voudrais pas pour beaucoup avoir oublié de m'enquérir, étant une honte d'ignorer dans quelle mer se trouve une île dont je raconte tant de choses ; en outre il y a ici deux ou trois personnes, et entre autres un homme de bien

---

1. Voir Aulu-Gelle, *Nuits attiques*, XI, 11 : «*La distinction entre* mentir *et* dire un mensonge, *dans les termes de Publius Nigidius*. Voici les termes mêmes de Publius Nigidius, homme qui a excellé dans l'étude des arts libéraux, et dont Cicéron révérait au plus haut point l'esprit et l'érudition : "Entre *dire un mensonge* et *mentir*, il y a une différence : celui qui ment ne se trompe pas lui-même, il cherche à tromper autrui ; celui qui dit un mensonge se trompe lui-même." Il ajoute ceci : "Celui qui ment, dit-il, trompe de son plein gré ; tandis que celui qui dit un mensonge ne trompe pas, du moins pas de son plein gré." Il dit encore sur le même sujet : "L'honnête homme doit se garder de mentir ; l'homme exact, de dire un mensonge : l'un est du ressort de chacun, pas l'autre." » Voir Pierre Macherey, *De l'utopie!*, Le Havre, De l'incidence éditeur, 2011, p. 128 : «Le récit est donc vrai au sens très particulier de la véridicité, qui n'est pas synonyme de véracité. »

ecclésiastique, qui brûle du désir de voyager en cette contrée, non par une vaine curiosité de voir des terres neuves, mais pour y avancer notre religion qui a commencé si heureusement de s'y établir. Et afin de procéder par ordre il a fait dessein d'obtenir sa mission du Pape, et de rechercher l'investiture de l'épiscopat d'Utopie. Il ne se fait point un scrupule d'employer les prières et les supplications pour obtenir cette prélature toute neuve : de laquelle brigue il ne croit pas qu'on le puisse blâmer, vu qu'il n'y est poussé que par la piété, et non par aucun mouvement d'ambition ou d'avarice[1]. Je vous prie donc derechef de parler à Hythlodée, ou de lui écrire, afin que rien ne manque à ce traité, et que je n'ajoute rien contre la vérité. Il sera expédient de lui montrer mon livre : car personne ne le peut mieux corriger que lui, et il ne peut le corriger qu'en le lisant. D'ailleurs vous verrez s'il agrée que je l'aie écrit. S'il avait quelque pensée de faire une relation de ses voyages, peut-être se fâcherait-il de ce que je l'ai prévenu ; et certes en divulguant la République d'Utopie, je serais marri de courir sur ses terres, et d'ôter à son histoire la grâce de la nouveauté.

Ce que j'en dis pourtant n'empêche pas que je ne sois encore irrésolu de le publier ou non. Je

---

1. Cette phrase doit bien entendu se lire par antiphrase et ironiquement : More se moque de ceux qui voudraient faire servir la découverte d'un nouveau monde à leur ambition personnelle, fût-elle déguisée sous une entreprise d'évangélisation. Le fait que l'Utopie n'ait pas été précisément localisée est ainsi la seule garantie qui lui permette d'échapper aux velléités des Européens d'y étendre leur emprise.

sais que les goûts sont différents, qu'il y a dans le monde certains esprits hargneux, certaines âmes ingrates, et des cerveaux si mal bâtis, qu'on a plus tôt fait de se donner du bon temps, que de se tourmenter à produire quelque chose qui plaise ou qui profite à ces lecteurs ingrats et dédaigneux. Combien y en a-t-il qui ignorent les belles lettres ? combien y en a-t-il qui les méprisent ? Un barbare rejettera comme impertinent tout ce qui ne sera pas conforme à sa barbarie[1]. Un demi-savant fera le délicat, et vous dira qu'il n'y a rien que de trivial en ce qui n'est pas semé de vieux mots. Il y en a qui n'estiment que les choses anciennes, d'autres qui n'approuvent que leurs inventions. Celui-ci est d'humeur si renfrognée qu'il ne veut point ouïr de railleries ; cet autre est si stupide qu'il ne peut souffrir les pointes dans un discours ; et ce dernier est si niais que les belles pensées lui font autant de peur que l'eau froide à un chien enragé. D'autres ont la tête si légère qu'ils blâment debout ce qu'ils louaient assis. Et ceux-ci, enfoncés dans la taverne, se mêlent après boire de censurer les auteurs. C'est là que, du haut de leur autorité, ils condamnent tout ce qui ne leur plaît pas, dénigrant chaque auteur pour ses livres comme s'ils le pelaient poil à poil. Quant à eux, leurs têtes chauves sont bien en sûreté et, comme on dit, « hors de

1. La « barbarie » désigne d'abord, dans ce contexte, l'ignorance des lettres ; mais elle fait peut-être aussi allusion à l'ethnocentrisme naturel aux hommes, mis en évidence dès Hérodote, et auquel il est plusieurs fois fait référence dans le cours de *L'Utopie*.

portée des traits[1] » : ils n'ont pas ce qui s'appelle
un cheveu de l'honnête homme, par où on puisse
les attraper. Il s'en trouve de si étrangement
ingrats que tout le plaisir qu'ils prennent à un bel
ouvrage ne fera point qu'ils en aiment davantage
l'auteur, semblables à ces mauvais hôtes qui, après
avoir fait bonne chère, ne savent point de gré à
celui qui les avait invités, et ne daignent pas même
le remercier avant de partir. Les hommes donc
ayant le palais si délicat, le goût si varié et l'âme si
ingrate, à quoi bon se mettre en dépense pour leur
préparer un festin ?

Mais quoi qu'il en soit, voyez premièrement
Hythlodée sur ce que j'ai dit, et après nous avise-
rons à ce que nous aurons à faire. S'il ne s'oppose
point à l'ouvrage, à présent que me voilà quitte de
la composition, il est trop tard pour me repentir :
je suivrai donc pour ce qui reste à faire de la publication les conseils de mes amis, et principalement
le vôtre. Adieu, mon cher Gilles, à vous et à votre
excellente épouse ; je vous conjure de me conserver
votre affection, comme je vous assure que je sens
tous les jours augmenter la mienne.

---

1. Voir Érasme, *Les Adages*, n° 293 (*op. cit.*, t. I, p. 272-273) :
extra telorum jactum.

Lettre de Pierre Gilles à Jérôme Busleyden,
prévôt d'Aire,
et conseiller du roi catholique Charles

Ce Thomas Morus que vous connaissez si bien, et que vous avouez vous-même, très illustre Busleyden, être l'ornement du siècle, m'a envoyé depuis peu son *Utopie*. Cette bienheureuse île est encore étrangère à la plupart des mortels ; mais elle mérite que tout le monde la recherche avec beaucoup plus d'empressement que la République de Platon. Elle est écrite avec tant de grâce et de politesse, cette Utopie ; elle est dépeinte si naïvement : on la voit si à découvert ! En vérité, toutes les fois que je la lis, il me semble voir encore plus que je n'entendais lorsque Morus et moi nous écoutions de toutes nos oreilles narrer et raisonner Raphaël Hythlodée ; car j'y étais, oui, dans cette conversation-là.

Ce Raphaël, néanmoins, n'est pas homme d'une éloquence commune : il s'énonçait on ne peut mieux. Rien n'était plus facile que de s'apercevoir

---

* Traduction de Nicolas Gueudeville (1715) révisée. — Jérôme Busleyden (*circa* 1470-1517) fut un protecteur des lettres, prévôt de l'actuelle Aire-sur-la-Lys (Pas-de-Calais), et conseiller diplomatique du roi d'Espagne, futur empereur sous le nom de Charles Quint.

qu'il ne parlait nullement par ouï-dire, qu'il avait
vu de près tout ce qu'il rapportait, et qu'il l'avait
bien et dûment examiné. Autant que je m'y connais,
cet homme-là a une vaste connaissance — et
connaissance expérimentale, qui plus est — des
pays, des hommes et des choses ; le fameux Ulysse
n'en approchait point. Je ne crois pas que, depuis
huit cents ans, la nature ait formé un tel homme.
Vespucius était un aveugle en comparaison
d'Hythlodée. Outre qu'on parle bien plus sûrement de ce qu'on a vu que de ce qu'on a ouï, notre
homme était singulièrement habile à rapporter les
choses, et à les circonstancier.

Avec tout cela, autant de fois que je regarde
cette belle peinture sortie du pinceau de Morus, je
ne me lasse point de l'admirer ; et la vue de ce
tableau me fait tant d'impression, que je m'imagine alors être en Utopie. Effectivement, je crois
que Raphaël lui-même n'a pas tant vu de choses
dans cette île-là pendant les cinq ans qu'il y a
passé, qu'on en peut voir dans la description de
Morus. Il s'y présente tant de merveilles, tant de
prodiges, que je ne sais sur quoi fixer mon admiration. Sera-ce sur cette mémoire infiniment heureuse qui a pu rendre fidèlement, et presque mot
pour mot, tant de sujets différents qui ont fait la
matière d'une conversation ? Sera-ce sur une pénétrante et profonde sagesse qui découvre ces sources
que le vulgaire connaît si peu, ces sources, dis-je,
d'où coule tout le malheur des Républiques, et
celles d'où tout le bonheur pourrait couler[1] ? Sera-ce

1. Voir Érasme, lettre à Guillaume Cop (ami de Guillaume

sur cette facilité succulente et nerveuse à écrire
purement en latin et à traiter un sujet si diver-
sifié — lui surtout, à qui les affaires publiques et
les soins domestiques doivent causer tant de
distraction ?

Mais tout cela, mon savant et docte Busleyden,
doit vous paraître moins surprenant qu'à moi.
Vous connaissez à fond, et par un commerce fami-
lier[1], ce rare génie qu'on peut dire être au-dessus
de l'esprit humain, et approcher de l'intelligence
divine. Je ne sache donc rien que je puisse ajouter
à ses écrits. J'ai eu seulement soin de mettre un
quatrain qui est composé en langue utopienne, et
que Hythlodée me fit voir par occasion après le
départ de Morus. J'ai aussi placé à sa tête l'alphabet de cette heureuse nation ; et j'ai aussi noirci
les marges de quelques petites notes[2].

Car, quant à l'inquiétude de Morus touchant la
situation de l'île d'Utopie, Raphaël ne s'est pas tu
entièrement là-dessus ; mais il en a parlé superfi-
ciellement, et comme en passant : on eût dit qu'il
gardait cet article-là pour un autre endroit. Or un
malheureux hasard, je ne sais comment, nous en

Budé et médecin de François Ier) du 24 février 1517 (Allen
#537) : « Si tu n'as pas encore lu *L'Utopie*, fais le nécessaire
pour la trouver, si tu veux rire un jour, ou plutôt si tu veux
découvrir les sources mêmes d'où sortent presque tous les
maux de l'État. » Voir aussi *infra* p. 252-253 les poèmes de
Gérard Geldenhauer et Corneille Schrijver.

1. More et Busleyden s'étaient rencontrés en 1515, lors de
l'ambassade de More aux Pays-Bas.

2. *Quelques petites notes* : il s'agit des notes marginales (non
reproduites ici) dont Thomas Lupset, dans la page de titre de
l'édition de Paris, semble attribuer la paternité à Érasme.

priva l'un et l'autre. Dans le temps même que Raphaël nous en parlait, survint un des valets de Morus, qui disait je ne sais quoi à l'oreille de son maître. Pour moi, je n'en fis que redoubler mon attention ; mais malheureusement quelqu'un de la compagnie, qui, à ce que je crois, s'était enrhumé sur l'eau, toussa d'une si grande force, que cela me fit perdre quelques-unes des précieuses paroles d'Hythlodée.

Mais je ne me donnerai point de repos jusqu'à ce que je me sois parfaitement éclairci de ce point-là, au point que je veux vous apprendre avec la dernière exactitude non seulement la situation de l'Utopie, mais même son élévation de pôle[1] — pourvu du moins que notre Raphaël soit en bonne santé. Car on parle différemment de sa destinée : les uns disent qu'il est péri en chemin ; les autres prétendent qu'il est encore retourné dans son pays, mais qu'en partie dégoûté des mœurs de ses compatriotes, et en partie aussi ayant toujours l'Utopie bien avant dans le cœur, il était reparti pour y faire un nouveau voyage.

Si le nom de cette île fortunée ne se trouve point chez les cosmographes, c'est une difficulté que Raphaël dénoue, et dont il se débarrasse fort bien. N'a-t-il donc pas pu arriver, dit-il, que par le cours du temps, ce pays-là ait perdu son premier nom ? Il n'est pas non plus impossible que les Anciens aient ignoré cette île-là. Combien découvre-t-on

---

1. *Son élévation de pôle* : c'est-à-dire sa latitude. Dans ses *Quatre Navigations*, Vespucci prend soin de donner les coordonnées géographiques des terres où il aborde.

tous les jours de nouvelles terres que les géographes de l'Antiquité n'ont pas connues ?

Mais après tout, à quoi bon se fonder ici sur des raisonnements pour prouver l'existence de l'Utopie, puisque c'est Morus lui-même qui en est l'auteur[1] ? Au reste, je loue ses scrupules pour l'impression, et je reconnais en cela la modestie de notre homme. Mais il m'a semblé que l'ouvrage, bien loin de devoir demeurer longtemps dans les ténèbres, ne peut être publié trop tôt. Ce sera vous, Monsieur, qui contribuerez le plus à mettre ce petit livre en réputation. Vous connaissez le mérite éminent de notre Morus. Par ailleurs, personne n'est plus propre que vous à soutenir par de sages conseils une République, vous qui, depuis plusieurs années, vous y consacrez, digne de tous les éloges qu'on doit donner à une prudence éclairée et à une vraie probité.

Adieu le protecteur, le Mécène des études, et la fleur de notre siècle. À Anvers, ce 1er de novembre 1516.

---

1. « Auteur » a d'abord ici le sens étymologique de « garant », mais Pierre Gilles joue évidemment sur l'équivoque du mot : More est non seulement le garant de la véracité de l'Utopie, mais aussi son créateur (même si l'on nous affirme ici le contraire avec un grand luxe de détails).

L'alphabet des Utopiens ;
quatrain en langue utopienne

VTOPIENSIVM ALPHABETVM.

a b c d e f g h i k l m n o p q r ſ t u x y

TETRASTICHON VERNACVLA VTO/
PIENSIVM LINGVA.

Vtopos ha Boccas peula chama.

    polta   chamaan

Bargol he maglomi baccan

    soma   gymnosophaon

Agrama gymnosophon labarem

    bacha   bodamilomin

Voluala barchin heman la

    lauoluola   dramme   pagloni.

HORVM VERSVVM AD VERBVM HAEC
EST SENTENTIA.

Vtopus me dux ex non insula fecit insulam.
Vna ego terrarum omnium absçp philosophia.
Ciuitatem philosophicam expressi mortalibus.
Libenter impartio mea, non grauatim accipio meliora.

b ;

   * Sur la langue utopienne, outre les études mentionnées dans la bibliographie, p. 339, voir les remarques d'E. Surtz dans le commentaire de l'édition de Yale (p. 277-278).

Traduction de Louis Marin

Voici la traduction mot à mot de ces vers :

Utopus, mon prince, de la non-île que j'étais, a fait de moi une île[1].
Moi seule, parmi toutes les provinces du monde, non-philosophiquement
J'ai représenté pour les mortels la cité philosophique[2].
Libéralement, je partage ce que je possède ; sans difficulté, j'accepte [des autres] le meilleur[3].

---

* Dans *Utopiques. Jeux d'espaces*, Paris, Minuit, 1973, p. 126, n. 10.

1. Allusion à la transformation fondatrice de la presqu'île d'Abraxa en île d'Utopie (voir p. 106). Le procédé consistant à donner la parole à l'île personnifiée se retrouve dans le sizain d'Anémolius.

2. C'est-à-dire que l'Utopie livre une vision de la cité idéale non pas sous la forme d'un traité ou d'un dialogue philosophique, mais sous celle d'un récit de voyage.

3. Voir le *credo* utopien (p. 210) sur le vœu d'une perméabilité réciproque entre l'Utopie et le reste du monde.

Carte de l'île d'Utopie

Première version :
« Utopiae Insulae Figura », édition de Louvain (1516)

Seconde version (Ambroise Holbein):
« Utopiae Insulae Tabula », édition de Bâle (1518)

Sizain d'Anémolius,
poète lauréat et fils de la sœur d'Hythlodée,
Sur l'île d'Utopie

Utopie, je fus nommée par les Anciens à cause de
  mon isolement.
Aujourd'hui cependant je rivalise avec la cité pla-
  tonicienne
Et peut-être la surpasse (la raison en est qu'avec
  des lettres
Il l'a dessinée tandis que moi, unique, je l'ai sur-
  passée en montrant
Des hommes, des richesses et des lois excellentes).
Aussi bien Eutopie mériterais-je d'être appelée.

* Traduction de Louis Marin, dans *Utopiques*, *op. cit.*, p. 123,
n. 9. — Le nom Anémolius est une variante autour de celui des
Anémoliens (voir p. 137 et note 3). L'identité de l'auteur qui se
cache derrière ce pseudonyme est incertaine. Ce sizain ne
laisse aucun doute sur l'étymologie d'Utopie : elle est d'abord
Ou-topia, *Nusquama*, Nulle-Part — même si le bonheur dont
elle jouit pourrait aussi lui mériter le nom d'*Eu-topia* : le Lieu
du Bonheur, l'île Fortunée, l'île des Bienheureux des Anciens
(voir par exemple Lucien, *Histoire véritable*, II, 5 *sq.*).

Lettre de Jérôme Busleyden
à Thomas More

Ce n'a pas été assez pour vous, mon illustre Morus, de vous être consacré autrefois au bien et à l'utilité des particuliers ; d'y avoir donné tous vos soins, toute votre peine, toute votre application : vous avez encore voulu vous donner au public, ce qui marque la bonté, la noblesse de votre âme. Vous avez jugé que ce bienfait, quel qu'il fût, mériterait d'autant plus de faveur, de reconnaissance et de gloire, que la propagation et le partage le rendraient profitable à plus de gens.

Vous avez toujours fait vos efforts pour exécuter cette louable intention : mais on peut dire, Monsieur, que vous avez réussi merveilleusement en écrivant cette conversation d'après-midi[1], et en mettant au jour la République des Utopiens, République si bien, si sagement ordonnée ! et que tous les hommes devraient souhaiter. Dans l'heureuse description de ce bel établissement, la science la

---

* Traduction de Nicolas Gueudeville (1715) révisée.
1. *Conversation d'après-midi* : voir l'*explicit* du livre second, p. 218.

plus profonde et une vaste connaissance des choses humaines marchent d'un pas égal : toutes deux y brillent si également que sans se donner aucun secours, elles disputent avec les mêmes forces et le même succès. Votre savoir embrasse tant de matières différentes, et vous avez d'ailleurs une si grande, une si certaine expérience des choses, que vous n'affirmez rien que vous n'ayez vu, et que vous écrivez très savamment ce que vous avez dessein d'affirmer.

Admirable, assurément, et rare bonheur ! D'autant plus rare que se cachant à la multitude, il ne se communique qu'aux hommes extraordinaires. Ce sont principalement ces mortels qui ont à la fois une volonté sincère, de l'érudition, de la bonne foi, et assez d'autorité pour pouvoir proposer avec humanité, habilement, et avec prévoyance, ce qui est le plus convenable pour le public.

C'est ce que vous faites fort bien : sachant que vous n'êtes pas né pour vous seul, mais pour le genre humain, dont vous êtes un des plus dignes membres, vous avez cru ne pouvoir mieux employer votre peine ni votre précieux loisir qu'en obligeant toute la terre de vous être redevable du service que vous lui rendez en lui faisant part de votre mérite supérieur.

Dans cette disposition-là, vous ne pouviez faire un meilleur choix que d'avoir pour but de donner aux hommes pourvus d'une raison cette idée de République, cette règle de mœurs, cette image parfaite de la manière dont ils devraient vivre ensemble. Il ne s'est jamais vu plan de politique ni si salutaire, ni plus achevé, ni plus souhaitable. Ce dessein-là l'emporte infiniment au-dessus de ces anciennes Républiques qu'on a tant vantées ; une Lacédémone, une Athènes, une Rome, ce dessein, dis-je, les laisse bien loin derrière soi.

Si ces Républiques avaient commencé sous les mêmes auspices que la vôtre, si elles s'étaient gouvernées par les mêmes lois, par les mêmes coutumes, par les mêmes maximes, par les mêmes mœurs, on ne les verrait point encore renversées, rasées, mortes, couchées par terre — et, ce qui est le plus pitoyable, sans aucune espérance de résurrection. Au contraire, ces fameux États seraient encore sur pied : encore entiers, encore heureux, encore florissants ; et depuis le temps de leur chute, combien n'eussent-ils pas étendu leur puissance sur terre et sur mer ?

Vous avez apparemment fait la même réflexion : la triste destinée de ces pauvres et défuntes Républiques vous a touché ; et de peur que celles qui règnent à présent ne subissent le même sort, vous avez construit un gouvernement auquel il ne manque rien, et qui ne consiste pas tant à faire des lois, qu'à travailler principalement à former les meilleurs magistrats possibles. Ce n'est pas sans raison ; car, si on en croit Platon, sans de tels magistrats toutes les lois, même les meilleures, passeraient pour mortes[1]. C'est avant tout sur l'image de tels magistrats, sur l'exemple de leur probité, de leur justice et de leurs bonnes mœurs, que doit se modeler tout l'État et le gouvernement de toute République parfaite. Le tableau d'une bonne République, le voici. C'est que les grands

---

1. Voir Platon, *Lois* VI, 751b-c.

aient la sagesse ; les soldats, la valeur ; les particuliers, la tempérance ; et que l'équité règne partout.

Il est évident que vous avez établi votre République, que vous faites si bien connaître, sur ces fondements solides et inébranlables ; et c'est ce qui la rend redoutable à tant de gens : mais elle n'en doit pas être moins vénérable à toutes les nations, et elle n'en sera pas moins renommée dans tous les siècles. Et ce d'autant plus que toute propriété est abolie, et avec elle tout litige sur ce que chacun possède. Dans votre État tout généralement est commun, en vue du bien commun lui-même. Si bien que toute démarche, quelque légère qu'elle puisse être, ne tendra pas à la convoitise insatiable de plusieurs ou à la passion déréglée de quelques-uns, mais se rapportera uniquement à soutenir la justice, l'égalité, la communauté ; ce qui détruit nécessairement la matière, le flambeau, l'aliment de l'ambition, du luxe, de l'envie, et de toute sorte d'injustices.

N'est-ce pas la possession en propre, la soif brûlante d'avoir, et surtout cette ambition qui est dans le fond la plus misérable chose qu'il y ait chez les hommes, n'est-ce pas tout cela qui entraîne les mortels, même malgré eux, dans l'abîme d'un malheur inexprimable ? Ces passions produisent-elles d'autre fruit que de diviser les esprits, que de faire courir aux armes, que d'exciter des guerres sanglantes, et plus que civiles[1] ? Par là, non seulement l'État des plus florissantes Républiques tombe en décadence, mais même leurs victoires, leurs trophées, tant de glorieux avantages qu'elles

---

1. *Des guerres [...] plus que civiles* : allusion au premier vers de la *Pharsale* de Lucain.

ont remportés sur leurs ennemis, tout cela est enseveli dans les ténèbres épaisses du passé.

Si je ne me rends point ici aussi persuasif que je le souhaiterais, je vous renvoie à des témoins sûrs et irréprochables. Ce sont ces grandes et superbes villes autrefois ravagées, ces cités en masures, ces Républiques en poudre, tant d'habitations métamorphosées en cendre. Que sont-ils devenus, ces ouvrages des hommes ? Hélas ! à peine en voit-on aujourd'hui quelques matériaux, quelques vestiges ; disons plus : l'histoire la plus ancienne ne saurait en certifier les noms.

Il ne tiendrait qu'à nos Républiques (si on peut donner ce beau titre-là à aucun État) de prévenir ces pertes, ces désolations, ces ruines, et toutes les horreurs de la guerre : elles n'ont qu'à embrasser le gouvernement des Utopiens, et qu'à s'y attacher avec l'exactitude la plus scrupuleuse. Si nos contemporains sont capables de prendre ce parti-là, ils éprouveront combien ils vous ont d'obligation, puisque vous leur ouvrez un moyen infaillible pour conserver leur République saine, entière, et triomphante. Ils vous seront aussi redevables qu'on pourrait l'être à un libérateur qui survient dans la nécessité la plus pressante ; et qui sauve, non un seul citoyen, mais toute la République.

Adieu, et continuez à méditer heureusement, à agir, à bien travailler pour l'utilité publique : par ces vives lumières les États se perpétueront, et vous jouirez d'un nom immortel. Adieu, très savant More : vous êtes la fleur des humanités, l'honneur de l'Angleterre et de notre monde. De chez moi à Malines, 1516.

Gérard Geldenhauer,
« Sur *L'Utopie* »

Aimez-vous, connaisseur, la lecture agréable ?
     Il ne se peut rien de plus doux.
     Si vous cherchez à vous instruire,
     Vous aurez plein contentement.
Visez-vous, à la fois, à ce qui réjouit,
     À ce qu'on doit se rendre utile ?
Cet aimable pays vous fournit tous les deux :
Cette île abonde en beauté de langage ;
Encore plus fertile en bons enseignements.
     Ce Morus inimitable,
Le premier ornement de sa grande cité,
Découvre ici les sources inconnues
Du bien comme de la perversité.

* Traduction de Nicolas Gueudeville (1715) révisée. Gueudeville amplifie largement le poème afin de trouver des rimes :
ne sont ici conservés que les vers qui traduisent le texte original. — Gérard Geldenhauer (*circa* 1482-1542), de Nimègue,
collabora à la première édition de *L'Utopie*. Il fut successivement aumônier du prince Charles de Castille, futur Charles
Quint ; « poète lauréat » couronné par l'empereur Maximilien ;
et professeur à Strasbourg puis à Marburg.

Corneille Schrijver,
« Au lecteur »

D'un monde tout nouveau veux-tu voir les mer-
veilles ?
Veux-tu vivre autrement que vivent les humains[1],
Savoir de la vertu les sources non pareilles,
La cause de tout mal, et pénétrer le rien
Qui gît caché au fond de toute chose ?
  Lis ce que Morus te propose ;
  Il est l'honneur de sa cité.

* Traduction de Nicolas Gueudeville (1715) révisée. — Corneille Schrijver (*circa* 1482-1558), d'Alost (Flandre-Orientale),
fut secrétaire de la ville d'Anvers.
  1. Le texte original dit plus exactement : « Veux-tu voir des
manières de vivre différentes ? »

Composés pour la deuxième édition
(Paris, 1517)

Lettre de Guillaume Budé
à Thomas Lupset, Anglais

Certes tu m'as grandement obligé, très docte
Lupset, quand en m'offrant *L'Utopie* de Thomas
Morus tu as attiré mon attention sur une lecture à
la fois délectable et qui produirait un grand fruit.
Car comme depuis quelque temps par tes prières
tu m'avais induit (ce que de mon naturel j'eusse
souhaité) à lire les six livres *De garder la santé* traduits par Thomas Linacre[1], médecin dans les deux
langues très excellent, lesquels entre les œuvres

---

* Traduction de Jean Le Blond (1550) révisée ; les passages
omis par Le Blond sont donnés dans la traduction de Gueudeville (1715). — L'humaniste français (1467-1540), protégé de
François Ier, ne connaissait pas More au moment où il écrivit
cette lettre. Il le rencontra en 1520 au Camp du Drap d'Or, et
échangea ensuite avec lui une correspondance (voir la bibliographie). — Thomas Lupset (*circa* 1495-1530), humaniste
anglais appartenant au cercle de More et d'Érasme, supervisa
la seconde édition de *L'Utopie* (Paris, 1517) à laquelle cette
épître de Budé sert de préface.
1. Thomas Linacre (*circa* 1460-1524), humaniste et médecin,
fut l'un des professeurs de grec de More ; sa traduction latine
de Galien ici mentionnée parut à Paris en 1517 ; il fut à l'origine de l'École de médecine (*College of Physicians*) fondée à
Londres en 1518.

de Galien il a naguère mis en latin — ou plutôt qu'il a latinisés si bien qu'il semble que si toutes les œuvres de cet auteur, que j'estime comme toute la médecine, étaient avec le temps faites latines, l'école des médecins n'aurait pas grand besoin de la langue grecque —, j'ai à la hâte parcouru ce livre suivant les originaux dudit Thomas Linacre (que tu m'as fait le plaisir de me confier pour un peu de temps, ce dont je te sais grand gré), et j'estime de cette lecture avoir rctiré un grand fruit ; mais je me le promets encore plus grand de la publication du livre dont tu t'occupes à présent auprès des boutiques de cette ville. Me tenant de ce côté assez ton obligé, voici que tu m'as baillé, comme par supplément ou surcroît de bienfait, cette *Utopie* de Morus, homme fort pénétrant, d'esprit récréatif et très rompu à l'estimation des choses humaines.

Tandis que j'étais aux champs et que j'avais ce livre en main, tout en allant et venant, prenant garde à tout, donnant des ordres aux ouvriers (car, comme tu as connu et entendu, voici la deuxième année que je suis fort occupé aux affaires rustiques), j'ai été tellement affecté à la lecture de ce livre, quand j'eus connu et pesé les mœurs et institutions des Utopiens, que j'ai quasi interrompu et même délaissé le soin de mes affaires domestiques, voyant que tout l'art et toute l'industrie économiques, qui ne tendent qu'à augmenter le revenu, sont chose vaine. Il n'y a personne toutefois qui ne voie et connaisse que par cette économique tout le monde est poussé comme par une fureur intérieure et naturelle, au point que peu s'en faut que je ne dise qu'il est nécessaire de confesser que toutes les sciences juridiques et politiques n'ont qu'un seul but : faire en sorte que, par une industrie aussi envieuse que soigneuse, de deux hommes entre lesquels existe une communauté établie par le droit civique et même quelquefois par le droit familial, l'un toujours prenne, attire, surprenne, emporte, perde, brise, arrache, défasse, gâte, dérobe, pille et vole quelque chose à l'autre, en partie avec la permission des lois, en partie avec leur autorité — choses qui plus ont lieu dans les nations où les droits que l'on appelle civil et canon ont le plus de force en l'une et l'autre cour. Entre les personnes qui connaissent les droits que l'on appelle civil et d'Église, il n'y a personne qui ne sache que maintenant, suivant de telles mœurs et institutions, seuls sont estimés souverains en justice et équité ceux qui savent les moyens de se garantir (ou plutôt de surprendre et circonvenir les simples) et qui sont d'habiles faiseurs de formules (c'est-à-dire de chausse-trapes), les fauteurs de procès qui sont aussi experts en un droit controuvé, perverti et renversé, et que de tels gens sont seuls estimés dignes de statuer sur le droit et l'équité, voire même (qui pis est) par puissance et autorité d'ordonner ce qu'il faut que chacun ait, combien et jusqu'à quand — et ce avec l'assentiment d'un sens commun qui se laisse tromper et abuser, attendu que la plupart des hommes, aveuglés par les grandes ténèbres de l'ignorance, estiment que chacun a d'autant meilleure cause que le droit le veut, ou bien qu'il s'appuie et se fonde sur lui.

Alors que si nous voulons examiner de tels droits selon la règle de la vérité et l'arrêt de la simplicité évangélique, nul n'est si grossier qu'il n'entende, et nul si hors du sens qu'il ne confesse, qu'aujourd'hui et dès il y a longtemps, les droits qui se font suivant les lois papales et civiles diffèrent autant entre eux que la loi de Jésus Christ et les mœurs de ses disciples sont différentes de l'opinion de ceux qui pensent que les amas de Crésus et de Midas sont le comble de la félicité. De sorte que si maintenant tu voulais définir la justice, selon les anciens auteurs, comme celle qui rend à chacun ce qui lui appartient[1], tu ne la trouverais en aucun lieu du monde ; ou bien — si je m'ose permettre de parler ainsi — il faut que nous confessions qu'elle est quelque écuyer de cuisine[2], soit que tu prennes garde aux façons de ceux qui sont en autorité ou aux affections qui règnent parmi le peuple.

À moins qu'ils ne veuillent maintenir que le droit est descendu d'une justice naturelle et aussi vieille que le monde, qu'ils appellent droit de nature, qui veut que plus un homme est puissant, plus il ait de biens, et que plus il a de biens, plus aussi il doive être estimé entre les hommes. De là vient que nous

---

1. Voir Cicéron, *De finibus*, V, 23 (65) : « Cette disposition de l'âme qui rend à chacun ce qui lui appartient, et qui protège avec générosité et équité ce que j'appelle la société formée par les liens de l'humanité, on l'appelle justice ».

2. *Quelque écuyer de cuisine* : voir p. 175 : « En conséquence de quoi la justice semble n'être rien d'autre qu'une vertu vulgaire, triviale et de petite étoffe, qui est assise tout au bas du trône royal, ou à tout le moins qu'il y ait deux justices », etc.

voyons comme une coutume acceptée de tout le monde que ceux qui ne savent ni art ni industrie mémorable dont ils puissent aider autrui ont autant de revenu qu'un millier d'autres, et souvent autant que toute une ville ou même davantage, et sont appelés à titre honorifique les riches et les gens de bien et les magnifiques acquéreurs, pourvu qu'ils sachent les trafics des traites et l'art des contrats obligatoires pour hypothéquer les patrimoines des personnes. La populace n'entend rien à tout ce galimatias ; quant à ceux qui, s'adonnant à l'étude des belles lettres, vivent en retraite soit pour suivre leur penchant, soit pour s'appliquer à la recherche de la vérité, ils regardent ces formalités comme un embarras, comme une espèce de charlatanerie, bien loin de les juger fort estimables. À cause de tels temps, de telles institutions, de telles mœurs et de tels gens, il est arrêté que c'est le droit que l'homme sera d'autant plus en crédit et en autorité que plus richement et somptueusement il aura fait bâtir ses maisons, et lui et ses héritiers, et ce encore d'autant plus que leurs petits-enfants et arrière-petits-enfants auront plus splendidement augmenté les héritages qu'ils auront reçus de leurs ancêtres, c'est-à-dire qu'ils auront reculé d'eux plus au loin et plus au large leurs voisins, alliés, cousins et parents.

Mais certes notre seigneur Jésus Christ, conducteur et modérateur des possessions, a d'un grand exemple autorisé la pythagorique communion[1] et

---

1. *La pythagorique communion* : voir Érasme, *Les Adages*, n° 1 : « Entre amis, tout est commun » (*op. cit.*, t. I, p. 43) :

la charité laissée entre les siens, quand de mort a
été puni Ananias pour avoir violé la loi de communauté[1]. Ce faisant, notre seigneur Jésus Christ me
semble avoir abrogé, du moins entre les siens,
tous ces volumes d'arguties qui composent nos
modernes droits civil et canonique, et que nous

« Aulu-Gelle, au ch. 9 du Ier livre des *Nuits attiques*, affirme que
non seulement Pythagore fut l'auteur de cette sentence, mais
qu'il avait instauré un type de communauté des biens et de la
vie, identique à celle que le Christ exige entre tous les chrétiens. De fait, tous ceux qu'il admettait dans cette confrérie
mettaient leurs biens et leur maisonnée en commun, s'ils en
possédaient. » Quelques lignes plus haut, Érasme précisait que
le proverbe était cité par « Platon, au livre V des *Lois* [739b-c].
C'est dans ce passage que Platon tente de démontrer que le
plus grand bonheur pour une société est la mise en commun de
tous les biens : "La première cité, la première constitution et
les meilleures lois se trouvent là où on applique le plus possible
à toute la cité l'antique dicton selon lequel entre amis tout est
vraiment commun." Il dit aussi : "Heureuse et sainte la communauté dans laquelle on n'entendra jamais ces mots : *c'est à
moi, ce n'est pas à moi !*" [*La République*, V, 462c]. C'est extraordinaire de voir à quel point les chrétiens haïssent cette communauté de Platon et lui jettent la pierre, alors que jamais
aucun philosophe païen n'a rien dit qui soit plus conforme à la
parole du Christ. »
　1. Voir *Actes des Apôtres*, 4-5 (trad. Bible de Jérusalem) :
« La multitude des croyants n'avait qu'un cœur et qu'une âme.
Nul ne disait sien ce qui lui appartenait, mais entre eux tout
était commun. [...] Aussi parmi eux nul n'était dans le besoin ;
car tous ceux qui possédaient des terres ou des maisons les
vendaient, apportaient le prix de la vente et le déposaient aux
pieds des apôtres. On distribuait alors à chacun suivant ses
besoins. [...] Un certain Ananie, d'accord avec Saphire sa femme,
vendit une propriété ; il détourna une partie du prix, de conni-
vence avec sa femme, et apportant le reste, il le déposa aux
pieds des apôtres. "Ananie, lui dit alors Pierre, pourquoi Satan
a-t-il rempli ton cœur, que tu mentes à l'Esprit Saint et

voyons aujourd'hui être tenus pour le refuge de la
prudence et du gouvernement.

Pourtant l'île d'Utopie, que j'entends aussi être
appelée Udépotie[1], a par un merveilleux hasard, si
nous croyons ce qu'on nous en rapporte, adopté
dans la vie tant publique que privée les coutumes
vraiment chrétiennes et même la vraie sapience,
et les a gardées jusqu'à aujourd'hui sans y rien
gâter, en retenant au prix d'un âpre combat trois
divines institutions — à savoir : entre ses citoyens,
l'égalité[2] des biens ou des maux (ou, si tu aimes
mieux, une civilité du tout parfaite) ; et un constant
et persévérant amour de la paix et de la tranquillité ; et le mépris de l'or et de l'argent — qui sont
pour ainsi dire les trois amortissements de toutes
fraudes, impostures, circonventions[3], finesses et
tromperies. Ce serait au grand accroissement du
nom de Dieu que ces trois piliers des lois utopiennes fussent, par les grands clous d'une ferme
et stable persuasion, fichés dans les sens de tous
les hommes : nous verrions incontinent déchoir et

---

détournes une partie du prix du champ ? Quand tu avais ton
bien, n'étais-tu pas libre de le garder, et quand tu l'as vendu, ne
pouvais-tu disposer du prix à ton gré ? Comment donc cette
décision a-t elle pu naître dans ton cœur ? Ce n'est pas à des
hommes que tu as menti, mais à Dieu." En entendant ces paroles,
Ananie tomba et expira. Une grande crainte s'empara alors de
tous ceux qui l'apprirent. »

1. *Udépotie* : néologisme formé sur l'adverbe grec *oudepote*
(« jamais ») : le Pays de Nulle-Part de More (*Nusquama*, *Utopia*)
devient ainsi le Pays de Jamais — sorte d'anticipation du
Neverland de Peter Pan.

2. *L'égalité* : l'égale répartition.

3. *Circonventions* : duperies.

périr l'orgueil, la convoitise, la contention envieuse,
et quasi tous les autres dards mortels de notre
adversaire infernal ; et un si grand amas de volumes
de droit, auxquels tant de bons et solides esprits
sont retenus et occupés jusqu'à la mort, seraient
abandonnés aux vers comme chose de néant,
et rangés dans les arrière-boutiques. Hé, Dieu
immortel, quelle sainteté des Utopiens a pu leur
mériter d'en haut ce bonheur qu'en cette seule île
l'avarice et la convoitise en tant de siècles n'ont pu
entrer ou s'immiscer, ni en chasser et bannir par
leur méchanceté et impudence la justice et la
moralité ? Si seulement il plaisait à Dieu très bon
et souverain de nous faire maintenant ce même
bien, à nous autres qui de son très sacré nom rete-
nons le surnom[1] ! Certes tant d'esprits par ailleurs
bons et hauts ne seraient pas dépravés et perdus
par l'avarice, mais d'un coup elle en serait chassée,
et reviendrait le siècle doré de Saturne[2].

1. *Le surnom* : le nom de chrétiens.
2. *Le siècle doré de Saturne* : le mythe de l'Âge d'Or — ces
premiers temps où le monde était gouverné non par Zeus/
Jupiter mais par son père, Cronos/Saturne —, hérité de l'Antiquité (voir par exemple Platon, *La Politique*, 271d-272b ; ou
Lucrèce, *De la Nature*, V, v. 925 *sq.*), apparaît constamment
dans les premières descriptions du Nouveau Monde. Voir par
exemple ce qu'en dit Pierre Martyr d'Anghiera, dans *Le Nouveau
Monde. Récits de Amerigo Vespucci, Christophe Colomb, Pierre
Martyr d'Anghierra*, trad. J.-Y. Boriaud, Paris, Belles Lettres,
1992, p. 42 («ils vont nus, et sans poids, sans mesures, sans
l'argent mortifère, ils vivent l'Âge d'Or») et p. 60 («Il est établi
que chez eux la terre, comme le soleil et l'eau, appartient à tout
le monde et que les termes "tien" ou "mien", sources de tous les
maux, n'y ont pas cours. [...] C'est pour eux l'Âge d'Or, les
champs ne sont clos ni de fossés ni de murs ni de haies ; ils

Quelqu'un certainement ici pensera qu'il y a
danger que par aventure Aratus et les anciens
poètes n'aient été trompés dans leur opinion,
quand ils ont pensé que lorsque la Justice était
partie de la terre, elle s'était retirée au cercle des
douze signes[1] ; car il est nécessaire qu'elle se soit
arrêtée en l'île d'Utopie, si nous croyons Hythlodée, et qu'elle ne soit point encore parvenue
jusqu'au ciel. Mais je trouve, en y prenant garde
de près, qu'Utopie est située hors des bornes du
monde connu, et qu'elle est certes une île fortunée,
proche par aventure des Champs Élysées — car
Hythlodée, comme témoigne Morus, n'a point

vivent, leurs jardins toujours ouverts ») ; voir aussi Montaigne,
Essais, I, 31, « Folio classique », p. 398 (cité dans la Préface,
p. 12) : « il me semble que ce que nous voyons par expérience
en ces nations-là, surpasse [...] toutes les peintures de quoi
la poésie a embelli l'âge doré ». Le paradigme de l'Âge d'Or
n'est pas non plus, dans une certaine mesure, impertinent
pour décrire l'Utopie, avec cependant cette restriction que les
Utopiens ne vivent pas dans l'état de nature et la sauvagerie,
mais bien dans un État hautement civilisé : voir la Préface,
p. 31. Sur les liens entre l'égalitarisme économique utopien, le
mythe de l'Âge d'Or et les *Saturnales* de Lucien (qui avaient été
traduites en latin par Érasme), voir Carlo Ginzburg, *Nulle île
n'est une île*, *op. cit.*, p. 34-44.
1. *Au cercle des douze signes* : il s'agit des douze signes du
Zodiaque. Une légende antique racontait qu'à l'Âge d'Or, la
Justice avait vécu parmi les hommes ; elle aurait commencé à
s'éloigner d'eux à l'Âge d'Argent, avant de les déserter complètement à l'Âge de Bronze, lorsque la propriété privée, la ruse
et le crime se furent répandus sur la Terre ; elle se serait alors
réfugiée au ciel, pour devenir la constellation de la Vierge.
Voir Aratos, *Phénomènes*, éd. J. Martin, Paris, Belles Lettres,
1998, v. 98-136 ; et Germanicus, *Les Phénomènes d'Aratos*, éd.
A. Le Bœuffle, Paris, Belles Lettres, 1975, v. 96-139.

encore donné la situation certaine de cette île[1]. Il a bien dit qu'elle est divisée en villes, lesquelles cependant tendent toutes à ne former qu'une seule cité, qui a pour nom Hagnopolis[2], se repose sur ses observances et ses biens, est heureuse par innocence, et mène une vie pour ainsi dire céleste : car autant elle est dessous le ciel, autant elle se tient par-dessus la fange de ce monde connu, dont le flot tourbillonnant se rue dans l'abîme, emporté qu'il est par tant d'entreprises humaines, aussi violentes et impétueuses que vaines et inutiles.

Nous devons donc la connaissance de cette île à Thomas Morus, qui en notre âge a mis en lumière cet exemplaire d'heureuse vie et ce modèle de vie qui, ainsi qu'il le dit, a été découvert par Hythlodée, auquel il attribue tout ce qu'il en a appris. À supposer que cet Hythlodée soit l'architecte qui a bâti la cité d'Utopie et composé leurs mœurs et institutions — c'est-à-dire qu'il ait de là emprunté pour nous l'apporter l'argument d'une vie heureuse —, il n'en reste pas moins que Morus a grandement enrichi de son style et de son éloquence l'île et ses saintes ordonnances, a mis la dernière touche à cette même cité des Hagnopolitains en la traçant comme à la règle et à l'équerre, et y a ajouté toutes les choses par lesquelles un ouvrage magnifique est décoré, embelli et autorisé — bien

---

1. Voir la lettre-préface de More à Pierre Gilles p. 232, et la lettre de ce dernier à Busleyden p. 238-239. Les îles Fortunées (ou îles des Bienheureux) étaient parfois identifiées aux Champs Élysées : voir par exemple Lucien, *Histoire véritable*, II, 5 *sq*.

2. *Hagnopolis* : la Cité sainte.

qu'en ceci il s'attribue seulement le rôle de construc-
teur, comme en se faisant conscience de s'attribuer le plus fort de cet ouvrage, de peur que
Hythlodée à bon droit ne pût se plaindre que
Morus ne lui ait laissé qu'une gloire déjà cueillie
et déflorée par lui, au cas où il déciderait un jour
d'écrire lui-même ses aventures. *Il a certes eu peur
que cet Hythlodée, après avoir volontiers demeuré
en l'île d'Utopie, un jour enfin ne reparaisse, fort
marri et fâché que Morus lui eût laissé la gloire de
cette découverte ainsi déflorée. Car c'est une chose
bien décente que des gens de bien et sages soient
ainsi persuadés*[1]. Mais certes la cause qui fait que
j'ajoute foi à Morus, homme de soi grave et appuyé
d'une grande autorité, c'est le témoignage de
Pierre Gilles d'Anvers, que j'aime, bien que je ne
l'aie jamais vu (et sans même tenir compte de la
recommandation accordée à son érudition et à ses
mœurs), à ce titre qu'il est l'ami juré d'Érasme,
homme très excellent et ayant très bien mérité des
lettres saintes et profanes de toutes sortes, et avec
lequel dès longtemps par lettres j'ai acquis une
aimable alliance[2].

Adieu, mon très aimé Lupset, et le plus tôt que
tu pourras, soit de vive voix soit par lettre, recom-
mande-moi à Linacre, cette lumière de l'Angleterre quant aux bonnes lettres, qui n'est désormais,
comme je l'espère, pas moins nôtre que vôtre ; car

---

1. Ce passage en italique apparaît en grec dans le texte original.
2. Voir *La Correspondance d'Érasme et de Guillaume Budé*,
trad. Marie-Madeleine de La Garanderie, Paris, Vrin, 1967.

certes il est un homme entre ceux, qui sont bien peu, dont je gagnerais volontiers, si je puis, l'approbation, pour la raison même que quand il demeurait ici, il s'est hautement gagné la mienne et celle de Jean Ruel, mon ami et le confident de mes études[1], et aussi et surtout parce que je m'émerveille de son excellent savoir et de son exacte diligence, et m'efforce en cela de le suivre.

Je désire aussi que, comme j'ai dit, de vive voix ou par écrit, tu fasses mes recommandations à Morus, homme que je crois et dis depuis longtemps déjà être enrôlé au nombre des plus savants disciples de Minerve, et que cette Utopie, île du Nouveau Monde, me fait souverainement chérir et honorer. Car l'histoire de cette île sera, en notre âge et pour nos successeurs, comme une pépinière d'élégantes et utiles institutions, d'où ils pourront tirer des mœurs à rapporter et accommoder chacun en sa cité. Je te recommande à Dieu. De Paris, ce dernier jour de juillet [1517].

---

1. Jean Ruel (*circa* 1479-1537), humaniste, botaniste et médecin, fut doyen de l'École de médecine de Paris et médecin personnel de François Ier.

Seconde lettre de Thomas More
à Pierre Gilles

J'ai pris grand plaisir, très cher Pierre, à recevoir la critique, dont tu as entendu parler, d'un
homme très pénétrant[1], qui a posé à propos de
notre *Utopie* le dilemme suivant : « Si la chose est
rapportée comme vraie, j'y vois quelques absurdités ; mais si elle est fictive, alors je regrette en
certains endroits de ne pas y retrouver toute l'exactitude du jugement de More. » À cet homme, quel
qu'il soit, mon cher Pierre — j'imagine qu'il est
savant, et je constate qu'il est plein d'amitié — je
suis très redevable, car par cet avis si franc, il m'a
obligé plus que quiconque depuis la publication
du livre.

En premier lieu, soit par affection pour moi,
soit parce qu'il a été séduit par l'ouvrage, il apparaît qu'il n'a pas été lassé de sa peine au point d'en
interrompre la lecture avant la fin ; et sa lecture
n'a pas été superficielle ou précipitée, telle qu'est

---

* Traduction de Guillaume Navaud.
1. Ce critique anonyme n'a pas été identifié — pour autant
bien sûr qu'il ne soit pas une nouvelle invention de More.

d'ordinaire celle des prêtres qui lisent les Heures[1]
— ceux du moins qui les lisent encore —, mais
lente et appliquée, de façon à peser adroitement
toute chose une par une. Ensuite, il a certes émis
certaines critiques — d'ailleurs mesurées — mais
il déclare avoir approuvé tout le reste, et ce non
pas à la légère mais après mûre réflexion. Enfin,
les mots mêmes par lesquels il me rosse sont plus
élogieux pour moi que ceux des personnes qui
se donnent expressément pour mes thuriféraires.
C'est en effet révéler manifestement toute l'estime
qu'on a pour moi que de se plaindre d'être déçu
dans son attente si on rencontre en me lisant
quelques inexactitudes, alors même que ma propre
attente serait dépassée si je pouvais, parmi tant de
choses, en exposer ne serait-ce que quelques-unes
qui ne soient pas complètement absurdes.

Toutefois — pour lui répondre avec une franchise égale à la sienne — je ne vois pas en quoi on
devrait s'estimer clairvoyant (ou, comme disent
les Grecs, «perçant») en découvrant qu'il y a
quelques absurdités dans les institutions des Utopiens, ou qu'en façonnant ma République je n'ai
pas toujours inventé les solutions les plus expé-
dientes : ne voit-on rien d'absurde nulle part ailleurs dans le monde? et quel philosophe a-t-il
jamais organisé une République, gouverné un
prince ou dirigé une maisonnée sans qu'il y ait
rien à améliorer dans ses institutions? Si je ne

---

1. *Les Heures* : au sens liturgique : Petites Heures (Prime,
Tierce, Sexte, None) et Grandes Heures (Matines, Laudes,
Vêpres).

considérais pas que la mémoire des hommes les plus excellents, consacrée par l'âge, a un caractère sacro-saint qui me retient de me livrer à de telles vétilles, je pourrais certes souligner chez chacun des détails que le monde entier serait sans doute unanime à condamner avec moi.

Quant à ce qu'il doute si la chose est vraie ou fictive, c'est à moi de regretter en ce lieu l'inexactitude de son jugement. Je ne le conteste certes pas : si j'avais pris la décision d'écrire sur la République, et qu'une telle fable me fût venue à l'esprit, je n'aurais peut-être pas répugné à cette fiction qui, en enveloppant le vrai comme du miel, lui permet de s'insinuer un peu plus suavement dans les esprits[1]. Dans ce cas néanmoins, je l'aurais certes mitigée de telle sorte que, tout en abusant volontairement l'ignorance du vulgaire, j'aurais du moins semé pour les plus lettrés quelques indices qu'il eût été aisé de suivre à la trace pour percer mon dessein. Par exemple, à défaut d'autre chose,

---

1. Voir Lucrèce, *De la Nature*, I, v. 936-947 (trad. Charles Guittard, Paris, Imprimerie nationale, 2000) : « Les médecins, quand ils essayent de faire prendre aux enfants l'absinthe amère, commencent par appliquer autour de la coupe, sur les bords, une couche de miel blond et sucré pour que les enfants, dans leur ingénuité, se laissent abuser en effleurant la coupe et en même temps avalent complètement l'amer breuvage de l'absinthe, et, abusés sans en être victimes, recouvrent force et santé grâce à un tel procédé ; ainsi moi aujourd'hui, puisque notre doctrine semble généralement assez rebutante à ceux qui ne l'ont pas étudiée et que le vulgaire s'en écarte avec horreur, j'ai voulu t'exposer notre système dans le langage des Muses aux accents mélodieux et en quelque sorte le parer du doux miel de la poésie. » Voir la Préface, p. 27.

j'aurais au moins donné au prince, au fleuve, à la ville et à l'île des noms susceptibles d'avertir les plus connaisseurs que l'île n'est nulle part, que la ville est un mirage, que le fleuve est sans eau, et le prince sans peuple. Cela n'aurait pas été difficile à faire, et aurait été bien plus spirituel que ce que j'ai fait; car, si je n'y avais été contraint par la fidélité historique, je n'aurais pas poussé la stupidité jusqu'à choisir d'employer ces noms barbares et qui ne signifient rien : Utopie, Anydre, Amaurot, Adème[1].

Du reste, mon cher Gilles, je vois certains hommes circonspects et subtils pousser la défiance jusqu'à avoir du mal à se laisser persuader par le récit d'Hythlodée, que je n'ai fait que reproduire par écrit, en homme simple et crédule que je suis; aussi, pour éviter que ma bonne foi ne puisse paraître à ces gens aussi suspecte que la fidélité historique, je me réjouis d'être en état de dire en faveur du fruit de mon labeur ce que la Mysis de Térence dit de l'enfant de Glycère pour éviter qu'il ne soit tenu pour supposé : « Grands dieux ! comme je vous sais gré que des femmes libres aient été témoins de l'accouchement[2] ! » Et de fait j'ai aussi eu bien de la chance que Raphaël ait raconté son histoire non seulement à moi et à toi, mais aussi à beaucoup d'hommes d'une extrême honnêteté et

---

1. More dévoile ici par antiphrase une des clés de l'onomastique utopienne. L'entreprise de décryptage sera ensuite poursuivie par Barthélemy Aneau et par Gérard Vossius : voir *infra*, p. 277 et note 1.

2. Térence, *Andrienne*, v. 770-771.

du plus grand sérieux : je ne sais s'il leur en a fait un récit plus détaillé et plus ample qu'à nous, en tout cas il n'était sûrement ni plus laconique ni de moindre importance. Et si ces incrédules ne se fient pas même à ces personnes, il leur est loisible d'aller voir Hythlodée lui-même, car il n'est pas encore mort. Je viens d'apprendre par des voyageurs tout juste revenus du Portugal qu'au début du mois de mars dernier notre homme était aussi vivant et en bonne santé qu'il fut jamais. Qu'ils aillent donc s'enquérir de la vérité auprès de lui en personne, ou qu'ils aillent la lui arracher en le soumettant, s'il leur plaît, à un interrogatoire serré — pourvu qu'ils comprennent que je ne saurais répondre que de mon œuvre, et non de la bonne foi d'un autre.

Mes salutations, mon très cher Pierre, à toi, à ta charmante épouse et à ton adorable fillette, auxquelles ma femme souhaite bonne santé et longue vie.

Composés pour la troisième édition
(Bâle, 1518)

Lettre d'Érasme à Jean Froben

Tout ce qui a paru de mon illustre Morus a été de mon goût plus que je ne puis l'exprimer. Je me défiais, néanmoins, toujours de mon jugement ; et j'avais peur que le nœud d'amitié intime qui nous unit ne me causât quelque nuage de prévention. Mais quand je vois que généralement tous les doctes pensent de même ; qu'ils élèvent même beaucoup plus haut le génie de cet homme incomparable, non qu'ils l'aiment autant que je le chéris, mais

parce qu'ils ont plus de lumière que moi, oh! je
déclare que je suis bien content de mon sentiment,
et dans la suite, je le soutiendrai à découvert.

Que n'aurait point pu produire cet esprit admirablement heureux, si l'Italie lui avait donné
l'éducation? Que n'aurait-on point dû espérer de
lui s'il s'était consacré tout à fait au culte des
Muses; s'il avait mûri jusqu'à la saison des fruits
et jusqu'à son automne? À peine sortait-il de l'enfance qu'il fit des épigrammes — dont la plupart
remontent à sa prime jeunesse. Il n'a jamais passé
la mer que deux fois; et c'était pour aller en
mission diplomatique en Flandres de la part du Roi
son maître[1]. Un homme qui a une femme qu'il
aime et une domesticité nombreuse, un seigneur
posté au premier rang de la jurisprudence et
abîmé dans les plus hautes affaires du royaume,
que ce magistrat puisse trouver une heure de
méditation littéraire, en vérité cela n'est-il pas
surprenant?

C'est ce qui m'oblige à vous envoyer ses *Progymnasmata*[2] et son *Utopie*: voyez si, par votre
presse, vous voulez en faire présent au monde, et

1. Entre mai et octobre 1515 (ambassade pendant laquelle
More écrit le livre second de *L'Utopie*), puis entre août et
décembre 1517. More affirme cependant, dans sa lettre à Dorp
du 21 octobre 1515, avoir également séjourné à Louvain et à
Paris sept ans plus tôt, c'est-à-dire en 1508.
2. *Progymnasmata*: en grec, «exercices préparatoires» à
la rhétorique. Érasme désigne sous ce terme les épigrammes
latines composées par More dans sa jeunesse, qui furent publiées
à la suite de *L'Utopie* dans l'édition de Bâle à laquelle cette
lettre d'Érasme sert de préface.

les rendre durables dans les siècles futurs. Vous êtes libraire d'une réputation fameuse; et c'est assez qu'un livre soit connu comme frobénien pour être recherché avec empressement de tous les connaisseurs. Adieu, portez-vous bien : mes amitiés au beau-père[1], à l'aimable épouse, et aux agréables enfants. Je vous recommande surtout le petit Érasme, ce fils qui nous est commun, et puisqu'il est né parmi les Muses, tâchez d'en faire un habile homme[2]. À Louvain, le 25 août 1517.

1. Wolfgang Lachner, beau-père de Froben, était lui-même libraire.
2. Érasme était le parrain d'un des fils de Jean Froben, pré-nommé Érasme.

Composés pour des éditions ultérieures

Barthélemy Aneau,
« Avertissement déclaratif de l'œuvre »
(1559)

Comme les anciens poètes sous la fabuleuse mythologie ont couvert et adombré[1] la vraie philosophie, ainsi le prudent chancelier d'Angleterre S. THOMAS MORE sous une feinte narration de la nouvelle île D'UTOPIE a voulu figurer une morale République et très parfaite politique : voire si très parfaite que jamais telle ne fut, ni n'est, ni par aventure ne sera. Car à la manière que les graves

---

* L'orthographe, la ponctuation et la syntaxe ont été modernisées.

1. *Adombré* : masqué. Allusion à la théorie de la *prisca theologia* ou *prisca philosophia*, développée notamment par Marsile Ficin, selon laquelle les écrits des anciens poètes et philosophes païens recelaient un contenu ésotérique et mystique, qui ultimement se révèle cohérent avec la sagesse de la tradition judéo-chrétienne. Le verbe *adombrer* est employé dans un contexte similaire par Barthélemy Aneau dans la « Préparation de voie à la lecture et intelligence de la *Métamorphose* d'Ovide et de tous les poètes fabuleux » qui ouvre son édition illustrée des premiers livres des *Métamorphoses* d'Ovide, reprenant en partie la traduction de Clément Marot : voir Clément Marot et Barthélemy Aneau, *Les Trois Premiers Livres de la* Métamorphose *d'Ovide*, éd. Jean-Claude Moisan, Paris, Champion, 1997, p. 7.

Stoïques ont figuré leur parfait sage, et que le très éloquent Cicéron a formé son parfait orateur — desquels la description est tant souveraine, que tels sages et tels orateurs ne furent onques vus, ni ne se voient à présent, ni ne sont espérés à l'avenir, mais tels ils les ont dépeints qu'il conviendrait être en leur absolue perfection, si l'imbécillité humaine y pouvait atteindre ; à l'image desquels ceux qui plus près adviendront plus excellents en sapience et en art oratoire estimés ils seront[1] —, ainsi le magnifique Thomas More, très subtil ouvrier de ingénieusement inventer et de bien dire, sous fiction chorographique[2] d'une île nouvellement trouvée, et très civilement régie, a coloré l'image d'une très excellente police[3] de République, non certes telle qu'elle ait jamais ainsi été, ou soit en nul lieu, mais telle qu'en tous lieux elle devrait être. Et pour ce il l'a nommée LA RÉPUBLIQUE D'UTOPIE, c'est-à-dire de nul lieu : et Monsieur Budé, en sa magnifique épître liminaire de l'œuvre, l'a nommée UDÉPOTIE, c'est-à-dire, qui ne fut jamais[4]. Tous deux donnant à entendre que en nul lieu et en nul temps ne fut et n'est et ne sera une telle et si bien formée République : et encore sous telles couleurs reprenant les défauts des Politiques,

1. *À l'image desquels [...] estimés ils seront* : et ceux qui se rapprocheront le plus de cette image seront estimés comme les plus excellents en sapience et en art oratoire.
2. *Chorographique* : prenant la forme de la description d'un pays.
3. *Police* : constitution politique (grec *politeia*).
4. Voir *supra*, p. 260.

qui sont à présent toutes perverties et corrompues, en leur représentant au vif le patron de cette utopique auquel, pour les amender et améliorer, il les faudrait conformer, et les imiter le plus près qu'il serait possible. Mais ce prudent chancelier anglais, considérant que telle répréhension et exemplaire réformation des gouvernements ne serait agréablement reçue en plate forme de nue et découverte démonstration, afin de la rendre plus plaisante, plus agréable et plus acceptable, il l'a voulu figurer sous nouvelle et étrange histoire, qu'il feint avoir entendue d'un étrange pérégrinateur, et lointain voyageur, qu'il nomme RAPHAËL HYTHLODAEUS : et cela fait-il si subtilement, y donnant couleur de vérisimilitude historiale, que l'on dirait proprement être un vrai récit, entendu par autrui, des lieux, personnes et choses qui sont en nature, combien que ce n'est qu'un contemplatif argument, très bon et très raisonnable, inventé par ce grand personnage londonien, THOMAS MORE : comme manifestement en donnent indice les noms grecs convenablement imposés aux personnes et aux choses, car UTOPIE est à dire nul lieu, nom de île fantastique qui en nul lieu ne se trouve ni en la Géographie, ni au monde : ni la situation de cette île, comme l'Auteur même, et M. Budé, et Pierre Gilles en leurs épîtres latines le donnent à entendre, disant par manière de couverture avoir oublié de demander à HYTHLODAEUS en quelle mer et région, et sous quel climat, est cette île située. Joint qu'il apert que cet HYTHLODAEUS est un personnage feint et introduit expressément sous un nom imposé à plaisir, HYTHLODAEUS, signifiant en grec : facteur de non véritables et plaisants propos ; lequel en propre nom il appelle RAPHAËL, nom d'un ange spirituel, signifiant que de son propre et bon esprit, a été inventée ladite République de nul lieu[1]. Les autres vrais personnages introduits assistant au discours de Raphaël, qui sont Clément et Pierre Gilles d'Anvers, celui pour qui Érasme a écrit l'épithalame[2], sont adjoints comme témoins, pour mieux déguiser et rendre plus vraisemblable la controuvée bonne invention, en forme de historiale narration : tendant à délectable et utile fin de remontrer par un plaisant discours les fautes des

1. Le décryptage du sens des noms propres de *L'Utopie* est poursuivi par Aneau, à la fin de son édition, dans « L'interprétation sur les noms propres des personnes, choses ou circonstances, qui par l'auteur ont été inventées et formées à plaisir, et à propos de l'histoire utopique », qu'il conclut par ces mots : « [...] tous lesquels noms significatifs de choses nulles, ou vaines, et appropriés aux personnes, lieux et faits feints et inventés plutôt que vrais, donnent assez à entendre que cette Utopique est invention de République, telle qui n'est, ne fut, ne sera : fort bien déguisée en figure historiale, par l'imagination d'un bon et prudent esprit, phantasiant et faisant châteaux en Espagne, d'une parfaite politique, telle qu'il l'eût désirée être en Angleterre et partout, pour sur celle-ci donner exemple d'émendation aux présents gouvernements et administrations principales ou publiques ». Ce décryptage fut également entrepris, à la demande de Samuel Sorbière qui s'apprêtait à publier sa propre traduction de *L'Utopie*, par Gérard Jean Vossius : voir sa lettre à Samuel Sorbière datée du 1er janvier 1643, « *De Utopia Mori ac paradoxis in illa vocabulis agit* », dans *Opera omnia*, t. 4, Amsterdam, P. and J. Blaeu, 1699, épître 634, p. 340-341.

2. *L'épithalame* : Érasme avait en effet composé un poème à l'occasion du mariage de Pierre Gilles.

Républiques présentes, et figurer un archétype
parfait de vraie politique, auquel les autres se
devront conformer, ou pour le moins, le plus près
que possible sera, en approcher[1].

---

1. *Ou pour le moins, le plus près que possible sera, en approcher* : ou au moins, dont ils devront le plus possible se rap-
procher.

Nicolas Gueudeville,
extrait de la « Préface du traducteur » (1715)

Quel dommage que nous soyons si éloignés de ce pays-là, du vrai bonheur et de la solide félicité ! Apparemment tous les mortels sensés, tous les hommes raisonnables iraient y planter le piquet. Leur désertion ne ferait pas grand tort à notre monde : bien loin de le dépeupler, à peine s'apercevrait-on de ne les avoir plus : les sages sont cachés dans la foule, et ils y sont, hélas, ils y sont un si petit nombre !

Mais malheureusement pour eux l'Utopie est presque introuvable ; je dis *presque*, car enfin Hythlodée, voyageur portugais, très habile homme, et grand amateur de l'humanité, découvrit, par un heureux hasard, ces insulaires qui en sont les plus rigides et les plus zélés observateurs, et chez qui l'Équité tient son trône. Cet Hythlodée, s'étant trouvé à Anvers avec l'illustre Morus, lui fit une description exacte des Utopiens ; Morus en fut charmé, et il écouta si attentivement la narration que, quoiqu'elle fût assez ample, assez longue pour en faire un livre, il n'en perdit pas un seul mot. Voilà ce qui s'appelle un prodige de mémoire !

Morus, s'imaginant peut-être que cette découverte du monde utopien pourrait être encore plus utile que celle du monde américain, publia fidèlement et mot pour mot le récit d'Hythlodée. Oh! qu'il s'abusait, ce célèbre Anglais, si c'était là son intention et son but! On navigue avec empressement à l'Amérique pour y chercher les matières et les instruments de la fortune: mais en Utopie? il n'y a guère que de la Raison, que de la Justice à gagner, or c'est de quoi le commun des hommes se soucie le moins. En effet, je ne crois pas que de tant d'humains qui se sont abandonnés, qui s'abandonnent encore aux fureurs de la mer, et à cent autres périls, pour pénétrer dans les terres inconnues, pas un se soit avisé de penser à la découverte de l'Utopie. Cet heureux pays n'a tenté personne: Morus s'y attendait bien; il connaissait trop l'espèce humaine pour douter que sa République aurait le même sort que celle de Platon le divin.

Pour parler à présent à découvert, et pour désabuser quelque lecteur qui pourrait avoir pris à la lettre et dans le sérieux ce que je n'ai dit qu'en badinant, je déclare que l'Utopie n'est nullement dans l'être des choses, et que ce meilleur des États n'a jamais subsisté que dans la belle et féconde imagination de notre auteur: c'est la production d'un génie aussi distingué, aussi sublime que le sien; et depuis que le droit de feindre est établi, je ne sais si on a jamais menti plus ingénieusement, ni plus utilement.

Les poètes, par exemple, ne font pas grand effort en faveur de la vraisemblance; c'est de quoi la gent apollonique[1] s'embarrasse le moins : pourvu que leurs idées soient transcendantes, pourvu qu'ils se sentent les aigles du Parnasse, ils se soucient fort peu qu'on les croie ou qu'on ne les croie pas ; devienne la vérité ce qu'elle pourra ! Morus dans sa fiction historique a pris une route toute opposée : il a employé les circonstances les plus propres à persuader que son île était réelle ; et il y a si bien réussi que ceux à qui l'Utopie est inconnue pourraient s'y tromper assez pour la chercher bonnement dans la carte. Voilà pour l'ingénieux : un petit mot de l'utile.

Communément parlant, les poètes n'ont pas pour but de procurer le bonheur des autres : ils ne visent qu'à se faire admirer, ou qu'à se rendre la fortune propice, et souvent, le plus souvent, ils échouent dans l'un et dans l'autre. Notre Morus, au contraire, n'a écrit ni pour la gloire, ni pour l'intérêt : touché du malheur des mortels, il s'en est fait comme l'avocat, comme le procureur ; et souhaitant, en bon humain, de les rendre tous heureux, il en inventa le moyen, ce qui est le sujet de son ouvrage. Vous jugez bien que ce grand et rare ami de l'homme prévoyait assez que sa tentative serait inutile : il n'ignorait pas que, des millions de têtes trouvant leur compte dans l'ancien train, le monde ne *s'utopiera* jamais. Cette impossibilité morale ne rebuta pourtant point notre auteur : il crut que son plan de République pourrait produire quelque fruit ; et que tout au moins, s'il n'avait pas

---

1. *La gent apollonique* : le peuple des disciples d'Apollon, c'est-à-dire les poètes.

le bonheur de changer la condition humaine, il indiquerait, il ouvrirait une voie pour la rendre meilleure.

D'ailleurs, Morus pouvait-il exercer son esprit sur une matière plus importante que celle de l'humanité ? Toutes les sciences, tous les arts nourrissent la curiosité de l'homme : mais pas une ne le tire de sa misère et de sa souffrance : la seule étude de l'humanité, de l'équité, de la justice réciproque ; oui, cette seule étude a pour objet la félicité commune ; elle seule tend à faire passer agréablement la vie à tous les sujets d'un État.

AUTRES DOCUMENTS

Cosmographiae Introductio (1507)

Planisphère de Waldseemüller, détail :
portrait de Vespucci et carte de l'Amérique

Library of Congress, Washington.

Extraits des correspondances
de More et d'Érasme

Lettre de More à Érasme
du 4 décembre 1516 :
More se rêve ironiquement en roi d'Utopie

Le Révérend Tunstall m'a récemment remis une lettre remplie des sentiments les plus amicaux ; et que je meure, très doux Érasme, si son jugement si limpide, si prestigieux sur notre *République* ne m'a pas causé plus de plaisir qu'un talent attique[1]. Je ne saurais dire à quel point j'exulte à présent, à quel point je me sens grandi, à quel point je me fais de moi-même une plus haute idée. J'ai constamment devant les yeux la preuve que le premier rang m'est à jamais réservé par mes Utopiens[2] ; bien plus, j'ai déjà aujourd'hui l'impression de m'avancer, couronné de cet insigne diadème de froment, attirant les regards par ma bure francis-

* Traduction de Germain Marc'hadour et Roland Galibois, dans Érasme de Rotterdam et Thomas More, *Correspondance*, Sherbrooke, Éditions de l'Université de Sherbrooke, 1985, p. 46-47.

1. *Un talent attique* : unité monétaire antique, valant une très grosse somme d'argent.

2. *Mes Utopiens* : il s'agit d'hommes comme Tunstall ou Busleyden, dont More écrivait, dans sa lettre à Érasme du 31 octobre 1516 (Allen #481), qu'ils seraient en Utopie destinés à devenir des princes.

caine, tenant en guise de sceptre auguste la gerbe
de blé, entouré d'une insigne escorte d'Amau-
rotes[1]. Et c'est ainsi qu'en grande pompe je marche
au-devant des ambassadeurs et des princes des
autres nations, qui nous font vraiment pitié avec
leur sot orgueil, j'entends, de s'en venir parés
comme des gamins, alourdis de toilettes effémi-
nées, enchaînés avec cet or méprisable, et prêtant
à rire avec leur pourpre, leurs pierres précieuses
et autres babioles creuses[2]. Toutefois, je ne voudrais pas que toi ou notre cher Tunstall me jugiez
d'après le caractère d'autres personnes, dont la
fortune modifie la conduite. En fait, même s'il a
paru bon au Ciel d'élever ainsi notre humble
condition au sommet des honneurs, auquel je ne
crois pas qu'aucun roi puisse être porté, jamais
cependant vous ne me trouverez oublieux de cette
vieille amitié que j'ai entretenue avec vous quand
j'étais simple citoyen. Que si cela ne vous pèse pas
de faire un petit bout de chemin pour venir avec
moi en Utopie, je m'engage à faire en sorte que
tous les mortels que gouverne le suprême pouvoir
de notre clémence vous rendent l'hommage qu'ils
doivent à ceux dont ils se rendent compte qu'ils
sont très chers à leur propre souverain.

J'allais poursuivre plus loin ce très doux rêve,
mais l'aurore qui se lève, hélas! a dissipé mon
rêve et m'a dépouillé de ma souveraineté et me
ramène à mon pétrin, c'est-à-dire au tribunal. Une

1. Allusion à *L'Utopie*, p. 171.
2. Allusion à l'anecdote des ambassadeurs anémoliens : voir
L'Utopie, p. 137.

chose me console pourtant : c'est que les royaumes réels, je le constate, ne durent pas beaucoup plus longtemps.

Porte-toi bien, très cher Érasme.

Lettre d'Érasme à Ulrich von Hutten
du 23 juillet 1519 : portrait de More

Tu aimes la personnalité de Thomas More au point d'être, pour ainsi dire, consumé par l'admiration passionnée qu'allument en toi ses écrits, dont rien ne saurait surpasser, comme le dit si justement ta lettre, l'érudition ni le charme. Cet enthousiasme, crois-moi, cher von Hutten, beaucoup le partagent. Et More, du reste, l'éprouve aussi à ton égard : il goûte si fort la verve de tes écrits que, pour un peu, je serais moi-même jaloux de toi. Voilà bien comment cette sagesse, louée par Platon comme la chose au monde la plus digne d'amour, provoque entre humains des amitiés autrement plus ferventes que n'en suscita jamais la beauté corporelle, si merveilleuse qu'elle soit. Sans doute échappe-t-elle aux yeux de la chair : mais l'âme a des yeux, elle aussi, de sorte que même ici, le dicton grec bien connu s'avère exact :

---

* Traduction de Germain Marc'hadour, dans Saint Thomas More, *Lettre à Dorp ; La Supplication des âmes*, Namur, Le Soleil Levant, 1962, p. 15-35. — Ulrich von Hutten (1488-1523), poète et polémiste allemand, allait bientôt devenir partisan de Martin Luther et s'aliéner l'amitié d'Érasme.

C'est le regard qui fait naître en nous l'amour[1]. Grâce à ces yeux de l'âme, il arrive que des hommes s'attachent l'un à l'autre par des liens très tendres sans s'être jamais parlé, sans s'être même entrevus. Tous les jours on constate que les gens sont attirés, sans motifs apparents, par divers types de beauté physique, chacun selon son goût : de même une secrète affinité semble exister entre les esprits, qui veut que certains nous procurent un plaisir extrême, et les autres pas.

Quant à céder à tes instances en te peignant Thomas More de pied en cap, comme en un tableau, ah ! si je pouvais réaliser ce portrait avec une perfection égale à l'intensité de ton désir ! Sans doute est-ce une aubaine pour moi, cette occasion de contempler à loisir celui qui est — et de loin — le plus charmant de mes amis. Mais, tout d'abord, *il n'est pas donné à n'importe qui*[2] d'explorer tous les dons de More ; et ensuite je doute fort que lui-même se laisse peindre par le premier artiste venu. C'est que le portrait de More n'est pas, à mon avis, plus facile à exécuter que celui d'Alexandre le Grand ou celui d'Achille : ces héros, d'ailleurs, n'étaient pas plus dignes que lui de l'immortalité. Un sujet pareil n'exige rien de moins que le pinceau d'Apelle ; or moi je ressemble davantage, hélas, à Fulvius et à Rutuba qu'à Apelle[3].

---

1. Voir Érasme, *Les Adages*, n° 179 (*op. cit.*, t. I, p. 179).
2. Voir Érasme, *Les Adages*, n° 301 (*op. cit.*, t. I, p. 277-279).
3. Allusion à Horace, *Satires*, II, 7, v. 96, où les gladiateurs Fulvius et Rutuba sont opposés au grand peintre Pausias. Ici, le grand peintre cité est Apelle, qui fut le portraitiste officiel d'Alexandre le Grand.

Je m'en vais, toutefois, essayer de te donner une image en pied de notre héros — croquis plutôt que tableau achevé — en me remémorant les observations qu'il m'a été donné d'enregistrer au cours d'un long commerce avec lui, et sous son propre toit. S'il t'arrive un jour de le rencontrer à la faveur de quelque ambassade, tu comprendras à quel piètre artiste tu as confié son portrait ; et j'ai bien peur, ma foi, que tu ne m'accuses alors, ou de malveillance, ou d'extrême myopie : car, en glanant si peu de nobles traits là où il y en a tant, n'aurai-je pas fait preuve, soit d'une vue trop courte pour les discerner, soit d'une âme trop envieuse pour les relever ?

Commençons par l'aspect de More que tu connais le moins : sa stature et son apparence physique. Il n'est pas ce qu'on appelle grand, sans être pourtant d'une petitesse marquée : son corps est si parfaitement proportionné en toutes ses parties qu'on n'y trouve absolument rien à redire. Il a la peau claire. Le teint du visage est d'une blancheur ardente plutôt que pâle. Ne t'imagine pas pour autant une face rougeaude, mais un rose délicat qui court discrètement sous la transparence de l'épiderme. Les cheveux sont d'un blond tirant sur le brun, ou, si tu préfères, d'un brun tirant sur le blond. La barbe est assez peu fournie. Les yeux ont des reflets gris bleuté, et sont parsemés de mouchetures : indice habituel d'une nature très heureuse. En Grande-Bretagne, du reste, on trouve à ces yeux-là un grand charme, tandis que chez nous on préfère les noirs. Ce sont, dit-on, les yeux les moins sujets au vice. La physionomie répond

au caractère : elle reflète toujours une bonne
humeur affable et bienveillante, et donne un peu
l'impression d'un rire tout prêt à fuser. Elle res-
pire, j'en conviens, plutôt la plaisanterie que le
sérieux et la gravité, tout en restant fort éloignée
de la gaîté bouffonne. Son épaule droite paraît un
peu plus haute que la gauche, surtout quand il
marche : ce n'est pas là un vice de naissance, mais
un de ces plis, comme nous en contractons souvent,
et qui finissent par s'installer en nous. À part ce
détail, il n'y a rien dans son extérieur qui détonne :
les mains seules ont une certaine lourdeur rustique,
mais c'est simplement par comparaison avec la
grâce de l'ensemble. Depuis son enfance, More
n'a eu que mépris pour tout ce qui touche au soin
du corps, allant jusqu'à négliger les quelques
points qui, d'après Ovide, constituent le code élé-
mentaire de la coquetterie masculine[1]. Le bel adolescent qu'il a été se devine encore *sous les traits*[2]
de l'homme mûr ; il avait, d'ailleurs, tout au plus
vingt-trois ans lorsque j'ai fait sa connaissance, et
à présent, il n'a guère dépassé la quarantaine[3].

À défaut d'une constitution robuste, il jouit d'une
santé suffisante pour faire face à toutes les charges
qui incombent à un citoyen distingué. Il n'est pas
— ou très peu — sujet aux maladies. Ses chances
de longue vie sont sérieuses, puisqu'il a toujours

---

1. Voir Ovide, *Art d'aimer*, I, v. 509-552 : une beauté un peu
négligée sied mieux à l'homme qu'un excès de coquetterie,
pourvu qu'on prenne soin de quelques points essentiels.
2. Voir Homère, *Odyssée*, XIV, v. 214.
3. More est né en 1478 ; sa première rencontre avec Érasme
remonte à 1499, quand il était âgé de vingt et un ans.

un père, vieillard chargé d'ans, mais étonnamment vert encore et vigoureux. Je n'ai jamais vu personne qui soit moins difficile en matière de nourriture. Jusqu'à l'âge d'homme, il s'est régalé d'eau claire, suivant du reste en cela l'exemple paternel ; mais, pour mettre tout le monde à l'aise sur ce point, il savait donner le change à ses commensaux en buvant dans un gobelet d'étain une bière très diluée, et fréquemment de l'eau claire. Comme il est d'usage en Angleterre de s'inviter mutuellement à boire du vin à la même coupe, il en prenait parfois une gorgée du bout des lèvres, pour n'avoir pas l'air d'y être absolument opposé, et en même temps pour s'habituer à faire comme tout le monde. Aux mets que l'on tient couramment pour délicats il préférait le bon gros bœuf, le poisson salé, le pain de ménage bien levé, sans témoigner du reste la moindre répugnance pour tout ce qui procure un plaisir innocent, fût-il purement corporel. Il a toujours eu un faible pour les laitages et les fruits, et l'œuf est son mets favori.

Sa voix n'est ni puissante, ni toutefois trop grêle, mais elle est pénétrante ; sans rien de bien sonore ni de moelleux, elle convient à la parole. Il ne semble donc pas doué pour le chant, mais il n'en goûte pas moins toutes les formes de musique. Il a la langue merveilleusement déliée, et il articule parfaitement sans trace de précipitation ou d'hésitation.

Il aime à s'habiller simplement, ne porte ni soie, ni pourpre, ni chaînes d'or, sauf quand les circonstances l'y contraignent. Il a, pour l'étiquette, que le commun des mortels confond avec le savoir-vivre, un dédain étonnant : il ne l'exige de personne, et lui-même ne s'inquiète pas outre mesure de l'observer scrupuleusement envers autrui, que ce soit dans les rencontres ou à l'occasion des repas. Non certes qu'il en ignore les canons, pour peu qu'il lui plaise de s'y conformer, mais il estime que c'est efféminé, indigne d'un homme, de sacrifier trop de temps à des inepties pareilles.

Il a manifesté autrefois quelque antipathie pour la vie de cour et la fréquentation des grands, ayant toujours éprouvé pour la tyrannie une horreur particulière, qui va de pair avec son amour fervent de l'égalité. Or il n'est guère de cour, si rangée soit-elle, où il n'y ait bien du tapage et de la brigue, où ne sévissent le trompe-l'œil et la mollesse, et d'où soit exclue toute ombre de tyrannie. Même à la cour d'Henri VIII — prince aussi courtois, pourtant, et aussi modeste qu'on peut le souhaiter — on n'a pu le traîner qu'à son corps défendant. Il est par nature assez jaloux de son indépendance et de la libre disposition de son temps ; mais s'il accueille avec joie tout loisir qui s'offre à lui, nul n'est plus entreprenant, quand la situation l'exige, ni plus prêt à se gêner pour autrui.

On le dirait né et mis au monde pour l'amitié ; il la cultive avec une absolue sincérité, qui n'a d'égale que sa ténacité. Et il n'est pas homme à redouter le trop grand nombre d'amis, cette *polyphilie* qu'Hésiode n'apprécie guère[1]. Il n'exclut

---

1. *Polyphilie* : multiplicité d'amis. Voir Hésiode, *Les Travaux et les Jours*, v. 713-715 ; la *polyphilie* est le sujet d'un traité de Plutarque.

personne de ces liens sacrés. Nullement exigeant dans le choix de ses amitiés, il est très complaisant dans leur entretien, et il n'épargne rien pour éviter leur rupture. S'il lui arrive de tomber sur quelqu'un dont il ne puisse guérir les vices, il profite d'une occasion pour s'en séparer : il découd ainsi l'amitié sans en rompre les fils. S'il rencontre des amis sincères, dont le tour d'esprit s'accorde avec le sien, il a tant de plaisir à s'entretenir avec eux qu'il semble puiser dans leur compagnie la principale joie de l'existence. Par contre il abhorre sans réserve les jeux de paume, de dés, de cartes et les autres passe-temps auxquels les grands ont presque tous recours pour tromper leur ennui. J'ajouterai qu'il a beau faire peu de cas de ses propres intérêts, nul ne prend plus à cœur les affaires de ses amis. Bref, si l'on veut un parangon de la parfaite amitié, on aurait tort d'en chercher un autre que Thomas More.

Tels sont, en compagnie, le charme et l'exquise courtoisie de son caractère, qu'il n'est esprit si chagrin qui à son contact ne se déride, ni situation si pénible dont il ne dissipe l'ennui. Depuis son enfance il est si épris de plaisanterie qu'on le dirait né pour s'y adonner : mais il ne l'a jamais poussée jusqu'à la bouffonnerie, et il a toujours détesté le sarcasme. Adolescent, il a composé, et joué, de petites comédies. Un trait piquant, même décoché contre lui, est sûr de lui plaire, tant il apprécie les saillies, dès lors qu'elles sont fines et spirituelles. De là vient que sa jeunesse s'est amusée à tourner des épigrammes, et que Lucien est son auteur favori ; aussi bien est-ce lui qui m'a poussé à écrire l'*Éloge de la Folie*, c'est-à-dire à danser comme un chameau[1].

La vie humaine ne lui offre aucun sujet — même des moins drôles — d'où il ne sache extraire quelque agrément. A-t-il affaire à des gens de culture et de sens, il se délecte de leur esprit. Est-il en face d'ignorants et de sots, il jouit de leur sottise. Il accueille, sans se formaliser, jusqu'aux boutades des clowns, grâce au don merveilleux qu'il a de se glisser dans la peau d'un chacun. Avec les femmes en général, et la sienne en particulier, il ne s'entretient que sur un ton badin et amusant. On dirait un nouveau Démocrite[2], ou plutôt le philosophe selon le cœur de Pythagore, qui flâne, l'esprit dégagé, sur la place du marché, observant le brouhaha des vendeurs et des acheteurs[3]. Nul n'est moins moutonnier par rapport aux courants de l'opinion, et nul pourtant n'est moins éloigné du sens commun.

Une de ses distractions préférées est d'observer

---

1. *Danser comme un chameau* : allusion à une fable d'Ésope (n° 147 dans Ésope, *Fables*, trad. Émile Chambry, Paris, Belles Lettres, 1927 ; n° 354 dans *Fabulae aesopicae quales ante Planudem ferebantur [...]*, éd. Francesco del Furia, Florence, 1809) : « Un chameau, forcé par son maître à danser, dit : "Ce n'est certes pas seulement quand je danse, mais aussi quand je marche que je manque de décence." Le mot s'applique à quelqu'un qui manque de bienséance en tout ce qu'il fait. » L'*Éloge de la Folie* (*Encomium Moriae*) est dédié à More.

2. *Démocrite* : depuis Horace, *Épîtres*, II, 1, v. 194-200, Démocrite est représenté comme un philosophe hilare face à l'absurdité du monde.

3. Voir Cicéron, *Tusculanes*, V, 9 ; et Diogène Laërce, *Vies et doctrines des philosophes illustres*, VIII, 8.

l'anatomie, les instincts et le caractère des divers animaux. Aussi n'y a-t-il presque aucune espèce d'oiseaux qu'il n'élève chez lui, sans compter toutes sortes de bêtes rares, telles que singe, renard, furet, belette, etc. Il suffit qu'un objet attire ses regards par son allure exotique ou par quelque autre étrangeté pour qu'il s'empresse d'en faire l'achat : il en a toute une collection aux quatre coins de sa maison, si bien qu'on ne peut y entrer sans avoir les yeux captivés ; et la surprise amusée de ses visiteurs lui fait éprouver une joie toujours nouvelle.

À l'âge des amours, il n'a pas boudé les jeunes filles, sans rien faire toutefois dont il ait à rougir : accueillant leurs avances plutôt qu'il ne les sollicitait, et attachant plus de prix au commerce des esprits qu'à celui des corps.

Il s'est nourri des belles-lettres dès ses premières années. Jeune homme il s'est attelé au grec et à la philosophie ; loin de l'y encourager, son père — homme, au demeurant, de sens rassis et équilibré — essaya de l'en détourner en lui coupant les vivres ; il faillit même déshériter ce fils qui semblait déserter la carrière paternelle, c'est-à-dire le droit anglais, dont John More est spécialiste. Cette profession n'a rien à voir avec la véritable culture, mais personne en Grande-Bretagne n'égale en importance et en prestige ceux qui s'y sont fait un nom. Comment ne pas la tenir pour le plus sûr chemin de la richesse et des honneurs, puisque la plupart des nobles de cette île lui sont redevables de leurs titres ? Il paraît que l'on ne peut y gagner ses chevrons à moins d'y peiner pendant de très

longues années. On comprend que ce genre d'études
ait répugné à un adolescent né pour des tâches
plus hautes : ce qui ne l'empêcha pas, après avoir
goûté aux disciplines de l'École, d'y acquérir une
telle maîtrise qu'aucun juriste n'était plus volontiers consulté par les gens en procès, et qu'aucun
de ceux qui s'adonnent entièrement à ce métier
n'en tirait d'aussi gros émoluments. C'est dire
quelle était la vigueur intellectuelle de More, quelle
était sa rapidité d'assimilation.

Il a également tourné d'une main assidue les
volumes des classiques chrétiens. Il sortait à peine
de l'adolescence quand il professa un cours public
sur la *Cité de Dieu* de saint Augustin devant un
auditoire nombreux ; des prêtres, des vieillards
n'ont pas dédaigné d'écouter ce jeune laïc parler
de théologie, et ils n'ont pas eu à le regretter. Dans
la même période il s'appliquait de toute son âme à
acquérir la piété, et s'essayait à un style de vie
sacerdotal à grand renfort de veilles, de jeûnes, de
prières et d'autres exercices de ce genre. En quoi
il s'avérait infiniment plus sage que ces jeunes
étourdis, nombreux autour de nous, qui s'engagent
dans un état si ardu sans avoir fait l'essai de leurs
forces. Le seul obstacle à son entrée dans les
ordres fut qu'il ne pouvait extirper de lui le désir
de prendre femme : il préféra donc être un mari
chaste qu'un prêtre infidèle à ses vœux.

Il épousa la fille d'un châtelain. Il la prit toute
jeune et inculte encore, n'ayant jamais vécu ailleurs qu'à la campagne entre ses parents et ses
sœurs, afin qu'il lui fût loisible de la façonner à

son idée[1]. Il lui procura une formation littéraire, et l'initia à toutes les formes de musique. Ainsi façonnée, la jeune femme avait tout pour être une compagne idéale aux côtés de Thomas More, tant qu'il vivrait; mais une mort prématurée l'emporta, à peine adulte, non sans qu'elle eût mis au monde plusieurs enfants, dont quatre sont encore en vie: trois filles, Margaret, Alice[2] et Cecily, et un garçon, John. More ne put supporter longtemps la solitude du veuvage. Peu de mois après avoir enterré sa femme, et contre l'avis de ses amis, il épousa une veuve[3], plus pour tenir la maison que pour son propre plaisir, car elle n'est — pour citer une plaisanterie qu'il a souvent sur les lèvres — «ni belle ni pucelle»: mais c'est une maîtresse de maison énergique et diligente. Ses rapports avec elle sont d'ailleurs réglés par autant de charmante cordialité que si elle était le plus aimable des tendrons. Je doute qu'aucun mari obtienne de sa femme, à coups d'ordres sévères, la même déférente obéissance que lui de la sienne à force de

1. La première femme de More, Jane Colt (1488-1511) épousa More au plus tard en janvier 1505. Elle était fille de John Colt, lui-même fils de Thomas Colt, qui fut chancelier de l'Échiquier sous Édouard IV.

2. *Margaret*: Margaret More (1505-1544) allait épouser un protégé de son père, William Roper, à qui l'on doit la première biographie de son beau-père. — *Alice*: la deuxième fille de More s'appelait en réalité Elizabeth. Peut-être Érasme la confond-il avec Alice Middleton (*circa* 1501-1563), fille du premier lit de la seconde femme de More, qui épousa ensuite Thomas Erlington puis Giles Alington.

3. *Une veuve*: Alice, veuve de John Middleton, était de six ou sept ans plus âgée que More.

cajoleries taquines. Y a-t-il rien, en effet, qu'il ne sache obtenir, puisque, pour lui complaire, une femme déjà d'un certain âge, ayant, par surcroît, un caractère des moins malléables, et avec cela fort regardante à la dépense, a appris à jouer de la guitare, du luth, du monocorde et de la flûte, et a consenti à réciter chaque jour la leçon de musique que lui avait assignée son mari ?

C'est avec le même sourire charmant qu'il gouverne sa maisonnée entière : aussi n'y voit-on jamais ni tragédie ni dispute. S'il s'en produit, il a vite fait d'y porter remède ou de les arbitrer. Quand un de ses domestiques quitte son service, la séparation n'a jamais rien d'inamical ni chez l'un ni chez l'autre. On dirait que la fée *Bonheur* préside à la marche de ce logis : nul n'y a vécu qui n'ait vu s'élever sa fortune, et personne n'y a jamais vu se ternir sa réputation. Rares sont les hommes qui s'entendent aussi bien avec leur mère que lui avec sa belle-mère. Il en avait déjà connu deux, qu'il chérit l'une et l'autre autant que sa propre mère ; son père vient de lui en donner une troisième, et More prend le ciel à témoin qu'il n'a jamais rien vu au monde de meilleur. En somme, dans ses relations familiales — aussi bien avec ses parents qu'avec ses enfants et ses sœurs — il sait, tout en évitant d'importuner les siens par une affection accaparante, ne leur jamais faire défaut dans les devoirs qu'exige un dévouement pieux.

Il a l'âme absolument détachée du gain sordide. Il a mis de côté, pour ses enfants, une partie de son bien, autant qu'il estime devoir leur suffire ; il prodigue le reste à pleines mains. Du temps où le barreau était son gagne-pain, il conseillait ses clients en véritable ami, ayant plus en vue leurs intérêts que les siens propres. Il les amenait d'ordinaire à s'arranger à l'amiable, en faisant valoir qu'il leur en coûterait moins. Quand il n'y parvenait pas — puisqu'il est des gens ainsi faits qu'ils éprouvent à plaider une vraie jouissance — il leur indiquait la procédure la moins coûteuse. À Londres, sa ville natale, il a fait fonction, pendant plusieurs années, de juge aux affaires civiles[1]. Cet emploi, qui est très peu pénible (puisque le tribunal ne siège que la matinée du jeudi), est pourtant considéré comme des plus honorables. Personne n'a liquidé plus de causes que More, et personne n'a fait preuve de plus d'intégrité. Une taxe légale de trois shillings est à verser par le plaignant comme par le défenseur, dès avant l'ouverture du procès, sans qu'il soit permis d'exiger un sou de plus : la plupart du temps More faisait remise de cette somme. Une telle conduite lui a ouvert tout grand le cœur de ses concitoyens.

Il avait décidé de se contenter de ce poste, qui lui assurait un prestige déjà considérable, sans pour autant l'exposer à de sérieux dangers. Il dut, bien malgré lui, s'expatrier à deux reprises pour des ambassades[2] ; témoin de la sagacité extraordinaire qu'il manifesta dans ces occasions, Sa Majesté Henri VIII n'eut de cesse qu'il ne l'eût traîné de

---

1. *Juge aux affaires civiles* : c'est-à-dire vice-shérif de la Cité de Londres, charge que More a occupée de septembre 1510 à juillet 1518.

2. *Des ambassades* : voir *supra*, p. 272, note 1.

force à sa cour ; je dis bien *de force*, car nul n'a jamais convoité aussi passionnément l'honneur d'être admis à la cour qu'il s'est ingénié, lui, à y échapper. Mais ce remarquable souverain, ayant à cœur de s'entourer de sujets cultivés et pondérés, sagaces et honnêtes, en a fait venir un grand nombre parmi lesquels — et au premier rang — il a voulu compter More. Il traite ce dernier avec une intimité si grande qu'il ne se résigne jamais à le laisser s'absenter. S'agit-il d'affaires sérieuses, il n'est pas de conseiller plus avisé ; plaît-il au roi de se détendre l'esprit par des propos moins austères, il n'est pas de compagnon plus enjoué. Souvent des questions épineuses requièrent un juge pondéré et sagace : More sait les débrouiller de manière à faire plaisir aux deux parties. Personne, pourtant, n'a réussi à lui faire accepter un présent, quelle qu'en fût la provenance. Heureux l'État dont le chef nommerait à toutes les charges des magistrats tels que More !

Cette ascension n'a pas produit chez lui un brin d'arrogance. Accablé par tant d'affaires importantes, il n'oublie pas les obscurs amis d'autrefois, et il ne laisse pas de revenir à sa chère littérature. Toute l'influence qu'il doit à sa position, tout le crédit que lui confèrent les bonnes grâces d'un roi fort bien nanti, il en use au profit de l'État, et au profit de ses amis. Il a toujours eu l'âme avide d'obliger tout le monde, et extraordinairement sensible à la pitié : ces dispositions éclatent d'autant mieux à présent qu'il a des moyens accrus de les servir. Il est des gens qu'il aide financièrement, d'autres qu'il protège de son autorité, d'autres à qui son appui procure de l'avancement. Ceux qu'il ne peut assister autrement, il les fait profiter de ses conseils : nul n'a jamais eu recours à lui qui soit reparti déçu. On dirait que More est le protecteur attitré de tous les besogneux. Il trouve qu'il fait une affaire en or chaque fois qu'il aide quelque malheureux, arrache quelqu'un à la gêne où il s'empêtrait, ramène en faveur quelque disgracié. Nul n'est plus empressé à rendre service, nul ne l'est moins à reprocher un service rendu. Et bien qu'il soit, à tant d'égards, comblé de bonheur, et que le bonheur aille rarement sans quelque suffisance, je n'ai jamais vu d'homme qui fût plus éloigné de ce défaut.

Mais revenons à ses études, lesquelles, plus que tout, ont été au point de départ de l'amitié qui nous unit, More et moi-même. Il a commencé par se faire la main en écrivant surtout des vers. Puis, sans tarder, il s'est longuement appliqué à assouplir sa prose, s'essayant à tous les genres d'écrits pour exercer sa plume. Est-il besoin de rappeler ici ce que vaut son style — à toi surtout, qui as constamment ses ouvrages entre les mains ? La déclamation[1] est sa forme d'expression favorite, surtout les thèmes paradoxaux, pour la raison qu'ils soumettent l'esprit à une plus vive gymnastique. C'est ainsi qu'il ruminait, adolescent, un dialogue où il défendait la société communiste de

---

1. *Déclamation* : exercice de rhétorique hérité de l'Antiquité, où l'on doit adopter la voix d'un locuteur fictif ; c'est le cas par exemple dans l'*Éloge de la Folie*.

Platon, y compris la communauté des épouses. Il
a composé une réponse au *Tyrannicide* de Lucien,
et tenu à m'avoir pour rival sur le même sujet, afin
de mieux se rendre compte s'il avait fait des
progrès en ce genre d'exercices[1]. Son but, en
publiant *L'Utopie*, était d'indiquer à quelles causes
est due la mauvaise gestion des États ; c'est la politique anglaise surtout qu'il y fait figurer, parce
que celle-là, il la connaît à fond sous tous ses
aspects. Mettant à profit une période de loisir[2],
il avait d'abord écrit ce qui est le second livre ;
bientôt il jugea opportun d'y ajouter le premier
livre : la hâte avec laquelle il dut l'improviser
explique une certaine inégalité de style.

Pour ce qui est de l'improvisation oratoire, on
ne trouverait guère d'homme qui s'y livre avec
plus de bonheur : il a une diction si heureuse aux
ordres d'un si heureux talent. Son esprit, toujours
en éveil, vole de toutes parts ; sa mémoire est
constamment à pied d'œuvre : on dirait que tout
s'y trouve numéroté, tant elle est prompte à lui
fournir sans hésiter ce que réclament le moment et
le sujet. Dans la discussion, on ne saurait imaginer
plus d'acuité, si bien qu'il donne du fil à retordre
même à des théologiens consommés, et cela sur

---

1. Pour la déclamation de More, voir *Complete Works*, édition
de Yale, t. 3.1, 1974, p. 94-127 ; pour celle d'Érasme, voir
Opera omnia, Leyde, 1703 (reprint Hildesheim, Olms, 1961),
t. I, p. 271-298.

2. *Une période de loisir* : pendant l'interruption des négociations lors de l'ambassade en Flandres de l'été 1515. Voir la
Notice, p. 324.

leur propre terrain. John Colet[1], dont le jugement est pénétrant et le verdict mesuré, aime à répéter, dans ses entretiens familiers, que More est l'unique génie de Grande-Bretagne, bien qu'il y ait dans cette île une telle floraison d'esprits hors de pair.

C'est un croyant ardemment soucieux de piété vraie, encore qu'il soit aux antipodes de toute superstition. Il se réserve certaines heures pour prier Dieu et l'honorer, non par des formules toutes faites, mais par celles que lui dicte son cœur. Quand il cause avec ses amis de la vie future, on sent qu'il exprime le fond de son âme, et qu'il est vibrant d'espérance. Voilà ce qu'est More en pleine cour : et après cela, il y aura des gens pour s'imaginer qu'on ne trouve pas de chrétiens hors des couvents.

Voilà quels hommes ce roi, avec une rare sagesse, admet dans sa maison et jusque dans ses appartements privés ; que dis-je « admet » ? il les y invite, et, non content de les y inviter, il les y traîne de force[2]. Il les prend pour arbitres et témoins permanents de sa vie ; il se fait assister par eux dans ses conseils et accompagner par eux dans tous ses déplacements[3]. Il préfère s'entourer de ces hommes

1. John Colet (1467-1519), humaniste et théologien, fut doyen de la cathédrale Saint-Paul de Londres, où il refonda l'école cathédrale en y introduisant l'étude du grec ancien. Il fut l'un des maîtres de More lorsque celui-ci étudiait à Oxford.
2. En septembre 1527, Henri VIII cherchera vainement à persuader Érasme de s'établir en Angleterre.
3. More venait d'être nommé au conseil du roi par Henri VIII en 1518 ; en 1520, il accompagnera le roi au Camp du Drap d'Or.

que de jeunes dévoyés ou de femmes dissolues, ou
même de Midas chamarrés d'or et de flatteurs à
gages, qui sont tout prêts, l'un à l'entraîner vers
les plaisirs déplacés, l'autre à allumer ses instincts
de tyrannie, le troisième à lui souffler de nouveaux
procédés pour gruger le peuple. Si tu avais vécu à
cette cour, je ne doute pas, cher Hutten, que tu
récrirais ta *Cour*, et que tu cesserais d'être
Misaulos, l'Ennemi de la cour[1]. Tu vis déjà, il est
vrai, auprès d'un prince que l'on ne saurait rêver
plus intègre, et plusieurs de ses familiers sont
acquis aux initiatives les plus nobles : Stromer,
par exemple, et Cop[2]. Mais qu'est cette poignée
d'isolés à côté de l'essaim si dru de personnalités
exceptionnelles : Lord Mountjoy, Linacre, Pace,
Colet, Stokesley, Latimer, More, Tunstall, Clerk et
leurs pareils[3] ? Il suffit de prononcer n'importe
lequel de ces noms pour évoquer tout un monde à

---

1. Allusion au *De Vita aulica*, dialogue satirisant la vie de
cour publié par Ulrich von Hutten en 1518, dont le protago-
niste se nomme Misaulos — en grec « l'ennemi de la cour ».
2. Albert de Brandebourg, prince-évêque de Mayence, fut
l'un des principaux mécènes de l'Allemagne de l'époque.
Heinrich Stromer et Guillaume Cop étaient alors deux de ses
médecins.
3. William Blount, Lord Mountjoy (*circa* 1478-1534) fut élève
d'Érasme et ami de More ; sur Thomas Linacre, voir la lettre
de Guillaume Budé à Thomas Lupset, p. 254, note 1 ; Richard
Pace (*circa* 1482-1536), diplomate, succéda à John Colet à la
mort de celui-ci en tant que doyen de la cathédrale Saint-Paul
de Londres ; John Stokesley (*circa* 1475-1539), chapelain
d'Henri VIII, devint en 1530 évêque de Londres ; William
Latimer (*circa* 1460-1545), professeur à Oxford, était aussi
versé en grec qu'en théologie, et très estimé par Érasme ; sur
Cuthbert Tunstall, voir p. 47, note 4 ; John Clerk fut chapelain

la fois de vertu et de science. Ce que j'ose, quant à moi, espérer, c'est qu'Albert de Brandebourg, le plus insigne fleuron de notre Allemagne actuelle, agrège à sa maison un nombre encore plus grand d'hommes semblables à lui-même, et qu'en conséquence les autres princes, impressionnés par cet exemple de poids, rivalisent de zèle pour l'imiter chacun chez soi.

Le portrait que je t'envoie est bien imparfaitement tracé : le modèle pourtant en est parfait, c'est l'artiste qui ne vaut rien. Tu seras encore plus déçu s'il t'est donné de connaître More de plus près. En attendant, j'ai du moins paré à deux dangers : tu ne pourras plus m'accuser de t'avoir désobéi, et tu cesseras de me reprocher la brièveté de mes lettres. Non pas, certes, que celle-ci m'ait paru longue à écrire, pas plus, j'en suis sûr, qu'elle ne te paraîtra prolixe à la lecture : c'est toujours le charme de notre More qui opère.

---

du cardinal Wolsey et doyen de la chapelle royale de Windsor, puis évêque de Bath de 1523 à sa mort en 1541.

DOSSIER

CHRONOLOGIE[1]

ÉVÉNEMENTS HISTORIQUES		VIE DE THOMAS MORE
	1461	
Déposition d'Henri VI d'Angleterre, chef de la maison de Lancastre, et couronnement du duc d'York sous le nom d'Édouard IV.		
	1471	
Après avoir été brièvement restauré sur le trône, Henri VI meurt emprisonné à la Tour de Londres.		
	1477	
Parution du premier livre imprimé en Angleterre.		

1. Pour une chronologie détaillée, voir Germain Marc'hadour, *L'Univers de Thomas More. Chronologie critique de More, Érasme et leur époque (1477-1536)*, Paris, Vrin, 1963.

1478

6 ou 7 février : **naissance à Londres de Thomas More**, fils de l'homme de loi John More. L'éducation de l'enfant est confiée aux maîtres de la Saint Anthony's School, où il apprend le latin.

1483

Mort d'Édouard IV ; ses fils (le jeune Édouard V et son frère cadet le duc d'York) ayant été déclarés illégitimes et emprisonnés à la Tour de Londres, c'est son frère, le duc de Gloucester, qui est couronné roi d'Angleterre sous le nom de Richard III.

1485

22 août : mort de Richard III, dernier des Plantagenêt, à la bataille de Bosworth ; Henri Tudor est couronné sous le nom d'Henri VII.

1490

More entre en qualité de page au service de John Morton, archevêque de Canterbury, chancelier d'Angleterre depuis 1487, et qui sera créé cardinal en 1493.

ÉVÉNEMENTS HISTORIQUES	VIE DE THOMAS MORE
	1492
Christophe Colomb découvre les Antilles.	More part étudier à Oxford, où il apprend le grec sous la conduite de William Grocyn; il suit également les leçons de Thomas Linacre et John Colet.
	1494
Charles VIII déclenche la première des guerres d'Italie, qui cristalliseront les tensions militaires et diplomatiques entre grandes puissances européennes jusqu'au milieu du siècle suivant.	Sur les directives de son père, More entame des études de droit à Londres, à New Inn, puis à partir de 1496 à Lincoln's Inn.
	1496
Jean Cabot, en expédition pour le compte d'Henri VII, découvre Terre-Neuve.	
	1497
Départ d'Amerigo Vespucci, selon ses dires, pour le premier de ses quatre voyages au Nouveau Monde. Henry VIII réprime les insurgés de Cornouailles. C'est peu de temps après que Hythlodée, le héros de *L'Utopie*, est censé séjourner en Angleterre et rencontrer John Morton.	

1499

Mai : départ d'Amerigo Vespucci pour son second voyage au Nouveau Monde, et début des voyages supposés d'Hythlodée en sa compagnie.

Première rencontre entre More et Érasme.

1501

Mai : départ d'Amerigo Vespucci pour son troisième voyage au Nouveau Monde.

More est inscrit au barreau de Londres. Durant cette période, More prend pension à la Chartreuse de Londres, et envisage une entrée dans les ordres.

1503

Juin : départ d'Amerigo Vespucci pour son quatrième voyage au Nouveau Monde. Avant son départ, Vespucci a rédigé en italien une relation de ses précédents voyages, qui sera publiée au début de l'année 1504 dans une version latine, sous le titre de *Mundus Novus*.

More commence à enseigner le droit à Furnival's Inn ; il poursuivra cet enseignement jusqu'en 1517. Vers la même période, il donne des leçons publiques sur la *Cité de Dieu* de saint Augustin.

1504

Fin du quatrième voyage au Nouveau Monde d'Amerigo Vespucci. C'est à cette date que commence la chronologie fictive du voyage d'Hythlodée vers l'Utopie, où il est censé avoir séjourné cinq années. De

More traduit en anglais la *Vie de Pic de La Mirandole* de Jean-François Pic de La Mirandole, qui sera publiée en 1510. Il siège pour la première fois au Parlement, en tant que membre de la Chambre des communes.

ÉVÉNEMENTS
HISTORIQUES

VIE DE THOMAS MORE

retour à Lisbonne, Vespucci rédige une nouvelle relation de voyage, qui sera traduite en latin dans la *Cosmographiae Introductio* (1507).

À la fin de la même année (ou en janvier 1505), il épouse Jane Colt, dont il aura quatre enfants (Margaret, Elizabeth, Cecily et John).

1506

Première publication d'une sélection d'œuvres de Lucien de Samosate traduites en latin les unes par Érasme, les autres par More.

1507

Publication à Saint-Dié-des-Vosges de la *Cosmographiae Introductio*, qui contient la traduction latine des *Quatre Navigations* d'Amerigo Vespucci (rédigées en 1504), et le planisphère de Martin Waldseemüller qui donne le nom d'*America* aux terres neuves occidentales.

1508

More séjourne sur le Continent, à Paris et à Louvain, où il fréquente les Universités.

1509

Avril : mort d'Henri VII et avènement de son fils Henri VIII, qui n'a pas encore atteint ses dix-huit ans. Il épouse en juin Catherine d'Aragon, fille des « rois catho-

Août : Érasme arrive en Angleterre, qui sera son pays de résidence principal jusqu'en juillet 1514. Il passe le début de son séjour à Londres chez More et compose

liques» Ferdinand d'Aragon et Isabelle de Castille, et veuve depuis 1502 d'Arthur, le frère aîné d'Henri.

l'*Éloge de la Folie*, qui sera publié en 1511.

1510

3 septembre: More devient vice-shérif de la Cité de Londres, charge qu'il occupera jusqu'au 23 juillet 1518.

1511

Été: à la mort de sa première femme, More épouse en secondes noces Alice, veuve de John Middleton, et accueille dans sa maison la fille de son premier lit, Alice.

1513

More commence à rédiger *L'Histoire de Richard III* (qui sera publiée de manière posthume en 1557).

1er janvier: mort de Louis XII de France, auquel succède son gendre François Ier.
Machiavel offre à Laurent II de Médicis *Le Prince*, qui ne sera imprimé qu'à titre posthume en 1532.

24 décembre: Thomas Wolsey, archevêque d'York, qui vient d'être élevé au rang de cardinal, devient chancelier d'Angleterre.

1515

Mai: More part en ambassade à Bruges pour suivre le volet commercial des négociations entre Anglais et Flamands. Les négociations sont interrompues le 21 juillet; More se rend

ÉVÉNEMENTS
HISTORIQUES

VIE DE THOMAS MORE

alors à Anvers chez Pierre Gilles, ami d'Érasme, où **il rédige la première version de *L'Utopie*.** À la même période, More écrit la lettre à Dorp (datée du 21 octobre) défendant Érasme contre les attaques de ce dernier. Il rentre en Angleterre à la fin du mois d'octobre.

1516

23 janvier: mort de Ferdinand d'Aragon, auquel succède sur le trône d'Espagne son petit-fils Charles, prince de Castille.
18 février: naissance de Marie Tudor, fille d'Henri VIII et Catherine d'Aragon.
Mars: Érasme publie son édition du texte grec du *Nouveau Testament*, accompagnée d'une nouvelle traduction latine.

3 septembre: More envoie à Érasme *L'Utopie*, accompagnée de la lettre-préface à Pierre Gilles. **En décembre, la première édition de *L'Utopie* est publiée à Louvain.**

1517

31 octobre: Martin Luther divulgue les *95 thèses* ou *Thèses de Wittenberg*, qui lanceront le mouvement de la Réforme.

1er mai: More s'efforce de modérer les émeutes xénophobes du *Evil May Day*. En septembre, il est nommé au Conseil privé du roi. **Fin septembre ou début octobre, la deuxième édition de *L'Utopie* est publiée à Paris.**

ÉVÉNEMENTS HISTORIQUES	VIE DE THOMAS MORE
	1518
	Mars puis *novembre*: les troisième puis quatrième éditions de *L'Utopie* sont publiées à Bâle. More compose la *Lettre aux administrateurs de l'Université d'Oxford* (datée du 29 mars), plaidoyer pour l'enseignement des humanités et notamment du grec.
	1519
28 juin: suite au décès de l'empereur Maximilien, Charles de Castille est élu saint empereur romain germanique sous le nom de Charles Quint.	
	1520
	Juin: More fait partie de la suite qui accompagne Henri VIII au Camp du Drap d'Or où il rencontre, dans la suite de François Ier, Guillaume Budé.
	1521
3 janvier: Luther est excommunié par Léon X.	*Mai*: Henri VIII nomme More sous-trésorier de l'Échiquier, charge qu'il occupera jusqu'en janvier 1526, et lui décerne le rang de chevalier: il est désormais Sir Thomas More.
	Juillet: publication de l'*Assertio septem sacramentorum* signée par

ÉVÉNEMENTS HISTORIQUES	VIE DE THOMAS MORE

Henri VIII ; cette réfutation des thèses de Luther, à la rédaction de laquelle More a probablement contribué, vaut au souverain de recevoir du pape Léon X le titre de « Défenseur de la Foi ».

Août-octobre : More accompagne Wolsey en mission diplomatique à Calais et à Bruges.

1522

More commence la rédaction de *The Four Last Things* (publié de manière posthume en 1557).

1523

15 avril : More est désigné *Speaker* de la Chambre des communes.

Mai : More publie sous pseudonyme la *Responsio ad Lutherum*, réplique aux attaques de Luther contre Henri VIII.

1524

More quitte sa demeure de Bucklersbury, dans la Cité de Londres, pour s'installer à Chelsea. Il devient grand intendant de l'Université d'Oxford puis, l'année suivante, de celle de Cambridge.

ÉVÉNEMENTS
HISTORIQUES

VIE DE THOMAS MORE

1525

Septembre : More est désigné chancelier du duché de Lancastre.

1526

William Tyndale fait paraître sur le Continent la première traduction anglaise de la Bible, qui est interdite en Angleterre.

Hans Holbein peint le portrait de More en chancelier de Lancastre (aujourd'hui à New York, Frick Collection).

1527

Henri VIII entame auprès du pape Clément VII la procédure visant à faire annuler son mariage avec Catherine d'Aragon, sous prétexte que le précédent mariage de celle-ci avec son frère Arthur, annulé après la mort prématurée de celui-ci par une bulle du pape Jules II, aurait en réalité été consommé.

Comme John Fisher, évêque de Rochester, qui sera l'un des avocats de Catherine d'Aragon, More désapprouve la procédure d'Henri VIII, mais continue néanmoins à assurer ses fonctions : en juillet, il accompagne le cardinal Wolsey en ambassade à Paris.

1529

31 mai : première session du tribunal ecclésiastique réuni par le cardinal Wolsey pour juger de la validité du mariage d'Henri VIII et Catherine d'Aragon ; mais le pape Clément VII déclare en juillet que la décision ne pourra être prise qu'à Rome : cet échec signe la disgrâce de Wolsey.

Juillet-août : More représente Henri VIII lors de la négociation et de la signature de la Paix de Cambrai (ou Paix des Dames) entre François Ier et Charles Quint.
25 octobre : More succède au cardinal Wolsey comme chancelier d'Angleterre.
More avait été chargé par Cuthbert Tunstall,

évêque de Londres, de défendre la foi catholique contre les partisans de la Réforme, ce qu'il avait fait dans deux ouvrages de polémique religieuse publiés en 1529 : *A Dialogue Concerning Heresies*, et *The Supplication of Souls*. Il continuera dans son nouveau poste de chancelier à mettre tout son zèle à refréner les progrès de la Réforme dans le Royaume, ce qui lui vaudra la réputation d'un odieux persécuteur dans le *Livre des Martyrs* du protestant John Foxe (publié en 1563).

1530

Henri VIII entreprend de contourner la réticence de Clément VII à annuler son mariage en contestant l'autorité papale, prenant ainsi *de facto* le contre-pied de la défense de Rome contre Luther qu'il avait signée en 1521, et des positions de More.
29 novembre : le cardinal Wolsey décède de maladie.

1531

11 février : William Warham, archevêque de Canterbury, et le synode épiscopal d'Angleterre reconnaissent Henri VIII chef suprême de l'Église d'Angleterre «autant que la loi du Christ le permet».

30 mars : More est contraint de présenter devant les deux chambres du Parlement un recueil d'avis émis par diverses Universités allant dans le sens de l'annulation du mariage d'Henri VIII avec Catherine d'Aragon.

1532

15 mai : le clergé d'Angleterre se soumet à la seule autorité du roi. Le lendemain, Henri VIII accepte la démission de More de son poste de chancelier, officiellement pour raisons de santé.

Entre 1532 et 1533, More publie une nouvelle série d'ouvrages de polémique religieuse, en réplique à divers pamphlets anticatholiques : *The Apology*, *The Debellation of Salem and Byzance*, et *The Answer [...] to the Poisonous Book [...] The Supper of the Lord*. Le plus massif d'entre eux, *A Confutation of Tyndale's Answer*, réfute longuement les attaques de Tyndale contre *A Dialogue Concerning Heresies*, et montre à quel point More se

ÉVÉNEMENTS
HISTORIQUES

VIE DE THOMAS MORE

sent désormais loin du temps où il pouvait s'adonner innocemment à des jeux humanistes comme *L'Utopie* : « Je dis par conséquent, écrit-il, en ces jours où les hommes, par leur propre faute, mésinterprètent et prennent à mal les Saintes Écritures elles-mêmes, et tant que les hommes ne se seront pas corrigés, que si quel-qu'un voulait à présent traduire en anglais l'*Éloge de la Folie* ou bien certaines des œuvres que j'ai moi-même écrites avant la présen-te — bien qu'il ne s'y trouve aucun mal, mais les gens n'en sont pas moins enclins à prendre à mal ce qui est bon —, je contribuerais volontiers à brûler de mes propres mains non seulement les livres de mon cher ami, mais aussi les miens. »

1533

25 janvier : Henri VIII épouse secrètement Anne Boleyn.
Les tenants de la Ré-forme s'avancent dans l'appareil d'État et dans l'Église : en avril, Tho-

VIE DE THOMAS MORE

mas Cromwell devient Secrétaire d'État ; Thomas Cranmer, qui vient de succéder à Warham comme archevêque de Canterbury, prononce en mai la nullité du mariage d'Henri VIII avec Catherine d'Aragon et la validité de son mariage avec Anne Boleyn.

1er juin : couronnement d'Anne Boleyn, auquel More choisit de ne pas se rendre.

7 septembre : le pape Clément VII prononce l'excommunication d'Henri VIII. Le même jour, Anne Boleyn donne naissance à la princesse Élisabeth, future Élisabeth Ire.

1534

23 mars : le Parlement vote l'Acte de Succession qui déclare la princesse Élisabeth seule héritière légitime du trône, en écartant Marie Tudor. Le préambule de l'Acte réclame la reconnaissance de la Suprématie d'Henri VIII sur l'Église d'Angleterre.

Avril : tout en adoptant une position conciliante sur l'Acte de Succession, More refuse de signer le préambule faisant d'Henri VIII le chef spirituel de l'Église d'Angleterre, et reste obstinément silencieux sur ses motivations. Accusé de haute trahison, il est enfermé à la Tour de Londres, où il écrit *A Dialogue of Com-*

ÉVÉNEMENTS HISTORIQUES	VIE DE THOMAS MORE

VIE DE THOMAS MORE

fort against Tribulations, *A Treatise on the Passion*, et *De Tristitia Christi*.

1535

6 juillet : **reconnu coupable de haute trahison, Thomas More est décapité**, ainsi que l'évêque Fisher. **More sera béatifié par l'Église catholique en 1886, et canonisé en 1935**, tout comme Fisher.

1536

7 janvier : Catherine d'Aragon meurt de maladie.
19 mai : Anne Boleyn, accusée d'adultère et d'inceste avec son frère, est décapitée.
30 mai : Henri VIII épouse Jane Seymour.
12 juillet : décès d'Érasme.

NOTICE

GENÈSE

L'Utopie est sans doute le résultat tardif d'un projet de
jeunesse de More : écrire un éloge paradoxal de la République platonicienne et de son communisme. C'est ce
qu'indique Érasme dans la lettre à von Hutten : « La déclamation est sa forme d'expression favorite, surtout les
thèmes paradoxaux, pour la raison qu'ils soumettent l'esprit à une plus vive gymnastique. C'est ainsi qu'il ruminait,
adolescent, un dialogue où il défendait la société communiste de Platon, y compris la communauté des épouses[1]. »

L'Utopie est aussi le fruit d'une période où More a été
très proche d'Érasme. Après leur première rencontre en
1499, More et Érasme ont entrepris à quatre mains la traduction latine d'une sélection de textes de Lucien publiée
en 1506. Entre 1509 et 1514, Érasme fait de l'Angleterre
son pays de résidence principal : c'est là qu'il compose
son *Éloge de la Folie* (publié en 1511), dédié à More.
Aujourd'hui, les deux œuvres emblématiques de l'humanisme nordique que sont l'*Éloge de la Folie* et *L'Utopie* sont
souvent associées, voire publiées côte à côte. Mais si les
deux ouvrages s'enracinent dans la tradition de l'éloge
paradoxal, ils réinventent cette tradition de manière très

1. Érasme, lettre à Ulrich von Hutten, voir en Annexes,
p. 301-302.

différente. Celui d'Érasme est encore très déclamatoire et satirique, tandis que celui de More est à la fois plus sérieux et plus moderne dans ses procédés — en particulier l'hybridation des genres, entre discours, récit de voyage et dialogue.

RÉDACTION ET TITRE

En mai 1515, More part en ambassade en Flandres. Les négociations commerciales tenues à Bruges sont suspendues le 21 juillet, mais More ne rentre pas en Angleterre avant le 25 octobre : dans cet espace de trois mois, il se rend à Anvers pour rendre visite à Pierre Gilles, ami d'Érasme, et compose ce qui deviendra le second livre de *L'Utopie*. Érasme en témoigne : «Mettant à profit une période de loisir, il avait d'abord écrit ce qui est le second livre ; bientôt il jugea opportun d'y ajouter le premier livre : la hâte avec laquelle il dut l'improviser explique une certaine inégalité de style[1].» Le premier livre fut donc rédigé après le second, à Londres, probablement entre la fin de l'année 1515 et le milieu de l'année 1516.

Il convient cependant de préciser la division en «livres» qui est commodément adoptée par Érasme[2]. La première version, rédigée aux Pays-Bas «à loisir», comprenait selon Hexter le tout début de l'actuel livre premier (c'est-à-dire une version minimale du récit-cadre introduisant la voix d'Hythlodée, précisément jusqu'à la première mention des Utopiens[3]) et la plus grande partie du livre second (la description d'Utopie, c'est-à-dire le discours d'Hythlodée), mais pas sa toute fin (la péroraison d'Hythlodée et le retour au récit-cadre). Auraient donc été ajoutées à Londres la plus grande partie du livre premier (le dialogue entre

---

1. *Ibid.*, p. 302.
2. On suivra l'analyse de J.H. Hexter, introduction à *The Complete Works of Saint Thomas More*, vol. IV, *Utopia*, New Haven, Yale U. P., 1965, p. XV-XXIII.
3. Voir p. 54 et note 2.

Hythlodée et Mor) ainsi que la toute fin du livre second (la péroraison d'Hythlodée et le retour au récit-cadre). Il est également évident que More a profité de cette seconde phase pour revoir et étoffer les parties rédigées aux Pays-Bas.

En tout état de cause, l'ouvrage est terminé au début du mois de septembre 1516, lorsque More l'envoie à Érasme accompagné de ce qui deviendra la lettre-préface à Pierre Gilles : «Je t'envoie notre *Nulle-Part* [*Nusquama*], qui n'est nulle part bien écrite ; je la fais précéder d'une lettre à mon cher Pierre [Gilles[1]]», lui écrit-il.

Ce titre alternatif, *Nusquama*, est intéressant pour plusieurs raisons. D'une part, il renvoie sans doute à la fin du livre IX de *La République* de Platon, indiquant un intertexte décisif dans la genèse de *L'Utopie*[2] ; avec l'Udépotie de Budé et l'Eutopie d'Anémolius, il constitue ainsi l'une des variantes significatives autour du nom Utopie. D'autre part, il indique que le titre définitif de l'ouvrage fut sans doute déterminé très tardivement.

En septembre et octobre 1516, More et Érasme se réfèrent à l'ouvrage, dans leur correspondance, comme à la *Nusquama* (la *Nulle-Part*). «Il y a quelque temps, écrit More, je t'ai envoyé la *Nusquama* : j'ai hâte qu'elle voie le jour et, qui plus est, rehaussée des éloges exceptionnels et magnifiques, si possible, non seulement de quantité de lettrés, mais encore de ceux dont le rôle politique est bien connu[3].» «Je retouche la *Nusquama*», écrit Érasme à Pierre Gilles : «Toi, tâche d'adresser la préface, mais à quelqu'un d'autre de préférence à moi, à Busleyden plutôt[4].» Fin octobre, More se réjouit d'apprendre que Pierre Gilles aime la *Nusquama*, et s'interroge sur l'avis de Tunstall, Busleyden et Jean Le Sauvage (chancelier de Bourgogne) : «Il est plus que souhaitable qu'ils l'approuvent, ces hommes si chaleureusement doués qu'ils occupent les plus hauts postes dans leurs États respectifs ; à moins que notre œuvre n'obtienne

1. More, lettre à Érasme du 3 septembre 1516 (Allen #461).
2. Voir la Préface, p. 14.
3. More, lettre à Érasme du 20 septembre 1516 (Allen #467).
4. Érasme, lettre à Pierre Gilles du 17 octobre 1516 (Allen #477).

leur faveur parce que, dans cet État de notre invention, de tels personnages, si grands par la culture et le mérite, seraient manifestement destinés à devenir des princes[1]. »

Cette insistance de More à obtenir l'approbation de politiques en charge des affaires, et non seulement de lettrés, pointe vers une seconde dimension de l'œuvre, plus pragmatique : il s'agit aussi de persuader le lecteur que la Cité de Nulle-Part n'est pas un château dans les nuages, mais un modèle sensé. C'est ainsi que, dans une lettre à Érasme du 4 décembre 1516 (Allen #499), More désigne son œuvre comme sa *République*, faisant allusion à la première partie du titre de la première édition (Louvain, décembre 1516), *De optimo statu Reipublicae*, c'est-à-dire *Sur la meilleure forme de République*. C'est ce titre de *République* que retiendront d'ailleurs les lecteurs les plus « politiques » de l'œuvre, par exemple Jean Bodin[2], qui désigne l'ouvrage comme la *République* de Thomas More ou comme la *République d'Utopie*.

Ce n'est que le 15 décembre 1516, au moment où il attend les premiers exemplaires imprimés, que More renvoie pour la première fois à son ouvrage sous le titre abrégé d'*Utopie*, dans une lettre adressée à Érasme (Allen #502) : « Pour notre *Utopie*, maintenant que ta lettre m'a fait concevoir un espoir dont je me nourris avidement, je l'attends d'un jour à l'autre, absolument comme une mère qui attend le retour de son fils parti en voyage. » Ce titre, qui renvoie à la seconde partie de l'intitulé de l'édition *princeps* (*deque nova Insula Utopia* : *et sur la nouvelle île d'Utopie*), s'impose à partir de la publication comme le plus usuel pour désigner l'ouvrage, comme en témoigne la correspondance d'Érasme.

PREMIÈRES ÉDITIONS LATINES

La première édition est publiée à Louvain en décembre 1516 par Thierry Martens, sous le titre suivant (tous les

1. More, lettre à Érasme du 31 octobre 1516 (Allen #481).
2. Voir p. 169, n. 1 et p. 170, n. 1.

titres sont donnés en traduction française) : *Un petit livre
véritablement excellent, non moins salutaire que divertissant, sur la meilleure forme de République et sur la nouvelle
île d'Utopie, dont l'auteur est le très illustre Thomas More,
citoyen et vice-shérif de la célèbre cité de Londres, édité par
maître Pierre Gilles d'Anvers, sur les presses de Thierry
Martens d'Alost, imprimeur de l'Université de Louvain, première édition très soigneusement préparée.*

La deuxième édition est publiée à Paris en 1517, à la fin
de septembre ou au début d'octobre, chez Gilles de Gour-
mont, avec un frontispice dont les premières lignes donnent
le titre suivant : *Voici, gentil lecteur, un petit ouvrage véritablement excellent de Thomas More, non moins utile que
raffiné, sur la meilleure forme de République et sur la nouvelle île d'Utopie, imprimé pour la seconde fois, mais beaucoup plus correctement que la première […].*

La troisième et la quatrième édition sont publiées à
Bâle respectivement en mars et en novembre 1518, chez
Jean Froben, avec le titre suivant : *Sur la meilleure forme de
République et sur la nouvelle île d'Utopie, un petit livre véritablement excellent, non moins salutaire que divertissant, du
très illustre et très éloquent Thomas More, citoyen et vice-
shérif de la célèbre cité de Londres.* Dans ces deux éditions,
L'Utopie est suivie de deux recueils d'*Épigrammes*, l'un dû
à More, l'autre à Érasme.

De l'une à l'autre de ces éditions, le travail de correction
du texte est poursuivi, parfois difficilement, sous la super-
vision d'Érasme et d'autres humanistes (en particulier
Thomas Lupset pour l'édition de Paris, et Beatus Rhénanus
pour les éditions de Bâle). Les éditions latines ultérieures
dérivent toutes de l'une ou l'autre des quatre premières, et
ne présentent pas d'autorité pour l'établissement du texte.

ÉDITIONS MODERNES

Une aide inestimable est apportée à la bonne intelligence
du texte de *L'Utopie* par les quatre éditions modernes sui-
vantes, qui constituent les éditions de référence ; elles comprennent toutes une introduction (parfois très développée),

le texte latin et une traduction (française ou anglaise) plus ou moins richement commentée :

The Complete Works of Saint Thomas More, vol. IV : *Utopia*, éd. Edward Surtz et J. H. Hexter, New Haven, Yale U. P., 1965.
L'Utopie ou le Traité de la meilleure forme de gouvernement, éd. Marie Delcourt, Genève, Droz, 1983 (réimpression du texte latin paru chez Droz en 1935, suivi de la traduction française parue à la Renaissance du Livre en 1966).
L'Utopie, éd. André Prévost, Paris, Mame, 1978.
Utopia, éd. George M. Logan, Robert M. Adams et Clarence H. Miller, Cambridge, Cambridge U. P., 1995.

LA PRÉSENTE ÉDITION

La traduction française ici révisée et modernisée est la première parue en langue française, due à Jean Le Blond (1502-1553) : *La Description de l'île d'Utopie, où est compris le miroir des républiques du monde, et l'exemplaire de vie heureuse. Rédigé par écrit en style très élégant, de grande hautesse et majesté, par l'illustre, bon et savant personnage Thomas More, citoyen de Londres et chancelier d'Angleterre. Avec l'Épître liminaire composée par monsieur Budé, maître des requêtes du feu Roi François, premier de ce nom*, Paris, Charles L'Angelier, 1550 ; réimpression en fac-similé avec une introduction de Michel Jeanneret, East Ardley/New York/Paris, S. R. Publishers/Johnson Reprint/Mouton, 1970. Fervent catholique, juriste de formation et poète à ses heures, Jean Le Blond s'est surtout illustré comme traducteur, en particulier d'œuvres à résonance politique ; quelques années avant *L'Utopie*, il avait ainsi traduit en français des extraits (sélectionnés par Gilles d'Aurigny) du *De institutione reipublicae* et du *De regno et Regis institutione* de Francesco Patrizi da Sienna (1413-1494) : *Le Livre de police humaine, contenant briefve description de plusieurs choses dignes de mémoire [...]*, Paris, Charles L'Angelier, 1544. La traduction de *L'Utopie* par Le Blond se signale par sa

qualité, comme l'indique André Prévost dans son introduction (p. CCXXIX) : «Cette version dans une langue élégante
et proche du latin est remarquablement fidèle. Son exactitude et son style ont fait d'elle la traduction classique qui
s'est imposée au public français pendant plus d'un siècle.»

Nous avons le plus souvent suivi la version révisée de la
traduction de Jean Le Blond telle qu'elle a été établie par le
poète, traducteur et romancier Barthélemy Aneau (*circa*
1505-1561) : *La République d'Utopie, par Thomas Maure,
chancelier d'Angleterre, Œuvre grandement utile et profitable, démontrant le parfait état d'une bien ordonnée politique : Traduite nouvellement de Latin en François*, Lyon,
Jean Saugrain, 1559. La version révisée par Aneau est glo-
balement plus conforme à la ponctuation et à l'orthographe
modernes ; elle corrige la traduction de Le Blond en un
certain nombre de passages, le plus souvent judicieusement.

Afin de présenter une version aussi fidèle que possible au
texte original latin, le travail de révision entamé par Aneau
a été poursuivi : des omissions ont été comblées, des ajouts
retranchés, des contresens corrigés. Pour éviter de sur-
charger le texte de notes, on a modernisé chaque fois que
c'était nécessaire la ponctuation, l'orthographe, le vocabu-
laire et la syntaxe ; le lecteur curieux de retrouver la lettre
de la traduction de Le Blond et les particularités de la
langue du xvie siècle pourra se reporter au fac-similé
préfacé par Michel Jeanneret. On a cependant parfois,
lorsque cela ne mettait pas en péril l'intelligence du texte,
conservé certains vocables anciens, afin d'éviter les excès
d'une normalisation qui, comme le signale Le Blond dans
sa postface («L'auteur au lecteur»), conduirait à un appau-
vrissement de la langue : «On ne se doit mal contenter si
un personnage fait renaître et réduit en cours quelques
vocables trouvés en auteurs idoines, et s'il s'efforce donner
nouveauté aux paroles anciennes, et ne souffre totalement
périr les mots qui par la coulpe des temps sont tournés en
désaccoutumance. En sorte que si nous n'usions que de
termes vulgaires et communs à chacun, notre langue n'en
enrichirait d'un flocon, et faudrait toujours faire comme
les tabellions et notaires, qui en leurs actes ne changent ni
ne muent de style.»

AUTRES TRADUCTIONS FRANÇAISES

La liste des autres traductions françaises (partielles ou complètes) de *L'Utopie* s'établit comme suit (les titres étrangers sont traduits en français, l'orthographe des titres français est le cas échéant modernisée, seule la première édition est mentionnée) :

Traductions partielles (livre second uniquement),
à partir de la version italienne :

En 1548, une traduction en italien des deux livres de *L'Utopie* (anonyme, mais due à Ortensio Lando) paraît à Venise, publiée par Anton Francesco Doni. En 1561, le second livre de *L'Utopie*, dans une version révisée de la traduction de Lando, est inclus en position conclusive dans un recueil de constitutions publié à Venise par Francesco Sansovino, sous le titre *Du gouvernement des Royaumes et des Républiques tant anciennes que modernes.* En 1585, Gabriel Chappuys, historiographe d'Henri III, traduit en français (en le remaniant) le recueil de Sansovino, et par conséquent la version italienne du livre second de *L'Utopie*, sous le titre *L'État, description et gouvernement des royaumes et républiques du monde, tant anciennes que modernes*, Paris, P. Cavellat, 1585. En 1611 paraît une nouvelle traduction française du recueil de Sansovino, comprenant elle aussi le livre second de *L'Utopie ;* le traducteur est identifié uniquement par les initiales F. N. D. : *Du Gouvernement et Administration de divers États, Royaumes et Républiques, tant anciennes que modernes [...]*, Paris, François Huby, 1611.

Traductions complètes,
à partir du texte original latin :

L'Utopie de Thomas Morus Chancelier d'Angleterre, trad. Samuel Sorbière, Amsterdam, Jean Blaeu, 1643.

L'Utopie de Thomas Morus, trad. Nicolas Gueudeville, Leyde, P. Vander, 1715.

Tableau du meilleur gouvernement possible, ou l'Utopie de Thomas Morus, trad. Thomas Rousseau, Paris, A. Jombert, 1780.

L'Utopie de Thomas More, trad. Victor Stouvenel, Paris, Paulin, 1842.

Le Planisme au xvie siècle. L'île d'Utopie ou la Meilleure des Républiques, par Thomas More (1516), trad. Paul Grunebaum-Ballin, Paris, Albin Michel, 1935.

Le Traité de la meilleure forme de gouvernement, ou l'Utopie, trad. Marie Delcourt, Bruxelles, La Renaissance du Livre, 1966.

L'Utopie, trad. André Prévost, Paris, Mame, 1978.

BIBLIOGRAPHIE

LITTÉRATURE PRIMAIRE

Éditions, traductions et commentaires
de L'Utopie : *voir la Notice, p. 327-332*

Autres œuvres de Thomas More

Les œuvres complètes de Thomas More sont disponibles dans l'édition de Yale : *The Yale Edition of the Complete Works of Saint Thomas More*, dir. Richard S. Sylvester, New Haven, Yale U. P., 1963-1997, 15 tomes, 21 vol.

On peut classer les œuvres de More en deux groupes :
Les œuvres humanistes, rédigées dans la première partie de la vie de More, jusqu'à *L'Utopie* incluse : traductions du grec en latin (sélection d'œuvres de Lucien) et du latin en anglais (*Vie de Pic de La Mirandole*), *Épigrammes*, *Richard III* et *Utopie*.
Les œuvres religieuses, composées dans la seconde partie de la vie de More, se répartissent elles-mêmes en deux tendances : les œuvres de polémique contre la Réforme (*Responsio ad Lutherum*, *A Dialogue Concerning Heresies*, *A Confutation of Tyndale's Answer*, etc.), et les œuvres dévotionnelles (*The Four Last Things*, et l'ensemble des *Tower Works* ou « Écrits de prison » : *A Dialogue of Comfort against Tribulations*, *A Treatise on the Passion* et *De Tristitia Christi*).

Parmi les œuvres disponibles en français, outre *L'Utopie*, signalons :

Dialogue du réconfort, trad. Germain Marc'hadour et Jocelyne Malhomme, Brepols, Turnhout, 2010.
Lettre à Dorp ; La Supplication des âmes, trad. Germain Marc'hadour, Namur, Le Soleil Levant, 1962.
La Pitoyable Vie du Roi Édouard V et les Cruautés horribles du Roi Richard III, trad. Pierre Mornand, Paris, À l'enseigne du Pot cassé, 1932.
La Tristesse du Christ, trad. Henri Gibaud, Paris, Téqui, 1990.
Les Vérités dernières, trad. Marie-Claire Phélippeau, Angers, s. éd., 2001.

On y ajoutera deux recueils :

Écrits de prison, trad. Pierre Leyris, Paris, Seuil, 1953 (rééd. 1981).
Œuvres choisies, trad. Marie Delcourt, Paris, La Renaissance du livre, 1936.

Correspondances

La correspondance de More a été éditée par Elizabeth F. Rogers (*The Correspondence of Sir Thomas More*, Princeton, Princeton U. P., 1947), qui a aussi publié une sélection de lettres : Thomas More, *Selected Letters*, New Haven, Yale U. P., 1961. Voir aussi *The Last Letters of Thomas More*, éd. A. de Silva, Grand Rapids, Eerdmans, 2000 ; et Marie-Madeleine de La Garanderie, « La Correspondance de Budé et More. Première traduction en langue française », *Moreana*, n° 19-20, 1968, p. 39-68.

Pour la correspondance d'Érasme, nous indiquons le numéro de la lettre dans l'édition de référence du texte original initiée par P. S. Allen : Érasme, *Opus epistolarum*, éd. P.S. Allen (& *alii*), Oxford, Clarendon Press, 1906-1958, 12 vol. L'ensemble a été traduit en français sous la direction d'Aloïs Gerlo et de Paul Foriers : *La Correspondance* d'*Érasme*, Bruxelles, Presses académiques européennes, 1967-1984, 12 vol.

Pour la correspondance entre Érasme et Thomas More, la traduction citée est celle de Germain Marc'hadour et Roland Galibois : Érasme et Thomas More, *Correspondance*, Sherbrooke, Éditions de l'Université de Sherbrooke, 1985.

Pour la lettre-portrait de More envoyée par Érasme à von Hutten (23 juillet 1519 ; Allen #999), la traduction citée est celle de Germain Marc'hadour : voir Saint Thomas More, *Lettre à Dorp ; La Supplication des âmes*, Namur, Le Soleil Levant, 1962, p. 15-35.

Principales œuvres citées dans L'Utopie

Platon

Critias (L'Atlantide), précédé du prologue du *Timée*, trad. Jean-François Pradeau, Paris, Belles Lettres, « Classiques en poche », 1997.

Les Lois, trad. Luc Brisson et Jean-François Pradeau, Paris, GF, 2006, 2 vol.

La République, trad. Pierre Pachet, Paris, Gallimard, « Folio essais », 1993.

Vespucci, *Quatre Navigations*

Le Nouveau Monde. Récits de Amerigo Vespucci, Christophe Colomb, Pierre Martyr d'Anghiera, trad. Jean-Yves Boriaud, Paris, Belles Lettres, 1992 (traduction de la version latine incluse dans la *Cosmographiae Introductio* ; pour le texte latin, voir Henry Vignaud, *Americ Vespuce*, Paris, Leroux, 1917, p. 365-392).

Le Nouveau Monde. Les voyages d'Amerigo Vespucci (1497-1504), trad. Jean-Paul Duviols, Paris, Chandeigne, 2005 (traduction de l'original italien).

Érasme

Les Adages, éd. et trad. sous la dir. de Jean-Christophe Saladin, Paris, Belles Lettres, 2011, 5 vol.

Éloge de la Folie, dans *Œuvres choisies*, trad. Jacques Chomarat, Paris, Livre de Poche, 1991.
Éloge de la Folie et autres écrits, éd. et trad. sous la dir. de
   Jean-Claude Margolin, Paris, Gallimard, « Folio classique », 2010.

LITTÉRATURE SECONDAIRE

Biographies de More

Biographies anciennes

ROPER, William, *La Vie de Sir Thomas More* [1553], dans
   Thomas More, *Écrits de prison*, trad. Pierre Leyris, Paris,
   Seuil, 1981.
STAPLETON, Thomas, *Histoire de Thomas More* [1588], trad.
   Alexandre Martin, Paris, L. Maison, 1849.

Biographies modernes

GODDING, Philippe, *Petite vie de Thomas More*, Paris,
   Desclée de Brouwer, 2002.
MARC'HADOUR, Germain, *Thomas More ou la sage folie*,
   Paris, Seghers, 1971.
PRÉVOST, André, *Thomas More ou la crise de la pensée euro-
   péenne*, Tours, Mame, 1969.

Études générales portant, en totalité ou en partie,
sur L'Utopie

Outre les introductions des éditions de référence de
L'Utopie (voir la Notice, p. 329), on pourra se reporter aux
titres suivants :

ABENSOUR, Miguel, *L'Utopie de Thomas More à Walter Benjamin*, Paris, Sens & Tonka, 2000.
CIORANESCU, Alexandre, *L'Avenir du passé. Utopie et littérature*, Paris, Gallimard, « Les Essais », 1972.
Collectif, « Regards sur l'Utopie », *Europe*, n° 985, mai 2011.

GREENBLATT, Stephen, *Renaissance Self-Fashioning*, Chicago, Chicago U. P., 1980 (rééd. 2005), chap. 1 : « At the Table of the Great : More's Self-Fashioning and Self-Cancellation », p. 11-73.

JEAN, Georges, *Voyages en Utopie*, Paris, Gallimard, « Découvertes », 1994.

LACROIX, Jean-Yves, *Un autre monde possible ? Utopie et philosophie*, Paris, Bordas, 2004.

LAVOCAT, Françoise, « Fictions et paradoxes. Les nouveaux mondes possibles à la Renaissance », dans Françoise Lavocat (dir.), *Usages et théories de la fiction. Les théories contemporaines à l'épreuve des textes anciens*, Rennes, P.U.R., 2005, p. 87-111 (en ligne sur www.voxpoetica. org).

LESSAY, Franck, « *Utopia* de Thomas More. L'utopie comme remède à l'utopie », *Cercles*, n° 4, 2002, p. 1-15 (en ligne sur www.cercles.com).

LOGAN, George M., *The Meaning of More's* Utopia, Princeton, Princeton U. P., 1983.

MACHEREY, Pierre, *De l'utopie !*, Le Havre, De l'incidence éditeur, 2011.

MAGUIN, Jean-Marie et WHITWORTH, Charles (dir.), *Thomas More*, Utopia. *Nouvelles perspectives critiques*, Montpellier, Université Paul-Valéry — Montpellier III, 1999.

MANUEL, Frank E. et MANUEL, Fritzie P., *Utopian Thought in the Western World*, Cambridge (Mass.), Belknop Press, 1979.

MARIN, Louis, *Utopiques. Jeux d'espace*, Paris, Minuit, 1973.

MAROUBY, Christian, *Utopie et primitivisme. Essai sur l'imaginaire anthropologique à l'âge classique*, Paris, Seuil, 1990.

MOREAU, Pierre-François, *Le Récit utopique. Droit naturel et roman de l'État*, Paris, PUF, 1982.

RIOT-SARCEY, Michèle, BOUCHET, Thomas et PICON, Antoine (dir.), *Dictionnaire des utopies*, Paris, Larousse, 2002.

SARGENT, Lyman T. et SCHAER, Roland (dir.), *Utopie. La quête de la société idéale en Occident*, Paris, BnF/Fayard, 1999.

SKINNER, Quentin, « Sir Thomas More's *Utopia* and the Language of Renaissance Humanism », dans Anthony Padgen (dir.), *The Languages of Political Theory in Early-*

Modern Europe, Cambridge, Cambridge U. P., 1987, p. 123-157.

SYLVESTER, Richard S., « "Si Hythlodaeo credimus" : vision and revision in Thomas More's *Utopia* », dans Richard S. Sylvester et Germain Marc'hadour (dir.), *Essential Articles for the Study of Thomas More*, Hamden (Conn.), Archon Books, 1977, p. 290-301.

TROUSSON, Raymond, *Voyages aux pays de nulle part. Histoire littéraire de la pensée utopique*, 2ᵉ éd. revue et augmentée, Bruxelles, Éditions de l'Université de Bruxelles, 1979.

L'Utopie *et ses précurseurs antiques*

Platon

JONES, Judith P., « The *Philebus* and the Philosophy of Pleasure in Thomas More's *Utopia* », *Moreana*, nº 31-32, 1971, p. 61-69.

LACROIX, Jean-Yves, *L'Utopia de Thomas More et la tradition platonicienne*, Paris, Vrin, 2007.

WHITE, Thomas I., « Pride and the Public Good : Thomas More's Use of Platon in *Utopia* », *Journal of the History of Philosophy*, nº 20, 1982, p. 329-354.

Lucien

BRACHT BANHAM, Richard, « Utopian laughter : Lucian and Thomas More », *Moreana*, nº 86, 1985, p. 23-43.

DORSCH, T.S., « Sir Thomas More and Lucian : an interpretation of *Utopia* », *Archiv für das Studium der neueren Sprachen und Literaturen*, nº 203, 1967, p. 345-363.

GINZBURG, Carlo, *Nulle île n'est une île*, Lagrasse, Verdier, 2005, chap. 1 : « L'Ancien et le Nouveau Monde vus depuis Utopie », p. 15-47.

Cicéron

McCUTCHEON, Elizabeth, « More's *Utopia* and Cicero's *Paradoxa Stoicorum* », *Moreana*, nº 86, 1985, p. 3-22.

Sur les paratextes

Sur la lettre-préface de More à Pierre Gilles

McCutcheon, Elizabeth, *My Dear Peter: The Ars Poetica and Hermeneutics for More's* Utopia, Angers, Moreana, 1983.

Sur l'alphabet et le quatrain utopiens

Hermann, Léon, *L'Utopien et le lanternois. Les pseudonymes et les cryptogrammes français de Thomas More et François Rabelais*, Paris, Nizet, 1981.
Leslie, Marina, *Renaissance Utopias and the Problem of History*, Ithaca, Cornell U. P., 1998, chap. 3, p. 57-80.
Pons, Émile, « Les langues imaginaires dans le voyage utopique — Un précurseur : Thomas Morus », *Revue de littérature comparée*, n° 10, 1930, p. 589-607.

Sur la carte d'Utopie

Bishop, Malcolm, « Ambrosius Holbein's Memento Mori Map for Sir Thomas More's *Utopia*. The Meanings of a Masterpiece of Early Sixteenth-Century Graphic Art », *British Dental Journal*, n° 199, 2005, p. 107-112.
Leslie, Marina, *Renaissance Utopias and the Problem of History*, Ithaca, Cornell U. P., 1998, chap. 2, p. 25-56.
Verger, Jean du, « Géographie et cartographie fictionnelles dans *L'Utopie* (1516) de Thomas More », *Moreana*, n° 181, 2010, p. 9-68.

Sur la lettre de Guillaume Budé à Thomas Lupset

La Garanderie, Marie-Madeleine de, « Guillaume Budé lecteur de *L'Utopie* », *Miscellanea Moreana : Essays for Germain Marc'hadour*, Angers, Moreana, 1989, p. 327-338.

Sur les premières traductions françaises
de L'Utopie

Biot, Brigitte, « Barthélemy Aneau, lecteur de *L'Utopie* », *Moreana*, n° 121, 1995, p. 11-28.

Céard, Jean, « La fortune de *L'Utopie* de Thomas More en France au XVIᵉ siècle », dans *La fortuna dell'Utopia di Thomas More nel dibattito politico europeo del '500*, Florence, Olschki, 1996, p. 43-75.

Dozo, Björn-Olav, « Jean Le Blond, premier traducteur français de *L'Utopie* », *Lettres romanes*, nᵒ 59, 2005, p. 187-210.

Hosington, Brenda, « Early French Translations of Thomas More's *Utopia*: 1550-1730 », *Humanistica Lovaniensia*, nᵒ 33, 1984, p. 116-134.

Sellevold, Kirsti, « The French Versions of *Utopia*: Christian and Cosmopolitan Models », dans Terence Cave (dir.), *Thomas More's* Utopia *in Early Modern Europe: Paratexts and Contexts*, Manchester, Manchester U. P., 2008, p. 67-86.

Simonin, Michel, « À chacun son Fréron: Jean Le Blond, adversaire (?) de Clément Marot », dans Gérard Defaux (dir.), *La Génération Marot. Poètes français et néo-latins (1515-1550)*, Paris, Champion, 1997, p. 405-424.

NOTES

LIVRE PREMIER

Page 47.

1. *Charles, sérénissime prince de Castille* : le futur empereur Charles Quint.

2. *Une affaire qui n'était pas de petite importance* : cette affaire comportait d'abord une dimension diplomatique et matrimoniale. Le 1er janvier 1515 meurt le roi de France Louis XII, laissant veuve sa seconde épouse Marie d'Angleterre, sœur d'Henri VIII. Il est question de remarier celle-ci à Charles de Castille, alors âgé de quinze ans et tout juste déclaré majeur ; mais celui-ci annonce préférer une alliance avec le nouveau roi de France, François Ier, par l'intermédiaire de sa belle-sœur Renée de France (seconde fille de Louis XII et sœur de Claude de France). Ce camouflet entraîne un net refroidissement des relations commerciales entre les marchands anglais et ceux des Pays-Bas espagnols, qui prennent chacun des mesures protectionnistes en rétorsion les uns contre les autres. C'est cette partie commerciale du différend que More venait tenter de régler en Flandres en tant que porte-parole des marchands anglais, tandis que l'émissaire pour la partie politique était Cuthbert Tunstall.

3. *En ambassade en Flandres* : c'est durant cette ambassade, à l'été 1515, que More écrivit le second livre de *L'Utopie* ; voir la Notice, p. 325.

4. *Son premier secrétaire* : plus précisément le directeur

des Archives royales, qu'on appelait souvent à l'époque d'Henri VIII le vice-chancelier. Cuthbert Tunstall (1474-1559) devint ensuite évêque de Londres (en 1522), puis de Durham (en 1529).

5. *Montrer le soleil avec une torche* : allusion à un adage qu'on rencontre sous diverses formulations ; voir Érasme, *Les Adages*, éd. et trad. sous la dir. de J.-C. Saladin, Paris, Belles Lettres, 2011, 5 vol. : n° 658 (t. I, p. 515), n° 1406 et 1407 (t. II, p. 278) et n° 3725 (t. IV, p. 334).

Page 48.

1. Pierre Gilles (ou Pieter Gillis ; 1486-1533), humaniste flamand, fut secrétaire général de la ville d'Anvers. À la suite de son séjour en Flandres, More commanda un double portrait de Pierre Gilles et d'Érasme à Quentin Metsys.

Page 50.

1. *Palinure* : pilote d'Énée, qui tomba à la mer ; voir Virgile, *Énéide*, V, v. 814-871.

2. Hythlodée est un nom forgé à partir de racines grecques et signifiant « l'expert en balivernes ».

3. Le détachement d'Hythlodée des biens matériels se révélera cohérent avec sa doctrine politique, prônant à la suite de Platon l'abolition de la propriété privée : Hythlodée met sa conduite en conformité avec ses idées. Cette renonciation à son patrimoine rappelle celle de Pic de La Mirandole ; voir More, *Life of Pico*, dans *Complete Works*, éd. de Yale, t. I, New Haven, 1997, p. 63-64.

4. Voir *Les Quatre Voyages d'Amerigo Vespucci*, dans *Le Nouveau Monde. Récits de Amerigo Vespucci, Christophe Colomb, Pierre Martyr d'Anghierra*, trad. J.-Y. Boriaud, Paris, Belles Lettres, 1992, p. 126-128 : « Après avoir parcouru deux cent soixante lieues, nous atteignîmes un port où nous nous proposâmes de construire un fort, ce que nous fîmes effectivement avant d'y laisser vingt-quatre chrétiens, qui avaient été recueillis sur l'épave du navire de notre commandant. Nous passâmes donc cinq mois à construire ce fort et à charger nos vaisseaux de bois de brésil, sans pouvoir faire plus vite vu le petit nombre de nos marins et l'importance de l'appareillage nécessaire. Tout

cela achevé, nous décidâmes de repartir vers le Portugal, ce qui ne nous était possible que sous vent grec et sous tramontane. Nous laissâmes donc dans ce fort vingt-quatre de nos chrétiens avec douze bouches à feu, des armes en grand nombre et des provisions pour six mois. La population de l'endroit nous était soumise mais nous en parlerons peu, bien que nous ayons constaté son importance et que nous ayons été en relations avec elle : nous pénétrâmes en effet dans l'île sur quarante lieues, avec trente de ces gens, et y observâmes des choses sur lesquelles je me tairai pour l'instant, les réservant pour le livre de mes *Quatre Navigations*. » Vespucci annonce à plusieurs reprises dans ses lettres un ouvrage intitulé *Quatre Navigations*. Cet ouvrage, s'il a été écrit, n'a pas été retrouvé ; dans la *Cosmographiae Introductio*, son titre est réattribué à la présente lettre. On a proposé d'identifier le lieu où fut construit le fort avec le cap Frio, aujourd'hui dans l'État de Rio de Janeiro.

5. Citation du poète latin Lucain, *Pharsale*, VII, v. 819 ; cette sentence apparaît aussi chez saint Augustin, dans *La Cité de Dieu*, I, 12. Aneau modifie la traduction de Le Blond pour en faire un distique : «*Qui pour couvrir ses os n'a nul tombeau, / Pour couverture il a le ciel tant beau.* »

6. Le texte latin dit plus simplement «la distance pour aller au ciel est partout la même » ; la citation est empruntée à Cicéron, *Tusculanes*, I, 104.

Page 51.

1. *Taprobane* : Ceylan.

2. *Calicut* : non pas Calcutta, mais Kozhicode, sur la côte de Malabar, donnant sur la mer d'Oman.

3. La mise en place du dialogue évoque celle du *Phèdre* de Platon (229a-b), imitée par Cicéron dans le *De oratore* (I, 28-29).

Page 52.

1. *Équinoxe* : équateur.

2. *À fond de cuve* : à fond plat.

Page 53.

1. *La pierre magnétique* : la boussole.

2. *Scylle* : Scylla, monstre marin ; *Célène* : harpie (voir

Virgile, *Énéide*, III, v. 209-218); *Lestrygons*: peuple cannibale (voir Homère, *Odyssée*, X, v. 81-132).

Page 54.

1. *Police*: constitution politique (grec *politeia*). — Sur le
sens du nom *Utopie*, voir la Préface, p. 14. C'est sans doute
précisément ici que se terminait la première version du
« récit-cadre » introduisant le livre second ; voir la Notice,
p. 325.

Page 56.

1. *République*: le terme désigne ici et dans la suite du
texte l'État, la chose publique ou le bien public (latin *res
publica*), et non un type particulier de régime politique.

2. *Morus*: la graphie latine a été conservée afin de souligner qu'il convient de ne pas identifier trop hâtivement
l'auteur (More) et le personnage-narrateur du dialogue
(Morus) — même si cette équivoque est au cœur du méca-
nisme, qu'on pourrait anachroniquement qualifier d'auto-
fictionnel, sur lequel repose le livre premier de *L'Utopie*.

Page 57.

1. Au début du *Richard III* de More, Édouard V pro-
nonce un discours testamentaire qui condamne également
la flatterie qui fait dégénérer le conseil du prince. Voir
Thomas Morus, *La Pitoyable Vie du Roi Édouard V et les
Cruautés horribles du Roi Richard III*, trad. Pierre Mornand,
Paris, À l'enseigne du Pot cassé, 1932, p. 47-48.

Page 58.

1. Henri VII réprima en 1497 une insurrection en Cornouailles. Ici commence une longue digression de Raphaël
Hythlodée sur l'Angleterre, qu'il est d'usage d'appeler la
« dystopie » : ce tableau pessimiste de la réalité anglaise,
dont la noirceur évoque certaines pages du *Richard III* de
More, accentue par contraste le caractère idéalisé de
la description d'Utopie. Voir Érasme, lettre à Ulrich von
Hutten (Annexes, p. 302) : « Son but, en publiant *L'Utopie*,
était d'indiquer à quelles causes est due la mauvaise gestion
des États ; c'est la politique anglaise surtout qu'il y fait

figurer, parce que celle-là, il la connaît à fond sous tous ses aspects. »

2. John Morton (1420-1500) fut l'un des principaux conseillers d'Henri VII ; créé archevêque de Canterbury en 1486, puis chancelier d'Angleterre l'année suivante, il fut élevé au cardinalat en 1493. Vers 1490-1492, le jeune More fut placé comme page dans sa maison, avant de partir étudier à Oxford. Son portrait est donc inspiré par des souvenirs personnels de More, comme celui qu'on lit dans le *Richard III* (p. 154-156 dans la traduction de P. Mornand).

Page 59.

1. *L'École* : l'Université.
2. *Lai* : laïc.

Page 60.

1. *Il* : l'interlocuteur d'Hythlodée à la table de Morton.
2. Henri VII était intervenu en France à deux reprises : d'une part à l'occasion de la guerre de succession de Bretagne, à la mort de François II (1435-1488), dernier duc et père d'Anne de Bretagne ; d'autre part pour contrer le soutien accordé par Charles VIII à Perkin Warbeck, prétendant au trône d'Angleterre — campagne à laquelle mit un terme le traité d'Étaples (1492).

Page 61.

1. *Mouches à miel* : abeilles. La comparaison des nobles aux bourdons est reprise de Platon (*La République*, VIII, 552c), où elle servait à décrire les « parasites » des régimes oligarchiques. Plus largement, le fond de l'analyse formulée par Hythlodée dans ce passage est très proche du développement de Platon sur les défauts de l'oligarchie.

Page 62.

1. *Les fous qui pensent être sages* : les « morosophes » ; voir Lucien, *Alexandre*, 40 (dialogue qui fait partie de la sélection d'œuvres de Lucien traduite par Érasme) ; le mot est repris dans l'*Éloge de la Folie*, chap. 5.

Page 63.

1. Voir Salluste, *Catilina*, 16 : « Si le moment présent ne

fournissait pas l'occasion d'un méfait, il n'en continuait pas moins à opprimer et occire l'innocent comme le coupable ; sans doute de peur que la main ou le cœur ne s'engourdissent par oisiveté, il préférait être méchant et cruel gratuitement. »

2. Allusion notamment à la « guerre inexpiable » qui, de 241 à 238 avant notre ère, opposa Carthage à ses mercenaires licenciés à l'issue de la première Guerre punique.

3. Ce jugement peut être mis en parallèle avec la pratique des Utopiens, qui ont certes recours aux mercenaires (notamment les Zapolètes), mais pas exclusivement : tous les citoyens sont mobilisables, et s'exercent à la guerre.

Page 64.

1. À l'époque Tudor s'intensifie la pratique de l'*enclosure*, c'est-à-dire la clôture des espaces agricoles dont la jouissance était commune à l'époque féodale. Hythlodée y voit la racine des maux économiques dont souffre l'Angleterre, où la tendance à établir une monoculture de la laine conduit *de facto* à une disparition de l'agriculture vivrière et à une concentration du capital foncier.

Page 66.

1. *La clavelée* : maladie contagieuse frappant les ovins, aussi appelée « variole du mouton ».

Page 70.

1. *Injure* : injustice. Reprise de l'adage *summum jus, summa injuria* : voir Érasme, *Les Adages*, n° 925 (*op. cit.*, t. I, p. 676-677).

2. *Si sévères et rigoureux* : le latin dit « si dignes de Manlius » ; voir Tite-Live, VIII, 7, sur l'intransigeance de Manlius Torquatus, héritée de son père Manlius Imperiosus.

3. L'expression « *estimer tous les péchés égaux* » est empruntée à Cicéron (*Pro Murena*, 61) critiquant le caractère trop strict de certaines maximes morales des stoïciens qui n'admettent pas d'intermédiaire entre la vertu et le vice, ce qui revient à refuser toute hiérarchisation des fautes.

Page 71.

1. *La nouvelle loi de clémence* : la Nouvelle Alliance annoncée par le Nouveau Testament.

Page 72.

1. *Polylérites* : nom forgé à partir de racines grecques, « ceux qui disent beaucoup de sottises ».

Page 74.

1. *Échantillonnée* : entaillée.

Page 75.

1. *Police* : politique.
2. *Pèlerins* : voyageurs.

Page 77.

1. Le droit d'asile (en anglais *sanctuary*) permettait à de nombreux criminels d'échapper aux poursuites pénales en se réfugiant dans certains lieux de culte ; il fut progressivement restreint sous Henri VII puis Henri VIII. La question de son éventuelle limitation est longuement discutée dans le *Richard III* de More, notamment dans un discours du duc de Buckingham (p. 70-75 dans la traduction de P. Mornand).

2. La réponse du cardinal Morton à la description par Hythlodée des usages des Polylérites envers les voleurs constitue un modèle possible de réception de *L'Utopie* ; voir la Préface, p. 22-23.

3. *Un flatteur* : le latin dit « un parasite », par référence à un rôle typique de la comédie antique (le pique-assiette).

Page 78.

1. Allusion à un proverbe latin : « Qui lance souvent les dés fait parfois le coup de Vénus » (c'est-à-dire la combinaison la plus forte du jeu, permettant de remporter la partie).

2. *Frères lais* (ou « frères convers ») : membres d'un couvent n'appartenant pas au clergé, chargés de tâches domestiques.

3. *Un frère théologien* : ce frère appartient à l'un des

ordres dits mendiants (franciscains, dominicains, carmes et augustins), qu'une rivalité durable opposait à la fois au clergé séculier (les «prêtres») et aux autres ordres monastiques (les «moines rentiers»), par exemple les bénédictins.

Page 79.

1. *Luc*, 21, 19. «Posséder» signifie ici «rester maître de».
2. *Psaumes*, 4, 5.
3. La fin de cet intermède satirique n'est traduite ni par Le Blond, ni par Aneau; elle fut d'ailleurs expurgée du texte des *Œuvres latines complètes* (*Opera omnia*) de More publiées à Louvain en 1566. Elle est ici donnée, entre crochets droits, dans la traduction de Samuel Sorbière (révisée).
4. *Psaumes*, 69, 10.

Page 80.

1. Extrait d'un hymne attribué à Adam de Saint-Victor, inspiré par *Rois*, 2, 23-24. Dans le texte latin, le frère commet un barbarisme sur le mot *zelum*, qu'il prononce *zelus* par confusion avec *scelus*, le crime.
2. *Proverbes*, 26, 5.
3. *La tête pelée*: à cause de la tonsure.

Page 82.

1. Platon, *République*, V, 473c-d et *Lettres*, VII, 326a-b.
2. *Denys*: Platon tenta sans succès de convertir à ses principes politiques Denys l'Ancien, tyran de Syracuse, puis son successeur Denys le Jeune; voir la septième des *Lettres* attribuées à Platon.
3. Allusion aux guerres menées par les rois de France Charles VIII, Louis XII et François Ier, et notamment aux guerres d'Italie.

Page 83.

1. *L'Empereur*: Maximilien Ier de Habsbourg, empereur du Saint-Empire romain germanique de 1508 à 1519, auquel succéda Charles Quint.
2. *Le roi d'Aragon*: Ferdinand II d'Aragon (1452-1516), grand-père de Charles Quint.
3. *Le prince de Castille*: voir p. 47, note 1.
4. La chute de la dynastie des Plantagenêt et l'avène-

ment des Tudor avaient provoqué l'apparition d'un certain nombre d'imposteurs prétendant être les héritiers de l'ancienne dynastie ; ces imposteurs furent souvent soutenus par la France, ainsi Perkin Warbeck (voir p. 60, note 2).

Page 84.

1. *Achoriens* : nom forgé à partir de racines grecques, « ceux qui n'ont pas de territoire ».

2. *L'Euronotus* : nom donné dans l'Antiquité à un vent soufflant depuis le sud-est.

3. La situation rappelle l'origine de la guerre de Cent Ans : Édouard III prétendit au trône de France parce qu'il était le fils d'une fille de Philippe le Bel. À la critique explicite de l'expansionnisme français en Italie fait suite une critique implicite de l'expansionnisme anglais en France.

Page 88.

1. More cite librement Cicéron, *De officiis*, I, 25 (repris par Pline, *Histoire naturelle*, XXXIII, 47) ; ce mot est également cité par Érasme, *Les Adages*, n° 574 (*op. cit.*, t. I, p. 457).

Page 89.

1. Voir Aulu-Gelle, *Nuits attiques*, I, 14. Le mot est en fait de Curius Dentatus ; voir Valère Maxime, 4, 5.

Page 90.

1. *Confesse hardiment qu'il n'entend rien à gouverner des gens libres et francs* : citation — détournée de son sens initial — de Térence, *Adelphes*, v. 76-77.

2. *Macariens* : habitants de l'île des Bienheureux — sorte de paradis terrestre, où prétend faire escale le narrateur de *L'Histoire véritable* de Lucien (II, 5 *sq.*).

Page 91.

1. *Philosophie scolastique* : c'est-à-dire une philosophie idéaliste et purement spéculative ; Morus oppose la théorie politique des maîtres de l'École à la pratique de l'homme d'État.

Page 92.

1. Voir Pseudo-Sénèque, *Octavie*, v. 440-592.

2. C'est la première fois que le personnage de Morus exprime si longuement son avis personnel, et il le fait en utilisant une métaphore — celle du théâtre — qui était particulièrement chère à More lui-même : l'idée qu'il convient de ne pas «perturber la pièce» jouée par le pouvoir apparaît en effet aussi dans son *Richard III* (p. 138-139 dans la traduction de P. Mornand). Sur l'importance et le sens de la métaphore théâtrale dans l'œuvre et la vie de More, voir Stephen Greenblatt, *Renaissance Self-Fashioning*, Chicago, Chicago U. P., 1980 (rééd. 2005), p. 11-73 ; Quentin Skinner, «Sir Thomas More's *Utopia* and the Language of Renaissance Humanism», dans A. Padgen (dir.), *The Languages of Political Theory in Early-Modern Europe*, Cambridge, Cambridge U. P., 1987, p. 123-157 ; et Guillaume Navaud, *Persona. Le théâtre comme métaphore théorique de Socrate à Shakespeare*, Genève, Droz, 2011, p. 309-328.

3. La métaphore traditionnelle du navire de l'État est ici particulièrement adaptée à l'interlocuteur, le marin Hythlodée.

Page 94.

1. Voir *Matthieu*, 10, 27. Sur cet argument d'Hythlodée, voir la Préface, p. 19-20.

2. *Qu'ils aient rien profité* : qu'ils aient été d'aucune utilité (emploi de «profiter» au sens d'«être utile»).

3. *Coadjuteur* : complice. — Voir Térence, *Adelphes*, v. 147.

Page 95.

1. Voir Platon, *La République*, VI, 496d. Cette comparaison platonicienne peut être rapprochée de l'apologue de la «pluie qui rend fou» commenté par More devant sa fille Margaret Roper lors de son emprisonnement à la Tour de Londres, et rapporté par cette dernière dans une lettre à sa demi-sœur Alice Alington ; voir Thomas More, *Écrits de prison*, trad. Pierre Leyris, Paris, Seuil, 1981, p. 93 et p. 99-101.

Page 97.

1. Voir Diogène Laërce, *Vies et opinions des philosophes illustres*, III, 23 ; et Élien, *Histoire variée*, II, 42.

Page 98.

1. *Applications* : d'onguents ; *appareils* : au sens médical de «prothèses» ; *restaurants* : au sens d'«aliments qui restaurent». — *Embonpoint* : bonne santé.

Page 99.

1. *Digérer* : au sens intellectuel d'«assimiler».

2. L'Utopie n'est un «Monde nouveau» que par illusion d'optique et ethnocentrisme. Dans le récit qui introduit le mythe de l'Atlantide (*Timée*, 22b), Platon fait dire au prêtre égyptien qui le transmet à Solon que comparés aux Égyptiens, les Grecs ne sont que des «enfants».

3. Hythlodée pose ici une des règles de formalisation du «monde parallèle» : toute découverte ou évolution technologique dans notre monde a pu également avoir lieu dans le monde parallèle.

Page 100.

1. *Ultrequinoctiaux* : ceux qui habitent au-delà de l'équinoxe (c'est-à-dire l'équateur).

2. Le quatrième voyage de Vespucci s'achevant en 1504, et l'ambassade de More en Flandres ayant lieu en 1515, le séjour de cinq ans d'Hythlodée en Utopie prend place entre ces deux dates. Le naufrage du vaisseau romano-égyptien se situe donc au début des années 300 de notre ère, c'est-à-dire quelques années avant que l'Empire romain n'entame sa conversion officielle au christianisme par l'édit de Constantin (313) : cela permet à More de faire des Utopiens les héritiers de la sagesse antique des païens, comme le souligne André Prévost dans son édition de *L'Utopie* (p. 445, note 1) ; mais cela permet aussi d'expliquer qu'ils n'aient pas encore eu vent de la Révélation, qui ne leur est apportée que par l'expédition d'Hythlodée (voir *infra* le chapitre sur les religions des Utopiens).

3. En transcrivant la conversation, More prévient le

risque, pointé ici par Hythlodée, que son voyage ne tombe dans l'oubli : cette remarque intervient comme une justification de l'écriture de l'œuvre.

LIVRE SECOND

Page 105.

1. Dans la traduction française de Le Blond, toutes les distances sont (plus ou moins exactement) converties en lieues. Cette unité ne représentant plus grand chose pour nous, on a choisi de rétablir le système de mesure employé dans l'original latin, qui compte les distances en milles (un mille équivalant à peu près à 1,5 km). Si l'île d'Utopie rappelle l'Angleterre par ses proportions et plusieurs autres caractéristiques (les marées de l'Anydre, le nombre de cités, etc. : voir p. 107, note 1 et p. 111, note 1), elle s'en distingue cependant par sa forme, et notamment par son golfe qui forme une sorte de mer intérieure : on est ici plus proche du dessin de l'Atlantide de Platon. La forme de l'île est représentée plus fidèlement sur la carte qui ouvre l'édition de Louvain (1516) que sur celle qui apparaît dans les éditions de Bâle (1518) : voir en Annexes, p. 245-246, et la Préface, p. 34.

Page 106.

1. Abraxas était le nom que le philosophe gnostique Basilide d'Alexandrie (début du IIᵉ siècle de notre ère) donnait à l'Être suprême, c'est-à-dire à la plus haute des sphères célestes. Ce nom possède une valeur ésotérique : il est composé de sept lettres (comme les jours de la semaine), lettres correspondant en grec à des chiffres qui, si on les additionne, ont pour somme 365 (comme les jours de l'année, ou comme le nombre de sphères célestes selon Basilide). En amputant le nom Abraxas de sa lettre finale, More était peut-être conscient de rompre l'harmonie mystique dont il était le symbole : c'est l'hypothèse émise par Gérard Jean Vossius dans sa lettre à Samuel Sorbière datée du 1ᵉʳ janvier 1643, « *De Utopia Mori ac paradoxis in illa vocabulis agit* », dans *Opera omnia*, t. 4, Amsterdam, P. and J. Blaeu, 1699, épître 634, p. 340-341. Dans l'*Éloge de la*

Folie d'Érasme (chap. 54), le Christ censure les religieux qui oublient les vraies règles de la charité chrétienne et préfèrent s'infliger des interdits absurdes, et les invite à se reléguer dans les «cieux des Abraxiens» ou à se faire «construire un ciel nouveau».

2. L'insularité utopienne n'est pas une donnée naturelle, mais un choix politique. Voir Platon, *Critias*, 113d : c'est Poséidon qui choisit d'isoler la métropole atlante du reste de l'île en l'entourant de trois anneaux concentriques remplis d'eau.

Page 107.

1. *Cinquante-quatre villes* : à l'époque de More, l'ensemble formé par l'Angleterre et le Pays de Galles comptait cinquante-trois comtés, plus la ville de Londres.

2. *Amaurot* : nom forgé à partir du grec, «la Ville Mirage». Dans la première édition de *L'Utopie* (Louvain, 1516), on trouve trace, pour désigner la ville, d'un adjectif, *mentiranus* (au lieu d'*amauroticus*), dérivé du verbe latin signifiant «mentir»; il est possible que dans la première rédaction de l'ouvrage, la ville se soit nommée «la Ville Mensonge», tout comme l'île portait sans doute un nom dérivé du latin, *Nusquama*, c'est-à-dire *Nulle-Part* (voir la Notice, p. 326).

Page 108.

1. *Phylarque* : grec *phylarchos*, «chef de tribu».

Page 109.

1. *Ils ne font que du pain* : c'est-à-dire qu'ils ne se servent pas des céréales pour faire de la bière ou des alcools de grain (comme le whisky ou le gin).

2. *Affaire* : besoin.

3. Il s'agit des productions de l'artisanat urbain : outils, vaisselle, mobilier, etc.

4. *Le jour de la fête tous les mois* : il s'agit de la fête marquant le passage d'un mois à l'autre; voir *infra* p. 205.

5. *L'août* : la moisson.

Page 110.

1. *Anydre* : nom forgé à partir du grec, «Sans-Eau».

Page 111.

1. Comme le fait remarquer l'auteur des annotations marginales (voir en Annexes, p. 224), certaines des caractéristiques d'Amaurot semblent empruntées à la réalité londonienne : ainsi les marées d'estuaire, qui rappellent la Tamise, ou encore le pont sur l'Anydre, qui rappelle London Bridge.

Page 112.

1. *Vingt pieds* : six mètres. Pour des schémas représentant le plan d'ensemble d'Amaurot et l'organisation type d'un bloc de maisons utopiennes, voir Louis Marin, *Utopiques. Jeux d'espaces*, Paris, Minuit, 1973, respectivement p. 162 et p. 166.

2. Comme le remarque l'auteur des annotations marginales, « Ceci sent le communisme de Platon » ; voir en effet Platon, *République*, III, 416 d : les demeures des Gardiens ne doivent pas être fermées à clé. On peut également songer à l'habitat communautaire des sauvages d'Amérique tel qu'il est décrit par Vespucci ; voir *Les Quatre Voyages d'Amerigo Vespucci*, dans *Le Nouveau Monde*, trad. J.-Y. Boriaud, *op. cit.*, p. 92-93 : « Les habitations sont communes à tous : leurs demeures sont construites en forme de cloches, appuyées sur une solide armature de grands troncs d'arbres, couvertes de feuilles de palmiers, très sûres contre vents et tempêtes, et nous en trouvions en certains endroits d'une capacité de six cents personnes chacune ; dans les huit plus vastes que nous découvrîmes, vivaient et habitaient ensemble dix mille âmes. »

Page 113.

1. Cette notation chronologique situe la conquête de l'île d'Abraxa et la fondation de la ville d'Amaurot par Utopus vers les années 250 avant notre ère : il y a ici une relative incohérence avec l'affirmation d'Hythlodée au livre premier (p. 99), selon laquelle dans le pays d'Utopie « il y avait des villes avant qu'il n'y eût des hommes en la nôtre ».

2. Les vitres étaient encore un luxe à l'époque de More.

Page 114.

1. L'utopien moderne est en fait ici du grec (*phylarque* : chef de tribu ; *protophylarche* : premier chef de tribu) ; l'utopien ancien, en revanche, ressemble à une langue barbare, et il est difficile de découvrir dans les noms *syphogrant* ou *tranibore* une étymologie indiscutable. Pour un schéma du système représentatif utopien, voir Louis Marin, *Utopiques. Jeux d'espaces, op. cit.*, p. 167.

2. *Roi* ou *prince* traduit le latin *princeps*, qui désigne en fait plutôt ici le gouverneur de chaque ville.

Page 117.

1. L'oisiveté est identifiée comme l'un des principaux fléaux, avec la propriété privée, qui frappent l'Angleterre « dystopique » critiquée par Hythlodée au livre premier.

2. Dans l'Angleterre de More, la durée moyenne de la journée de travail était au moins deux fois plus longue.

3. *De tous états* : de toute condition sociale.

Page 118.

1. Ce jeu est sans doute celui que Jacques Lefèvre d'Étaples venait de décrire sous le nom de « jeu de rythmomachie », dans un appendice à son édition de l'*Arithmétique* de Jordan Nemorarius publiée en 1514. Ce jeu éducatif, destiné à exercer l'esprit à l'arithmétique, a également fait l'objet d'un opuscule de Claude de Boissière publié en 1554.

2. Le conflit allégorique des vertus et des vices était un thème classique de l'interlude Tudor et, avant cela, des moralités et de l'iconographie du Moyen Âge, qui l'avaient hérité de la *Psychomachie* du poète latin chrétien Prudence (IVe siècle de notre ère).

Page 119.

1. Voir au livre premier la diatribe d'Hythlodée contre les valets oisifs des gentilshommes, p. 60 *sq.*

Page 120.

1. *Secrètement* : par un vote à bulletins secrets.

Page 121.

1. Comme on l'a déjà vu (voir p. 114, note 1), le vieil utopien a des consonances barbares, en particulier perses : le nom Barzanès est chez Diodore de Sicile (*Bibliothèque historique*, II, 1) celui d'un roi d'Arménie ; selon Vossius, il est l'équivalent de «fils de Zeus». L'utopien moderne évoque en revanche le grec : Adème signifie «Sans-Peuple».

2. *Ménager* : le français moderne n'a conservé du substantif que la forme féminine «ménagère».

Page 122.

1. *Doler* : équarrir du bois, à l'aide d'un outil nommé doloire.

2. L'uniforme utopien est la robe de bure du moine franciscain, comme l'explicite More dans une lettre à Érasme (voir en Annexes, p. 284-285). More lui-même s'habillait ordinairement de façon très simple : voir la lettre d'Érasme à von Hutten citée en Annexes, p. 291.

Page 123.

1. L'éthique du travail qui est celle des Utopiens se révèle en fait être une éthique du loisir : si le travail manuel est valorisé, il ne l'est qu'en tant que moyen nécessaire pour parvenir à se gagner du temps libre, et les règles de l'économie utopienne sont entièrement conditionnées par et tournées vers l'objectif de l'affranchissement et de l'épanouissement intellectuel, qui représente le but de la vie humaine et le comble du bonheur terrestre. La vie active et la vie contemplative cessent alors de s'opposer, comme elles l'avaient fait tout au long du Moyen Âge : la première devient la condition de possibilité de la seconde.

2. Titre dans la traduction de Le Blond : *Des affaires, commerces, familiarités et traités que les Utopiens ont les uns avec les autres*. Titre latin original : *De commerciis mutuis*, que la plupart des traducteurs choisissent de rendre en recourant à la notion de société : «La vie en société» (Prévost) ; «Social Relations» (éditions de Yale et de Cambridge).

3. Ce programme couvre ce chapitre, mais aussi la première partie du suivant.

Page 124.

1. À la planification économique s'ajoute la planification démographique — un thème classique de la philosophie politique, de Platon à Malthus. Le chiffre de 6 000 familles n'est d'ailleurs pas très éloigné des 5 040 familles dont Platon compose la cité des *Lois* (V, 740a-741a).

2. *Préfix* : fixé par avance.

Page 125.

1. Comme dans la Grèce classique, c'est le manque de terre cultivable (la *stenochoria*) qui motive la colonisation, au point de constituer un juste motif de guerre. Cette question des motifs légitimes de la colonisation est évidemment cruciale car l'Utopie est une «terre neuve» qui ne manquera pas de susciter elle-même la convoitise chez les Européens : voir, dans la lettre-préface de More, la fiction satirique du religieux soi-disant désintéressé qui entend se réserver l'évêché d'Utopie (en Annexes, p. 234). Les Utopiens pratiquent une forme de colonisation dont les motivations (seulement en cas de force majeure) et les méthodes (commencer par des projets de cohabitation sincère avec les indigènes) sont aux antipodes de celles qui seront employées par les Conquistadores, mais serviront de modèle à Vasco de Quiroga (voir la Préface, p. 32, note 1). Il n'en reste pas moins qu'on lit ici une justification du projet colonial, similaire à ce qu'on trouvait déjà chez Platon (*La République*, II, 373d-e ; *Lois*, IV, 707e-708d). Le modèle agricole d'exploitation intensive pratiqué par les Utopiens est d'ailleurs le même que celui des Européens, et justifie selon eux qu'on puisse accaparer des terres exploitées selon un autre modèle. Enfin, il n'est pas question dans les colonies d'altérer d'un iota les institutions utopiennes : aucune place n'est laissée au «métissage» culturel, la seule option laissée aux indigènes est l'assimilation totale — ou le rejet en dehors de la nouvelle communauté.

2. *Une peste* : la grande peste de 1349 avait emporté le tiers de la population de l'Europe. Des épidémies de peste éclataient encore au début du XVIe siècle.

Page 127.

1. Ce système était déjà en vigueur à Sparte, où tous les citoyens participaient à des repas communs à la charge de la cité, qu'on appelait les syssities. Il est également prescrit par Platon dans la *République* (III, 416e). Les repas des Utopiens rappellent aussi ceux des monastères, en particulier à cause de la lecture édifiante qui ouvre le repas.

2. *Le nombre de leurs gens* : c'est-à-dire le nombre des gens qui se rassemblent pour manger dans la salle dont ils ont la charge.

Page 131.

1. Bien qu'elle soit strictement encadrée, la vie des Utopiens n'est en rien ascétique : de même que la finalité des règles régissant l'économie et le travail est de permettre le loisir, de même celle des règles de la vie sociale est de permettre l'épanouissement de l'hédonisme honnête et mesuré qui est au cœur de la philosophie morale des Utopiens (voir p. 143 *sq.*).

2. Ce titre ne convient guère qu'au premier paragraphe du chapitre. Vient ensuite une section consacrée à l'abolition de l'argent en Utopie, qui clôt l'exposé socio-économique commencé au chapitre « Des métiers des Utopiens » ; et enfin un résumé du savoir et de la philosophie des Utopiens.

Page 132.

1. Voir livre premier, p. 67 : « En outre on tolère les bordels, les tavernes où l'on vend vin et cervoise. » La reprise négative de l'énumération souligne le contraste entre l'Utopie et l'Angleterre dystopique.

Page 133.

1. *Aux autres régions* : à l'étranger.

2. Si les Utopiens ignoraient totalement le fer, cela rappellerait nettement l'Âge d'Or, ou encore l'Amérique décrite par Vespucci (voir *Les Quatre Voyages d'Amerigo Vespucci*, dans *Le Nouveau Monde*, trad. J.-Y. Boriaud, *op. cit.*, p. 90 : « Ils n'ont ni fer ni autre métal ») ; les Utopiens semblent toutefois connaître le fer, mais avoir besoin de l'importer

— ce qui était aussi le cas de l'Angleterre de l'époque de More.

3. Ici commence l'exposé sur l'or et l'argent, où les emprunts théoriques à Platon, qui bannissait l'usage des métaux précieux de la cité idéale (*La République*, III, 416d-417b ; *Lois*, V, 741e-745a ; et *Critias*, 112b-c), convergent avec les observations historiques des premiers voyageurs au Nouveau Monde, qui y constatent le mépris dans lequel les indigènes tiennent l'or (voir *Les Quatre Voyages d'Amerigo Vespucci*, dans *Le Nouveau Monde*, trad. J.-Y. Boriaud, *op. cit.*, p. 93 : « L'or, les perles, les bijoux, que nous considérons en notre Europe comme des richesses, ils ne leur reconnaissent aucune valeur, les méprisent même complètement et ne font rien pour les posséder. Ils ne pratiquent ni troc ni commerce, ni vente ni achat, et leur suffit ce que la nature, spontanément, leur offre. ») Les Utopiens conservent pourtant de l'or, mais son usage est limité à leurs transactions extérieures, en particulier en temps de guerre : More ne décrit pas un univers où la monnaie aurait été entièrement abolie, mais les moyens qui permettent de purger de son usage un territoire insulaire et clos, en interdisant les transactions financières aux particuliers et en les réservant à l'État ; c'est pourquoi les Utopiens convertissent systématiquement l'argent qu'ils prêtent à des particuliers étrangers en obligations d'État.

Page 134.

1. *Cédules* : reconnaissances de dette.
2. *Ce trésor qu'ils ont par-devers eux* : le trésor conservé sur le territoire même d'Utopie.

Page 135.

1. *Les choses vaines et qui ne servent de rien* : la traduction de Le Blond précise l'idée, en ajoutant : « comme l'or et l'argent, dont les mines sont au creux de la terre ».
2. *Mussés* : cachés.

Page 136.

1. *Abhorrente* : contraire.

Page 137.

1. Ce paragraphe est paraphrasé par George Chapman, John Marston et Ben Jonson dans leur pièce *Eastward Ho!* (publiée en 1605), à l'occasion d'une description fabuleuse de la Virginie récemment découverte par Sir Walter Raleigh (acte III, scène II).

2. *Engendre aux cœurs aussi diverses affections* : fait naître semblablement dans leurs cœurs des sentiments différents de ceux de tous les autres peuples. — *Anémoliens* : nom forgé à partir du grec, « vides comme le vent » ; Anémolius est aussi le nom de l'auteur d'un sizain inclus dans les paratextes originaux (voir en Annexes, p. 241). La satire de la vanité de ces ambassadeurs résonne d'autant plus que l'interlocuteur d'Hythlodée — le personnage de Morus — fait lui-même partie d'une ambassade au moment où le dialogue est censé avoir lieu. L'historiette des Anémoliens a sans doute été inspirée à More par un souvenir de Lucien, *Nigrinos*, 13 ; sur les rapports, tant de forme que de fond, entre *L'Utopie* et les satires de Lucien (en dehors de l'histoire des Anémoliens, qui curieusement n'y est pas mentionnée), voir Carlo Ginzburg, *Nulle île n'est une île, op. cit.*, p. 15-47.

Page 140.

1. *Réfulgence* : brillance.
2. Voir Lucien, *Vie de Demonax*, 41.

Page 141.

1. L'accès permanent de toute la population, sans distinction d'âge ni de sexe, à la formation intellectuelle constituait évidemment une hypothèse révolutionnaire à une époque où la plus grande partie du peuple était analphabète. Dans les pages qui suivent, More dessine un programme d'étude conforme à la réforme pédagogique prônée par les humanistes, où sont successivement évoquées toutes les branches du savoir : la musique et les arts, la logique et les mathématiques, la physique, enfin et surtout la philosophie morale.

Page 142.

1. Tout comme Érasme, More se réclame volontiers de l'Antiquité pour polémiquer contre la philosophie scolastique : en l'occurrence, les *Parva logicalia*, un traité de logique médiéval encore en usage dans les écoles au début du xviᵉ siècle. On retrouve les mêmes attaques contre ce traité et ses catégories logiques dans la lettre de More à Martin Van Dorp datée du 21 octobre 1515 : voir Thomas More, *Selected Letters*, éd. E.F. Rogers, New Haven, Yale U. P., 1961, lettre 5, p. 20 *sq.*

2. « L'intention seconde » est un terme propre à la logique scolastique, et dont la définition varie selon les siècles et les auteurs ; le point de départ de la distinction entre « intention première » et « intention seconde » réside dans le fait que l'intellect peut « tendre » à la saisie soit d'un objet réel (intention première), soit d'un objet intelligible créé par la mise en relation des intentions premières (intention seconde). « L'homme en commun » désigne le concept d'homme en tant que catégorie générale — c'est-à-dire comme l'un de ces « Universaux » dont l'existence réelle fut tant débattue ; voir Alain de Libera, *La Querelle des Universaux de Platon à la fin du Moyen Âge*, Paris, Seuil, 1998. La présentation satirique que More donne des concepts scolastiques fait écho à celle qu'on trouve chez Érasme, *Éloge de la Folie*, chap. 53 (trad. J. Chomarat) : « Il y a d'innombrables *pointes d'épingles* [subtilités] encore plus fines sur les notions, relations, instances, formalités, quiddités, eccéités qu'aucun œil ne saurait percevoir, à moins d'être assez Lyncée pour discerner à travers les plus profondes ténèbres même ce qui n'existe nulle part. » Lyncée est un personnage mythologique à la vue proverbialement perçante.

3. Les Utopiens distinguent l'astronomie scientifique de l'astrologie prédictive (« la tromperie de deviner par science sidérale »), qui se fonde sur la conjonction (« concorde ») ou l'opposition (« différend ») entre les planètes (« étoiles erratiques »). Tout ce paragraphe tend à montrer que la science des Utopiens est plus empirique que dogmatique.

Page 143.

1. *Le flot de la mer* : les marées.

2. Les dissensions doctrinales existent chez les Utopiens en matière non seulement de science, mais aussi de religion (voir le dernier chapitre), sans pourtant que la cohésion de leur culture et de leur État soit remise en cause.

3. La tripartition des biens entre biens de l'âme, biens du corps et biens «externes» ou «de fortune» remonte à Platon et Aristote: voir Platon, *Lois*, III, 697b; Aristote, *Éthique à Nicomaque*, I, 8, 2 (1098b) et *La Politique* VII, 1, 2 (1323a).

4. *La félicité humaine*: cette «félicité» (*felicitas*) est l'héritière du «souverain bien» (*summum bonum*) des moralistes antiques; sa définition constitue l'enjeu majeur de toute morale. En identifiant la félicité au plaisir («la volupté», en latin *voluptas*), les Utopiens semblent au premier abord se ranger du côté de l'hédonisme des antisocratiques (tels Philèbe et Protarque, les adversaires de Socrate dans le *Philèbe*, ou encore les épicuriens) contre l'intellectualisme du Socrate de Platon; de ce point de vue, ils ressemblent à première vue aux Sauvages d'Amérique, à propos desquels Vespucci écrit dans les *Quatre Navigations* que «leur vie, absolument vouée au plaisir, est épicurienne» (dans *Le Nouveau Monde*, trad. J.-Y. Boriaud, *op. cit.*, p. 92), et dans le *Mundus Novus* qu'«ils vivent selon la nature, et peuvent être dits épicuriens plutôt que stoïciens» (*ibid.*, p. 77). Mais la situation est en réalité beaucoup plus complexe, car la suite de l'exposé va montrer que l'hédonisme des Utopiens n'a rien à voir avec le culte du plaisir sensuel souvent prêté aux «pourceaux d'Épicure». En effet, les Utopiens réconcilient la définition du souverain bien proposée par les hédonistes («le plaisir») avec les deux thèses qui lui ont été le plus farouchement opposées dans l'histoire des idées. D'une part, ils démontrent que l'hédonisme, loin d'être incompatible avec la définition du souverain bien donnée par les stoïciens («la vertu», «vivre selon la nature»), en est en réalité un corollaire: dans le texte du *Mundus Novus*, Vespucci associait d'ailleurs cette «vie selon la nature» avec l'épicurisme (Sénèque remarquait déjà que les deux doctrines n'étaient pas incompatibles: voir *De vita beata*, 13, 1). D'autre part, les Utopiens associent à leur hédonisme la croyance en l'immortalité de l'âme, défendue notamment par Platon et par

les chrétiens — alors que les épicuriens estimaient que l'âme était mortelle. Toute la philosophie utopienne du plaisir apparaît en fait nourrie de la discussion sur la nature du plaisir qu'on lit chez Platon (*Philèbe*, 31b-55c, et *La République*, IX, 580c-587c) : More reprend en particulier à Platon la notion de «faux plaisir», ainsi que la distinction entre plaisir mixte (mêlé de douleur) et plaisir pur. Le paradoxe est cependant que les Utopiens défendent la thèse des hédonistes tout en adoptant certains arguments de leur adversaire Socrate : au niveau philosophique aussi, les Utopiens incarnent donc une «solution fictive des contradictions» historiques (voir la Préface, p. 33). Pour un examen plus détaillé des rapports entre la doctrine platonicienne du plaisir et la philosophie utopienne, voir Jean-Yves Lacroix, *L'*Utopia *de Thomas More et la tradition platonicienne*, Paris, Vrin, 2007, p. 185-240, ainsi que Judith P. Jones, «The *Philebus* and the philosophy of pleasure in Th. More's *Utopia*», dans *Moreana*, 31-32, nov. 1971, p. 61-69.

5. *Cette sentence si délicate* : en latin *sententia tam delicata*, c'est-à-dire «cette doctrine si peu ascétique». L'expression, tout comme la phrase «ils sont un peu trop enclins à suivre les sectateurs de la volupté», marque une légère prise de distance d'Hythlodée envers ces positions sur le plaisir, qui sera réitérée à la fin de l'exposé (voir p. 158, note 2).

Page 144.

1. De même que les Utopiens réconcilient épicurisme et stoïcisme, de même ils montrent l'enchevêtrement inextricable qui lie la morale à la religion, et la philosophie rationnelle à la théologie. On trouve ici une forme de distinction entre deux types de «raison» : la raison positive, qui ne suffit pas à elle seule («de soi») à démontrer une thèse comme celle de l'immortalité de l'âme, laquelle relève donc bien de la foi, de la «religion» ; et la raison pratique, qui considère ce postulat métaphysique comme nécessaire à la fondation de la morale : puisqu'il est nécessaire qu'il existe une juste rétribution des vertus et des vices, il faut postuler l'immortalité de l'âme. Ces principes sont déjà au fondement de la morale et de la métaphysique

de Platon (voir par exemple la fin du livre X de la *République*); ils demeurent au cœur de ce qu'on appelle la «théologie naturelle» ou la «religion naturelle» (c'est-à-dire qui se passe du soutien de la Révélation). L'articulation entre religion naturelle et religion révélée sera évoquée au début du dernier chapitre, consacré aux religions des Utopiens.

2. *Il se garderait seulement [...] de douleur ou maladie*: c'est le principe de sélection rationnelle des plaisirs posé par Épicure; voir par exemple Cicéron, *De finibus*, I, 33.

3. *La ligne contraire [...] attribuée à vertu*: ainsi traduit Le Blond; Aneau traduit pour sa part «à laquelle seule la stoïque contraire secte attribue félicité», en explicitant le fait que l'école qui place le souverain bien non dans le plaisir mais dans la vertu est celle des stoïciens.

4. *Vivre selon la nature*: c'est la définition de la vertu proposée par Zénon de Cittium, le fondateur de l'école stoïcienne.

Page 150.

1. Dans l'*Éloge de la Folie* d'Érasme, chap. 45 (trad. J. Chomarat), la Folie raconte l'anecdote suivante à propos d'«un homme de [son] nom», qui est sans doute More lui-même: «Je connais un homme de mon nom qui fit présent à celle qu'il venait d'épouser de quelques pierres fausses et la persuada (car c'était un beau diseur de riens) qu'elles étaient vraies et authentiques, et même d'une valeur singulière, inestimable. Eh bien, quelle différence cela faisait-il pour la jeune femme, puisqu'elle ne prenait pas moins de plaisir à repaître ses yeux et son esprit de la verroterie et qu'elle gardait ces babioles chez elle aussi bien cachées qu'un précieux trésor? Le mari cependant évitait une dépense et jouissait de l'illusion de son épouse, qu'il s'était attachée tout autant que s'il lui avait offert un cadeau coûteux.» Il existe d'autres points de contact entre la satire des illusions menée dans cette partie de *L'Utopie* et celle de l'*Éloge de la Folie*, qui ridiculise également la folie de ceux qui sont imbus de noblesse (chap. 42), des joueurs et des chasseurs (chap. 39), etc.

Page 151.

1. *Déduit* : plaisir.

Page 152.

1. *Recordation* : remémoration.

Page 154.

1. Cette thèse est une de celles défendues par Socrate dans le *Philèbe*, 42e ; elle est reprise, mais dans une optique hédoniste, par Aristippe et les cyrénaïques, pour qui le plaisir se définit toujours comme mouvement, ce qui exclut *de facto* de la stricte définition du plaisir tout état de repos : voir Diogène Laërce, *Vies et doctrines des philosophes illustres*, II, 87 et 89. Épicure admet au contraire que l'on puisse définir comme plaisir un état stable et ne comportant pas de mouvement (voir Diogène Laërce, X, 136).

Page 156.

1. Voir Platon, *Gorgias*, 494c-495a ; et *Philèbe*, 46d-47b.

Page 158.

1. C'est la définition de la religion naturelle.

2. L'exposé de la théorie utopienne du plaisir par Hythlodée se clôt sur une protestation de neutralité qui fait écho à la discrète prise de distance sur laquelle il s'ouvrait (voir p. 143, note 5). L'hédonisme n'avait pas bonne presse dans des civilisations (antiques ou renaissantes) dominées par des tendances ascétiques, qu'elles soient stoïciennes ou chrétiennes. Mais malgré la double mise à distance (l'auteur se distingue du narrateur Hythlodée, qui lui-même se désolidarise apparemment de ces théories hédonistes), la phrase suivante prouve que les effets de cette doctrine sur la vie pratique des Utopiens sont les plus heureux qu'on puisse imaginer : la description censément objective permet de valider pratiquement ce qu'on ne saurait, sur le plan théorique, approuver trop ouvertement.

Page 159.

1. L'un des facteurs essentiels de l'humanisme, avec l'invention de l'imprimerie (qui sera évoquée peu après),

est la redécouverte du grec. Au début du livre premier
(p. 50), Pierre Gilles dit d'Hythlodée qu'il «n'est pas ignare
en langue latine, mais en grec très savant — il l'a plus
étudié que le latin, parce qu'il s'était totalement adonné à
la philosophie : car on ne trouve, parmi les écrits latins touchant à la philosophie, rien d'efficace, excepté certaines
choses qu'ont faites Sénèque et Cicéron».

Page 160.

1. Éditer des textes exacts et corrects fut l'une des principales entreprises des humanistes.

2. La plupart des noms utopiens s'expliquent en effet
par une étymologie grecque, mais c'est aussi le cas du nom
d'Hythlodée lui-même. Ce jeu lettré dénonce discrètement
la fictionnalité du monde utopique et de son explorateur
(voir la seconde lettre de More à Pierre Gilles, en Annexes,
p. 268-269), tout en rattachant les Utopiens aux sources de
la sagesse occidentale.

3. *Ma quatrième navigation* : inadvertance de More ;
Pierre Gilles a en effet déclaré qu'Hythlodée n'avait parti-
cipé qu'aux trois derniers des quatre voyages de Vespucci
(voir p. 50). — *Un petit paquet de livres* : Hythlodée dresse
ici la liste d'une bibliothèque idéale et portative de l'humaniste helléniste, qui correspond sans doute à ce que More
emporterait sur une île déserte. La plupart des livres cités
furent imprimés entre 1495 et 1515 — ce qui introduit un
anachronisme par rapport à la date supposée du voyage
d'Hythlodée, censé avoir quitté l'Europe en juin 1503.

4. More lui-même posséda, comme nombre de grands
personnages de son époque, un singe de compagnie (voir la
lettre d'Érasme à von Hutten citée en Annexes, p. 295).
Cette anecdote pittoresque possède aussi un sens symbo-
lique : voir Louis Marin, *Utopiques. Jeux d'espace, op. cit.*,
p. 226-233.

5. Théodore de Gaza (*ca* 1400-1478) et Constantin Lascaris (*ca* 1434-*ca* 1501) furent parmi les premiers érudits
byzantins à émigrer en Occident et à y réintroduire, au
moment même de la chute de Constantinople (1453),
l'étude du grec. Ils furent chacun l'auteur d'une grammaire grecque ; celle de Théodore fut traduite en latin par

Érasme, qui la recommande particulièrement dans *La Méthode pour étudier* (1511) : voir sa liste de « bons auteurs » pour l'apprentissage du grec et du latin (Érasme, *Œuvres choisies*, trad. J. Chomarat, Paris, Livre de Poche, 1991, p. 228-229), qui présente plusieurs points communs avec la sélection d'Hythlodée (Lucien, Aristophane, Homère, Euripide et Hérodote). — *Hésychius et Dioscoride* : lexicographes, respectivement du Ve et du Ier siècle de notre ère.

6. *Lucien* : More et Érasme avaient traduit en latin une sélection d'œuvres de Lucien de Samosate, publiée en 1506. — *Alde* : Alde Manuce (1449-1515), imprimeur vénitien, avait fait paraître tous ces poètes ; le volume consacré à Sophocle était paru en 1502. En recevant les œuvres des poètes et des dramaturges, l'Utopie se distingue de la cité idéale de Platon, d'où avaient été bannies la lecture d'Homère et les représentations théâtrales (voir Platon, *La République*, III, 397e-398b et X, 605b-607b ; *Lois*, VII, 817a-e).

Page 161.

1. *Hérodien* : au IIe siècle de notre ère, Hérodien a écrit une *Histoire de l'Empire romain* couvrant les années 180 à 238.

2. *Tricius Apinatus* : nom fictif, rappelant la locution proverbiale latine *tricae apinae*, « bagatelles » ou « balivernes » ; voir Érasme, *Les Adages*, n° 143 (*op. cit.*, t. I, p. 166-167). Le sens caché de ce nom est donc proche de celui du nom Hythlodée, « l'expert en balivernes ». — *La Microtechnè de Galien* : l'un des plus diffusés des nombreux écrits de ce médecin du IIe siècle de notre ère, qui est évoqué par Budé au début de sa lettre à Thomas Lupset (voir en Annexes, p. 255).

3. *Nature naturée* : équivalent littéral de l'expression latine *natura naturata* (c'est-à-dire la Création), par opposition à *natura naturans* (la « nature naturante », c'est-à-dire la Puissance créatrice). La précision est due à Le Blond ; le texte latin de More dit seulement *natura*.

4. La soif de connaissance, qui caractérise non seulement les Utopiens mais aussi l'humanisme, se voit ainsi

justifiée par le dessein même du Créateur qui a doté l'homme de raison.

5. *Le papier* : invention chinoise, le papier fut ensuite utilisé par les Arabes, avant d'être introduit en Europe au cours du Moyen Âge. Les premiers livres imprimés par Gutenberg remontent aux années 1450 ; au début du xve siècle, l'imprimerie était encore une invention récente.

Page 162.

1. *Des peaux, des écorces et des roseaux* : avant que l'usage du papier ne se répande, on écrivait sur des supports faits de peau (le parchemin), d'écorce (en latin *liber*, qui désigna ensuite le livre) ou de roseau (le papyrus).

Page 165.

1. Il n'est guère besoin de souligner l'étonnante modernité — et l'originalité pour l'époque — de ce plaidoyer pour l'euthanasie, qui est certes pleinement cohérent avec l'hédonisme rationnel des Utopiens, mais va à l'encontre à la fois de l'interdiction chrétienne portée contre le suicide, et de la tradition individualiste du suicide stoïcien.

2. C'est-à-dire à un âge tardif par rapport aux pratiques européennes de l'époque.

Page 166.

1. *Et ils se contempleront [...] si tout y est bien accompli* : cette fin de phrase est une explicitation du traducteur. More semble refondre dans cette coutume deux préconisations de Platon, qui prônait d'une part que les jeunes gens pussent se découvrir en s'exerçant nus à la danse (*Lois*, VI, 771e-772a), et d'autre part qu'un magistrat s'assurât avant le mariage de la nubilité des futurs époux (*Lois*, XI, 925a) ; Platon est sur ces points également approuvé par Montaigne (*Essais*, III, 5, « Folio classique », p. 113 et 150). Ce passage de More est cité par Bacon dans *La Nouvelle Atlantide* (trad. M. Le Dœuff et M. Llasera, éd. M. Le Dœuff, GF, 1995, p. 115-116) : « J'ai lu dans un livre de chez vous la description d'une République Imaginaire où l'on permet aux futurs époux de se voir nus avant de contracter mariage. Une telle coutume choque les gens d'ici, car, disent-ils, refuser finalement le mariage, quand il y a eu

connaissance si intime, voilà qui constitue un outrage. Cependant, comme il est dans le corps des hommes et des femmes maint défaut caché, un usage analogue, mais plus courtois, existe ici : il y a, près de chaque ville, deux bassins (qu'on appelle « les bassins d'Adam et d'Ève ») où l'on autorise l'un des amis de l'homme, comme l'une des amies de la femme, à les voir se baigner nus séparés l'un de l'autre. »

Page 167.

1. Christophe Colomb croyait les Indiens des Caraïbes monogames (voir *Le Nouveau Monde*, trad. J.-Y. Boriaud, *op. cit.*, p. 10 : « À ce que j'ai compris, dans toutes ces îles, chacun se satisfait d'une épouse unique, à part les princes ou les rois, à qui il est permis d'en avoir vingt ») ; mais tel n'est pas le constat de Vespucci dans ses *Quatre Navigations* (voir *ibid.*, p. 91) : « Dans leurs mariages, ils n'observent ni lois ni contrats, et chacun peut même prendre autant d'épouses qu'il le désire et les répudier quand il veut, bien qu'ils voient là une offense et un outrage. » Dans la lettre à Ulrich von Hutten où il dresse le portrait de More (voir en Annexes, p. 301-302), Érasme affirme que le goût de More pour la défense rhétorique des paradoxes l'avait, dans sa jeunesse, poussé à méditer « un dialogue où il défendait la société communiste de Platon, y compris la communauté des épouses » ; cette idée provocante avait été émise par Platon dans *La République* (V, 457c-d), où la jouissance commune des femmes et des enfants est cependant réservée à la classe supérieure, les Gardiens. Si *L'Utopie* est sans doute la résultante du projet de jeunesse évoqué par Érasme, on constate que sur ce point de la communauté des femmes, les Utopiens se montrent plus traditionalistes que Platon.

Page 168.

1. *La vieillesse [...] de soi-même est une vraie maladie* : souvenir de Térence, *Phormion*, v. 574.

2. *Si la cause ne lui est diligemment connue par le récit des maris et des femmes* : ainsi traduit Le Blond, mais il serait plus conforme à la grammaire de comprendre : « si la cause n'a pas été diligemment connue par les sénateurs et par leurs femmes ».

Page 169.

1. Jean Bodin, dans *Les Six Livres de la République* (1576), rapproche cette pratique de celle de législateurs anciens comme Solon ou Lycurgue, tout en signalant que la République de More se caractérise par son caractère fictif : « Comme faisait aussi Thomas le More Chancelier d'Angleterre, laissant toutes les peines à la discrétion des Magistrats, hormis l'adultère, en sa République d'Utopie qui ne fut onc » (J. Bodin, *Les Six Livres de la République*, livre VI, chap. 6, Paris, Fayard, 1986, p. 268).

2. À l'inverse, les sauvages de Vespucci ignorent toute justice, y compris au sein de la famille (voir *Les Quatre Voyages d'Amerigo Vespucci*, dans *Le Nouveau Monde*, trad. J.-Y. Boriaud, *op. cit.*, p. 90-91) : « Ils n'observent ni droit ni justice. Ils ne punissent absolument pas les malfaiteurs, et bien mieux, les parents n'éduquent ni ne corrigent leurs jeunes enfants. »

Page 170.

1. Ce principe est également commenté par Jean Bodin (*Les Six Livres de la République*, livre VI, chap. 6, *op. cit.*, p. 286) : il faudrait en théorie punir davantage celui qui a eu l'intention criminelle que celui qui a accompli le méfait, mais dans les faits ce n'est pas le cas : « mais les hommes ne punissent que ce qu'ils touchent au doigt. En quoi s'abusait Thomas le More Chancelier d'Angleterre, qui égalait l'effort à l'effet, et la volonté à l'exploit [la réalisation] d'icelle ». Voir aussi *ibid.*, I, 1, p. 31 : « Nous ne voulons pas aussi figurer une République en Idée sans effet, telle que Platon et Thomas le More Chancelier d'Angleterre ont imaginé, mais nous contenterons de suivre les règles politiques au plus près qu'il sera possible. » Le rapprochement des deux passages permet d'établir une analogie implicite entre les lois utopiennes et le projet utopique lui-même : les deux tendent en effet à abolir la distance entre l'intention (« l'idée », « l'effort », « la volonté ») et son actualisation (« l'effet », « l'exploit »).

2. *Les Utopiens prennent grand plaisir aux fous* : c'était aussi le cas de More, qui entretenait dans sa demeure un bouffon, Henry Patenson. La référence à la folie est également au cœur de nombreux jeux de mots sur le patronyme

de More (qui rappelle le grec *moros* et le latin *morio*, «le fou»), en particulier dans le titre de l'*Éloge de la Folie* (*Encomium Moriae*) d'Érasme, qui est dédié à More. La dialectique entre le sérieux et la folie est par ailleurs l'un des enjeux qui structurent l'opposition entre Hythlodée et Morus au livre premier (p. 93-95) : voir G. Navaud, *Persona. Le théâtre comme métaphore théorique de Socrate à Shakespeare, op. cit.*, p. 309-315.

Page 171.

1. *Pères* : c'était le titre habituel des sénateurs romains.

2. Voir la lettre de More à Érasme du 4 décembre 1516, citée en Annexes, p. 284.

3. Les considérations sur la justice développées dans ce paragraphe sont évidemment inspirées par l'expérience même de More, qui était juriste de formation et de métier. La pratique des Utopiens s'oppose diamétralement sur ce point à la tradition judiciaire occidentale telle qu'elle est décrite par Hythlodée au livre premier, p. 96 ; voir aussi la lettre de Guillaume Budé à Thomas Lupset citée en Annexes, p. 259 et 261.

Page 172.

1. *Perplexes* : qui rendent perplexe.

Page 173.

1. *Police* : constitution politique (grec *politeia*).

2. *Et alors n'en ont nul usage* : explicitation du traducteur, qui rappelle que l'or et l'argent ne sont pas utilisés en Utopie ; c'est pourquoi les magistrats utopiens, une fois rentrés chez eux, n'auraient aucun moyen d'employer le fruit de la corruption à laquelle ils se seraient prêtés durant leur mandat à l'étranger.

Page 174.

1. *Leur censure pastorale* : en particulier l'excommunication.

2. La description idyllique de la chrétienté et de l'autorité papale est violemment sarcastique, à une époque où les souverains pontifes, tels Alexandre VI Borgia (pape de

1492 à 1503) ou Jules II della Rovere (pape de 1503 à 1513), étaient considérés comme des modèles de rouerie politique. Machiavel cite à ce propos Alexandre VI comme un exemple remarquable ; voir *Le Prince* (rédigé en 1513, publié en 1532), chap. 18 : « Comment les princes doivent tenir leur parole » (trad. J. Gohory, préface de P. Veyne, « Folio classique », 1980 et 2007, p. 108) : « Alexandre VI ne fit jamais rien que piper le monde, jamais il ne pensa jamais à rien d'autre, trouvant toujours sujet propre à tromper. Jamais homme ne fut plus ardent à donner des assurances, à promettre sa foi avec plus grands serments, mais à moins l'observer ; néanmoins ses tromperies lui vinrent toujours *ad votum*, car il connaissait fort bien ce point des affaires du monde. » C'est ironiquement au Nouveau Monde (à l'exception des Utopiens) que sont réservés, au paragraphe suivant, le parjure et la fourberie — ce qui est d'ailleurs conforme aux descriptions de Vespucci, qui rencontre bien souvent des peuples dont la première apparence d'amitié n'est qu'un leurre (voir *Les Quatre Voyages d'Amerigo Vespucci*, dans *Le Nouveau Monde*, trad. J.-Y. Boriaud, *op. cit.*, p. 96-97 et p. 109). La description d'Hythlodée joue donc sur un effet de miroir et d'inversion : au premier abord, elle idéalise l'Europe et confirme la rouerie des païens, mais c'est en fait l'Europe dystopique qui est ici dépeinte au travers de l'Amérique non utopienne — en des termes qui rappellent d'ailleurs explicitement la description du conseil du prince au livre premier (contrats pipés, etc. : voir p. 82-83).

3. *L'équinoxe* : l'équateur.

Page 176.

1. Sur la participation des femmes aux exercices militaires, voir p. 185-186, note 1.

Page 177.

1. C'est précisément une querelle entre marchands anglais et flamands qui motivait l'ambassade de More à Bruges à l'été 1515, au moment où il rédige *L'Utopie* et où il situe le récit-cadre du livre premier.

2. *Alaopolites* : nom forgé à partir du grec, signifiant « les Citoyens de la Ville sans Peuple ». — *Néphélogètes* : nom forgé à partir du grec, « les Habitants des Nuages ».

Page 178.

1. Voir p. 133 sur la coutume des Utopiens de n'exporter que les biens qu'ils ont en surplus.

Page 180.

1. *Cédules* : ici, tracts.

Page 182.

1. On retrouve en Utopie les mêmes procédés que ceux qu'Hythlodée décrivait avec répugnance au livre premier quand il évoquait les conseils des princes européens, ou l'origine de la guerre menée par les Achoriens. Seule la justice de l'objectif poursuivi par les Utopiens (sauver des vies, aussi bien les leurs que celles de leurs ennemis, en mettant aussi rapidement que possible un terme à la guerre) permet de justifier l'emploi de tels stratagèmes, qui font des Utopiens un peuple politiquement pragmatique — sans aller pourtant jusqu'au machiavélisme, dans la mesure où ils refusent de rechercher le pouvoir pour le pouvoir. Il demeure cependant que l'Utopie a structurellement vocation à rester une parenthèse dans un monde en guerre : malgré sa sollicitude envers les autres peuples, elle est condamnée à sauver sa propre excellence au prix de la perte d'autres peuples moins parfaits, dont elle manipule les instincts.

2. *Comme j'ai dit auparavant* : voir p. 134.

3. *Zapolètes* : nom forgé à partir du grec : « Ceux qui [se] vendent beaucoup ». Les mercenaires étaient très répandus dans l'Europe renaissante, notamment chez les Suisses, qui jouèrent un rôle déterminant dans les guerres d'Italie, et fournissent le modèle des Zapolètes. Trois types d'organisation militaire sont évoqués dans *L'Utopie*. Le premier, mentionné au livre premier (p. 62-63), est celui de la France ; il consiste à nourrir en permanence à demeure une armée de métier — le risque étant que cette armée, lorsqu'elle est désœuvrée, ravage le pays. Le second est celui d'une armée de citoyens mobilisables à tout moment : considéré comme le meilleur système par Hythlodée au livre premier (p. 63),

c'est également ce modèle qui est privilégié par Machiavel (*Le Prince*, chap. 12). C'est aussi celui que suivent les Utopiens, mais uniquement en dernier recours, car avant de mobiliser leurs propres citoyens, ils ont recours autant que possible au troisième modèle, celui de l'armée de mercenaires, non pas parce qu'il serait plus efficace militairement, mais afin d'épargner autant que possible la vie des citoyens utopiens.

Page 183.

1. *Osts* : armées.

Page 184.

1. L'humanisme des Utopiens trouve avec les Zapolètes sa limite : l'amour de l'humanité ne commande plus la conservation, autant que possible, de ce peuple, mais au contraire sa destruction, car sa sauvagerie le place en dehors de la communauté des hommes. La logique utopienne permet ainsi de faire d'une pierre deux coups : tout en épargnant leurs précieux citoyens, les Utopiens contribuent à l'éradication du fléau des Zapolètes.

Page 186.

1. Les femmes des Utopiens qui se portent volontaires participent à la guerre, comme le voulait déjà Platon (*République*, V, 466c-467b ; *Lois*, VII, 804c-806c), qui se fonde sur l'exemple de certaines nations barbares ; on trouve également chez Tacite des descriptions de Germains (*Germanie*, 7-8) ou de Bretons (*Annales*, XIV, 34) qui combattent sous les yeux de leurs familles afin d'encourager leur vaillance. Voir aussi ce qu'en dit Vespucci (*Les Quatre Voyages d'Amerigo Vespucci*, dans *Le Nouveau Monde*, trad. J.-Y. Boriaud, *op. cit.*, p. 90) : chez les sauvages, les femmes participent à la guerre — systématiquement pour assurer la logistique, mais parfois aussi comme archers.

2. *Tourner le dos* : battre en retraite.

Page 191.

1. *Le danger que j'ai déclaré ci-devant* : voir p. 181 : « N'oubliant pas en quel danger ces dons invitent les hommes à se hasarder, ils prennent soin que la grandeur du péril soit compensée par l'abondance des biens, et ainsi promettent-

ils non seulement un gros monceau d'or, mais aussi des terres de grand revenu en lieux sûrs chez leurs amis, terres qu'ils assignent comme leur propriété perpétuelle à ceux qui font tels actes, et ils leur tiennent promesse fidèlement et entièrement. »

2. En matière de religion, l'Utopie est une sorte de laboratoire historique. Comme les anciens païens, les Utopiens ont tendance à diviniser les astres et les héros ; malgré les différences de culte, ils tendent cependant vers une religion naturelle et rationnelle unique, ce qui leur permet d'échapper à tout fanatisme et d'accepter les autres cultes avec tolérance.

3. *Non pas en étendue, mais en vertu* : non pas en tant que corps matériel (divinité immanente), mais en tant que puissance immatérielle (divinité transcendante).

Page 192.

1. *Mythra* : Mithra était chez les Perses le dieu du Soleil ; comme celui d'autres religions à mystères, son culte se diffusa assez largement dans l'Empire romain.

Page 193.

1. La christianisation des indigènes était l'un des enjeux majeur de la conquête du Nouveau Monde (voir par exemple la *Lettre* de Christophe Colomb, dans *Le Nouveau Monde*, trad. J.-Y. Boriaud, *op. cit.*, p. 9) ; on le retrouve dans la plupart des utopies, par exemple dans *La Nouvelle Atlantide* de Bacon (voir la Préface, p. 21, n. 2). Dans la lettre-préface à Pierre Gilles (Annexes, p. 234), More évoque avec ironie la sainte ambition d'un candidat au futur évêché d'Utopie.

2. L'Utopie permet de rappeler que le communisme est l'une des composantes du message du Christ, et que la vie monastique en donne un exemple ; voir la lettre de Guillaume Budé à Thomas Lupset (citée en Annexes, p. 258-259).

3. En cas de nécessité, tout croyant peut administrer le sacrement du baptême. Mais seul un prêtre ou un évêque consacré peut célébrer l'eucharistie, le sacrement de réconciliation, la confirmation ou encore l'ordination. Dans ce

dernier cas, c'est la continuité de la tradition apostolique instaurée par le Christ qui est en cause.

Page 194.

1. La liberté religieuse en Utopie est telle que les rares condamnations ne sont pas prononcées sur des motifs idéologiques, mais pour trouble à l'ordre public ; c'est aussi pour ce motif que les Utopiens déchoient de leurs droits civiques les ultra-matérialistes (voir *infra*, p. 196). Sur cette anecdote du néophyte, voir la Préface, p. 21 ; ainsi que Louis Marin, *Utopiques. Jeux d'espaces, op. cit.*, p. 233-245.

Page 195.

1. Il n'est pas aussi facile qu'on le souhaiterait de réconcilier l'avocat de la tolérance et de la raison qu'est l'auteur de *L'Utopie* avec le polémiste farouche qui va bientôt lui succéder sur la scène littéraire, et terminer sa vie en martyr de la foi catholique.

Page 196.

1. Seul le matérialisme métaphysique des atomistes est condamné, pas leur hédonisme (voir *supra*, p. 143 *sq.*, sur la doctrine du plaisir des Utopiens).

2. *Vileté* : caractère vil.

Page 197.

1. Cette croyance est propre à tous ceux qui admettent la métempsycose (c'est-à-dire la réincarnation) des âmes humaines dans des corps animaux ; c'était notamment le cas, dans l'Antiquité, des pythagoriciens.

Page 198.

1. L'idée est stoïcienne autant que chrétienne : l'homme doit accepter sans rechigner les décrets de la Providence divine.

2. *Dolentement* : avec douleur.

3. *Recordation* : remémoration.

Page 199.

1. *Coadjuteurs* : auxiliaires.

Page 201.

1. Voir *supra*, p. 157, la section sur la philosophie des Utopiens : la nature et la raison poussent l'homme vers un hédonisme rationnel, mais les Utopiens respectent le privilège d'une dévotion qui s'exempte de la raison mondaine. More lui-même, entre ses études à Oxford et son mariage, avait pendant plusieurs années pris pension chez les chartreux de Londres, dont s'inspire sans doute la description des religieux célibataires et végétariens.

2. *Religieux* : pour une fois, Hythlodée prend soin d'expliciter lui-même le sens du mot utopien « Buthresque », qui est comme la plupart du temps forgé à partir du grec.

Page 203.

1. Les autorités civiles et religieuses, toutes deux élues, collaborent entre elles, mais dans le cadre d'une stricte séparation entre le pouvoir spirituel et le pouvoir temporel : l'excommunication ne peut ainsi se transformer en condamnation civile pour impiété qu'après un jugement du sénat. Voir *supra*, p. 165 : les prêtres ne possèdent aucune puissance coercitive, même si leur autorité et leur influence sont immenses, et jouent un rôle fondamental dans la société utopienne.

Page 204.

1. L'attitude des prêtres utopiens contraste avec celle de la papauté et plus largement des hiérarchies ecclésiastiques européennes, qui sont à l'époque constamment engagées dans les conflits armés, en particulier les guerres d'Italie.

Page 205.

1. *Osts* : armées.

2. La description des églises utopiennes, sur laquelle se clôt le livre second, fait écho à l'évocation de Notre-Dame d'Anvers, sur laquelle s'ouvrait le livre premier : c'est dans une église que s'ouvre et que se referme l'espace utopique.

Page 206.

1. Autrement dit, le culte public gomme les particula-

rismes de chaque secte pour insister sur le socle théologique commun ; ce souci œcuménique, qui incite les Utopiens à ne pas donner à Dieu de nom ou de forme trop précise, leur permet incidemment d'échapper à l'idolâtrie.

Page 208.

1. Voir Vespucci, *Quatre Navigations* (dans *Le Nouveau Monde*, trad. J.-Y. Boriaud, *op. cit.*, p. 93) : « Leurs richesses sont des plumes d'oiseaux de couleurs variées », etc.

Page 210.

1. Le *credo* sur lequel s'achève la description d'Hythlodée résume l'essence des principes de la société utopienne, mais se lit aussi comme un manifeste conclusif qui invite le lecteur à recevoir l'Utopie comme une source d'inspiration aussi bien politique que spirituelle (les deux aspects étant, ici comme ailleurs, indissolublement liés) ; c'est pourquoi la prière de l'Utopien demandant à Dieu de le convertir, le cas échéant, à une meilleure forme de gouvernement ou de religion, a pour corollaire l'appel à convertir le monde à la sagesse utopienne, si celle-ci est bien le degré le plus élevé que l'homme puisse atteindre. Sur ce point, les Utopiens se montrent nettement moins catégoriques en matière religieuse qu'en matière politique, car si la politique relève de la raison positive, la religion ne repose en dernier ressort que sur la foi, la raison humaine étant incapable de percer le secret des intentions de Dieu.

Page 211.

1. *République* : Hythlodée remotive le sens étymologique du mot, *res publica*, c'est-à-dire la chose publique, le bien public. La seule vraie République est celle où tout est public ou commun, et rien n'est privé.

Page 212.

1. *Orfèvre* : les orfèvres jouaient à la Renaissance un rôle de banquier, grâce aux stocks de métaux précieux qu'ils détenaient.

Page 216.

1. *Ce serpent infernal* : la comparaison du vice à un

serpent est triviale, mais rappelle particulièrement le discours testamentaire du roi Édouard IV dans le *Richard III* de More (p. 49 dans la traduction de P. Mornand), où l'ambition est comparée à un serpent qui corrompt le cœur des hommes.

2. Voir Pline l'Ancien, *Histoire naturelle*, IX, 79 : « Il existe un tout petit poisson accoutumé à vivre dans les rochers, qu'on appelle *remora*. On croit que les vaisseaux auxquels il s'attache vont plus lentement ; c'est de là que lui vient son nom » (en latin, *remorare* signifie « retarder »). Voir aussi *ibid.*, XXXII, 1-5.

Page 217.

1. Cette absurdité apparente est à entendre ironiquement : l'Utopie n'est pas absurde *rationnellement* mais *historiquement*, relativement aux préjugés et aux pratiques des Occidentaux. L'attitude que feint d'adopter Morus face à l'Utopie est celle du pragmatique face à l'idéal, qu'il fait passer de la catégorie de l'*ou-topos* à celle de l'*a-topos* (voir les critiques adressées par Aristote à la *République* de Platon) ; voir la Préface, p. 15 et p. 18-20.

2. Voir livre premier, p. 57 : « Si quelqu'un, en la compagnie de tels gens, ou de gens envieux et arrogants, allègue quelque chose qu'il a lu avoir été fait en un autre temps, ou qu'il a vu en d'autres régions et lieux, ceux qui écoutent cela se comportent, ni plus ni moins, comme si la réputation de leur sagesse allait se perdre, et comme si on allait les estimer fous s'ils sont incapables de trouver quelque chose pour blâmer l'invention d'autrui. »

Page 218.

1. Le souhait d'une nouvelle rencontre avec Hythlodée ouvre l'espace d'un examen critique de l'Utopie, sans que soit définitivement tranché le débat sur le meilleur type de régime politique : l'Utopie reste à l'état de proposition à débattre.

2. Plus que de pessimisme, Morus fait preuve de réalisme ; voir livre premier, p. 93 : « il ne se peut faire que tout aille bien, si tous ne sont bons — ce que je n'espère qu'il se puisse faire encore de longtemps ». Le souhait de voir importées en Europe les institutions utopiennes (ou du

moins certaines d'entre elles) rassemble cependant *in fine* Morus et Hythlodée. La dernière phrase de *L'Utopie* présente une similitude troublante avec un passage de *La République* de Cicéron (II, 52, trad. É. Bréguet) : Platon « imagina une cité dont on peut davantage souhaiter qu'espérer la réalisation ; il la fit aussi petite que possible et non pas telle qu'elle pût exister, mais telle que la théorie politique y fût mise en lumière ». More ne pouvait en théorie pas connaître ce texte, qui ne fut retrouvé qu'au XIXᵉ siècle ; cela n'en rend que plus significative sa rencontre avec le jugement de Cicéron, ici formulé par l'intermédiaire du personnage de Scipion.

3. *Chancelier d'Angleterre* : le texte latin dit simplement « citoyen et vice-shérif de la Cité de Londres » ; More ne deviendra chancelier d'Angleterre qu'en 1529. — *Et tourné en langue française par maître Jean Le Blond* : cette signature du traducteur n'apparaît évidemment pas dans le texte original latin ; la mention « par maître Jean Le Blond » disparaît dans la version révisée par Barthélemy Aneau.

Table 383

DOSSIER

Composition Interligne
Impression Novoprint
à Barcelone, le 15 septembre 2020
Dépôt légal : septembre 2020
1er dépôt légal dans la collection : juin 2012

ISBN 978-2-07-043975-1./Imprimé en Espagne.

373224